Stéphane
BERN

Moi, Amélie, dernière reine de Portugal

ROMAN

D0293870

À ma grand-mère

Les épreuves qui ne vous tuent
pas vous rendent plus fort.

NIETZSCHE

On ne soupçonne pas ce que les
yeux d'une reine peuvent contenir
de larmes et quels abîmes de douleurs il y a dans leurs cœurs.

BOSSUET

Avant-propos

Au gré d'un voyage à Lisbonne, l'hiver dernier, sur les pas de la reine Amélie de Portugal à qui j'avais consacré une émission « Secrets d'Histoire » un an plus tôt, je retrouvai intactes les sensations qui m'avaient assailli la première fois que je lui avais rendu visite au palacio das Necessitades, au palacio da Ajuda, au palacio da Pena à Sintra ou au palacio de Belém, il y a plus de vingt-cinq ans. J'avais alors décidé de me lancer dans cette folle entreprise d'écrire un roman historique dont l'héroïne serait la dernière reine de Portugal, ou plutôt des Mémoires apocryphes. En effet, j'avais envie de faire parler cette femme majestueuse quoique hommasse, artiste dans l'âme dotée d'un joli coup de pinceau, éduquée pour être reine mais pas pour être projetée dans une cour médisante où son sens aigu de la charité serait davantage moqué que les goûts dispendieux de sa belle-mère l'extravagante Maria-Pia de Savoie. Je me plongeai avec empathie dans les carnets et journaux intimes de la reine Amélie conservés aux Archives nationales dans les cartons des archives de la Maison de France avec l'autorisation de son neveu, feu le comte de Paris. Une saudade toute portugaise m'envahissait alors lorsque j'ouvrais ses carnets en maroquin rouge et découvrais les tourments d'une femme et les sentiments intimes d'une reine qui aimait faire le bien autour d'elle, partir à cheval découvrir un point de vue sur la serra de Sintra et s'adonner à sa passion du dessin ou de l'aquarelle, présider des œuvres de bienfaisance, recevoir les visiteurs de marque dans les palais royaux de Lisbonne... mais qui soulignait d'un trait rageur les humiliations qu'elle subissait lorsqu'une dame de la cour évoquait publiquement les infidélités du roi Dom Carlos. Étrange destin que celui de la reine Amélie – D. Amelia en portugais – qui connut quarante-trois ans d'une relative quiétude avant que sa vie ne bascule avec le double assassinat régicide de son époux le roi D. Carlos et leur fils aîné D. Luis Filipe le 1er février 1908... la plongeant dans une existence de deuil, austère, pendant encore quarante-trois ans d'un long exil en Angleterre et en France.

Dernière princesse de France propulsée sur un trône en Europe, Amélie d'Orléans, devenue duchesse de Bragance puis reine de Portugal, pour être une femme de caractère n'en fut pas pour autant une tête politique. Éduquée dans le respect des traditions, conservatrice dans l'âme, elle aura été le témoin privilégié plus que l'actrice d'une époque essentielle dans l'histoire du Portugal, le tournant du siècle qui verra les révolutionnaires républicains s'appuyer sur l'humiliation de l'ultimatum britannique contre l'empire lusitanien en 1890 pour renverser la monarchie pluriséculaire des Bragance. Dans l'inconscient populaire portugais, la reine Amélie est regardée comme une souveraine sociale qui a fondé des dispensaires, des foyers, des orphelinats, distribué des bourses, lutté contre la pauvreté et la tuberculose, et créé le célèbre musée des Carrosses de Belém. C'est à elle encore que l'on doit l'incroyable essor de la langue française, d'autant plus utilisée au Portugal que l'anglais a longtemps été banni à cause de l'ultimatum... Mais que de drames, de deuils, de malheurs sur son chemin ! Membre éminent du mouvement littéraire des Vaincus de la Vie, l'immense écrivain portugais José Maria de Eça de Queiroz adulait la reine Amélie, dont il avait fait un portrait flatteur. Avait-il reconnu en elle une figure emblématique de la fin d'un monde, le XIXᵉ siècle, qui se fracassait à l'orée d'un XXᵉ siècle révolutionnaire et sanglant ? Assurément, par tous ces événements tragiques qu'elle aura traversés, la reine Amélie est un personnage éminemment romanesque. Elle est la dernière reine de Portugal, mais elle est aussi la dernière reine française à avoir ceint une couronne. Comme tout viatique dans ses malheurs, elle gardait une foi chevillée à l'âme et l'espérance à toute épreuve. Les Portugais l'ont regardée partir avec beaucoup de *saudade*, c'est dire s'ils l'ont immédiatement regrettée. Aujourd'hui, lorsque l'on visite ses petits appartements sombres et étroits du palais da Pena, véritable folie romantique qui domine Sintra, son souvenir est partout présent à travers ses objets du quotidien, ses photos intimes, son papier à lettres... De nombreux Français visitant cet hiver les palais royaux de Lisbonne m'interrogeaient sur le destin malheureux de la reine Amélie. Je suis donc heureux que Béatrice Duval, directrice des Éditions Denoël, ait eu l'envie de rééditer ces Mémoires apocryphes de la reine Amélie, publiés en 1997, il y a dix-huit ans, parce que la diffusion de l'émission « Secrets d'Histoire » sur France 2 qui lui était consacrée a ravivé la flamme et suscité le désir de mieux connaître cette femme dont le règne continue en quelque sorte. Je serais presque tenté de lui attribuer le vers que Luis de Camoes consacre dans ses *Lusiades* à Inès de Castro, la reine morte, « *que depois de ser morta foi Rainha* » (qui après être morte fut reine). Mon vœu sera alors atteint de faire revivre et pour longtemps le souvenir de la dernière reine de Portugal.

Stéphane Bern
Février 2015

MAISON DE FRANCE

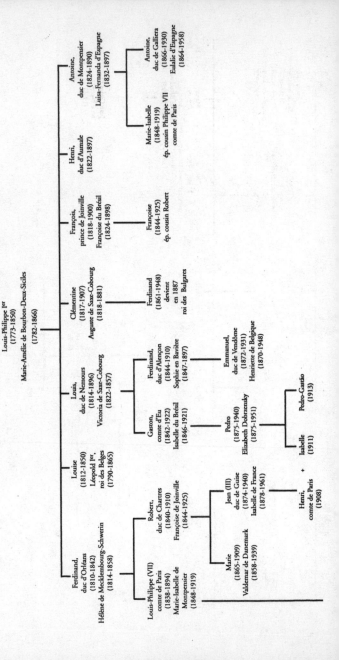

Louis-Philippe Ier
(1773-1850)
Marie-Amélie de Bourbon-Deux-Siciles
(1782-1866)

Ferdinand, duc d'Orléans
(1810-1842)
Hélène de Mecklembourg-Schwerin
(1814-1858)

Louise
(1812-1850)
Léopold Ier, roi des Belges
(1790-1865)

Louis, duc de Nemours
(1814-1896)
Victoria de Saxe-Cobourg
(1822-1857)

Clémentine
(1817-1907)
Auguste de Saxe-Cobourg
(1818-1881)

François, prince de Joinville
(1818-1900)
Françoise du Brésil
(1824-1898)

Henri, duc d'Aumale
(1822-1897)

Antoine, duc de Montpensier
(1824-1890)
Luisa-Fernanda d'Espagne
(1832-1897)

Louis-Philippe (VII) comte de Paris
(1838-1894)
Marie-Isabelle de Montpensier
(1848-1919)

Robert, duc de Chartres
(1840-1910)
Françoise de Joinville
(1844-1925)

Gaston, comte d'Eu
(1842-1922)
Isabelle du Brésil
(1846-1921)

Ferdinand, duc d'Alençon
(1844-1910)
Sophie en Bavière
(1847-1897)

Ferdinand
(1861-1948)
devient
en 1887
roi des Bulgares

Françoise
(1844-1925)
ép. cousin Robert

Marie-Isabelle
(1848-1919)
ép. cousin Philippe VII
comte de Paris

Antoine, duc de Galliera
(1866-1930)
Eulalie d'Espagne
(1864-1958)

Marie
(1865-1909)
Valdemar de Danemark
(1858-1939)

Jean (III) duc de Guise
(1874-1940)
Isabelle de France
(1878-1961)

Pedro
(1875-1940)
Elizabeth Dobrzensky
(1875-1951)

Emmanuel, duc de Vendôme
(1872-1931)
Henriette de Belgique
(1870-1948)

Henri, comte de Paris
(1908)

Isabelle
(1911)

Pedro-Gastão
(1913)

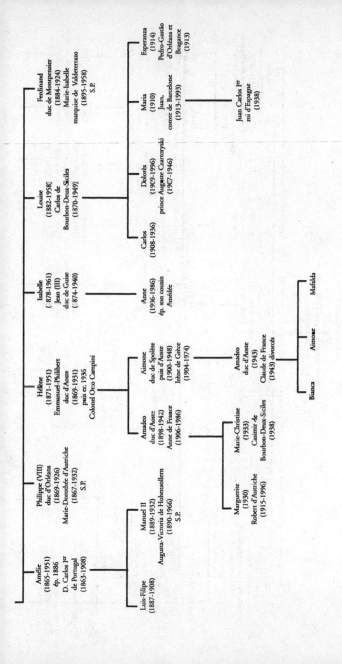

Ferdinand
duc de Montpensier
(1884-1924)
Marie-Isabelle
marquise de Valderrazo
(1895-1958)
S.P.

Louise
(1882-1958)
Carlos de
Bourbon-Deux-Siciles
(1870-1949)

Isabelle
(1878-1961)
Jean (III)
duc de Guise
(1874-1940)

Hélène
(1871-1951)
Emmanuel-Philibert
duc d'Aoste
(1869-1931)
puis en 1936
Colonel Otto Campini

Philippe (VIII)
duc d'Orléans
(1869-1926)
Marie-Dorothée d'Autriche
(1867-1932)
S.P.

Amélie
(1865-1951)
ép. 1886
D. Carlos Ier
de Portugal
(1863-1908)

Esperanza
(1914)
Pedro-Gastão
d'Orléans et
Bragance
(1913)

Maria
(1910)
Juan,
comte de Barcelone
(1913-1993)

Dolorès
(1909-1996)
prince Auguste Czartoryski
(1907-1946)

Carlos
(1908-1936)

Anne
(1906-1986)
ép. son cousin
Amédée

Aimone
duc de Spolète
puis d'Aoste
(1900-1948)
Irène de Grèce
(1904-1974)

Amadeo
duc d'Aoste
(1898-1942)
Anne de France
(1906-1986)

Manuel II
(1889-1932)
Augusta-Victoria de Hohenzollern
(1890-1966)
S.P.

Luis-Filipe
(1887-1908)

Juan Carlos Ier
roi d'Espagne
(1938)

Amadeo
duc d'Aoste
(1943)
Claude de France
(1943) divorcé

Marie-Christine
(1933)
Casimir de
Bourbon-Deux-Siciles
(1938)

Marguerite
(1930)
Robert d'Autriche
(1915-1996)

Bianca   Aimone   Mafalda

MAISON DE BRAGANCE

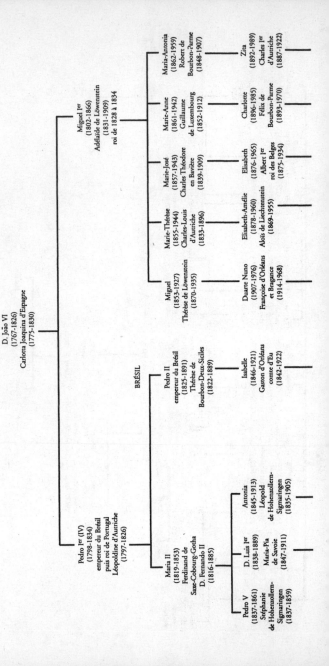

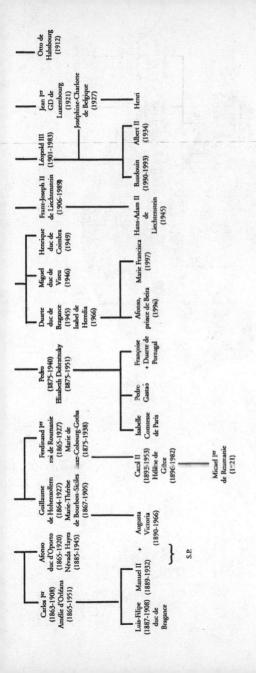

Reine Amélie d'Orléans et Bragance.

Dans la nuit

Lisbonne, palais des Necessidades
Samedi 1er février 1908

Écrire. Écrire pour ne pas crier. Pour garder la raison – oui, raison garder. Pour chasser, juste un instant, les images terribles de cette journée, et supporter la longue horreur de cette nuit, la première de toutes celles qui viendront.

J'écris pour moi. J'écris pour ne pas devenir folle parce que les reines folles sont des personnages de théâtre et de roman, alors que la reine de Portugal ne s'abandonne pas. Elle fait son devoir, ou elle meurt comme le roi de Portugal Carlos Ier est mort aujourd'hui, comme le prince héritier Louis-Philippe est mort aujourd'hui, comme elle aurait dû mourir elle-même sous les balles des assassins.

Seigneur Dieu, pourquoi avez-vous permis que mon fils soit tué ? Je l'ai protégé de tout mon corps, j'étais là pour prendre les coups, je le voulais avec rage. Et il a suffi d'une seule balle pour détruire le visage de mon enfant.

Je ne veux pas voir cette image – tout ce sang.

La douleur a tout recouvert. Elle m'a vidé l'esprit. Tout à coup sans souvenirs, incapable de pleurer. Inerte. Des heures ont dû sonner mais j'étais hors du temps, perdue dans ma nuit.

Et puis j'ai entendu à nouveau les chiens errants de Lisbonne, les chiens qui hurlent à la mort dès que les hommes cessent de chanter leur malheur. Il m'a fallu un lent et dur courage pour prendre le porte-plume que j'avais laissé tomber, une immense force pour le porter jusqu'à l'encrier et l'obliger à tracer des mots sur le papier. D'abord toucher un objet familier, fixer son attention sur les humbles gestes de la vie quotidienne, et tenter de surprendre le moindre bruit du palais endormi pour moins ressentir l'infinie solitude qui alourdit encore la peine.

Si l'aube venait... Mais nous sommes au cœur de l'hiver, dans la nuit interminable que le hurlement des chiens rend plus terrifiante encore.

Je ne veux pas céder à la peur. Il faut que les pensées affolantes et les images atroces qui se pressent en désordre soient dominées, afin que la reine de Portugal puisse faire tout à l'heure son métier. Non par gloriole, pauvre femme que je suis, mais pour l'enfant qui demeure et qui est roi depuis que le sang a jailli de la gorge de son père. Manuel, mon enfant, second et dernier, si fragile, qui n'est pas préparé à régner et encore moins à faire face à la révolution qui, demain peut-être, risque de plonger le Portugal dans la confusion et la terreur.

Mon Dieu, faites que ma douleur d'épouse et de mère soit tenue en respect, afin que je puisse employer toutes mes forces à éviter de nouvelles catastrophes, à empêcher que d'autres hommes ne tombent et que d'autres femmes les pleurent.

Il faut que j'écrive encore, jusqu'à ce que le jour se lève, plutôt que de laisser venir les cauchemars dans un mauvais sommeil. Il faut que je décrive la réalité, plus cruelle que le pire des songes.

Qu'elle était belle cette journée d'hier, dans la douceur d'un hiver presque déjà printanier. Nous avions quitté dans la matinée Vila Viçosa, après quinze bonnes journées de promenades et de chasses. Un petit déraillement près de la gare de Vila Franca nous avait mis en retard, et nous en avions prévenu Manuel, resté à Lisbonne pour ses études. Comme nous étions tous de belle humeur lorsque nous avons pris le vapeur pour traverser le Tage ! Heureux, trop heureux, comme chaque fois avant le malheur ! Mais je savais, je savais que tout cela était fragile. Le roi était prévenu des menaces qu'il courait en débarquant à Lisbonne. Je souhaitais que nous rentrions quinze jours plus tôt en compagnie de Manuel, donc avant la publication du décret qui a été la cause de l'attentat. Mais le roi n'avait pas voulu écouter ses conseillers, ni tenir compte de mes angoisses. Et puis le beau temps avait chassé les sinistres présages...

Tandis que dom Carlos et mon Louis-Philippe échangeaient à mi-voix de menus propos, je regardais s'approcher le cœur de Lisbonne.

Jusqu'à l'instant fatal, comme j'aimais cette ville fière et fragile, ravagée par le feu, secouée et terriblement meurtrie par le grand tremblement de terre, vivant comme suspendue dans l'attente du prochain soubresaut. Tout à coup, j'ai songé qu'elle pouvait disparaître à la seconde même, et je l'ai regardée de manière plus intense, afin qu'elle reste à jamais dans mon souvenir.

Voici Terreiro do Paço, la place du Commerce, et les larges degrés qui descendent vers le Tage, la statue de José Ier qui domine du haut de son cheval les bâtiments des ministères. C'est la dernière heure du jour. Le soleil de février adoucit les constructions austères et donne aux eaux du fleuve leurs reflets dorés. Sur la mer de paille, les barques des pêcheurs se balancent, voiles carguées, longs mâts noirs aux vergues inclinées qui se détachent sur le bleu du ciel. *Saudade.* J'ai eu la nostalgie de Lisbonne comme si la ville n'était plus qu'un souvenir lointain, une sorte de mirage, et le regret de la paix devant les images encore paisibles qui passaient devant moi.

Nous sommes au débarcadère, quai des Colonnes. Au milieu des gens de la cour, j'aperçois Manuel. Plus loin la petite foule venue saluer le roi, savourant d'avance la tranquillité d'une cérémonie ordinaire, familiale et populaire à la fois.

Nous avons accosté. Carlos a salué le président du Conseil pendant que je murmurais quelques mots à Manuel. Une jeune fille m'a donné un bouquet de fleurs et, après les habituels saluts et compliments, nous sommes montés en compagnie de nos deux fils dans le landau découvert qui devait nous conduire aux Necessidades.

Ce sont les derniers instants du bonheur.

Nous passons devant le ministère de la Marine, répondant aux vivats de la foule. Lumière du soir, parfum des violettes et des camélias qui monte du bouquet, et les sourires de mon époux et de mes fils qui répondent aux Lisboètes. La voiture tourne dans la rue de l'Arsenal, elle aussi populeuse, et je regarde sans la voir la façade de l'hôtel de ville. Juste avant d'y arriver, une détonation sèche. Elle vient de l'arrière. Puis un autre coup de feu qui claque à côté de moi. Le roi immobile, la tête inclinée, et ces longs jets de sang qui sortent de son cou. Je suis debout dans le landau, je vois l'arme, et l'homme – sa longue cape. Je crie, je veux qu'il recule. On m'a dit que j'agitais mon bouquet comme un sabre. Pas de peur, pas de courage. Mes fils qui sont derrière moi, je veux les protéger. Il y a des coups de feu tout près de moi, et d'autres sont tirés depuis les arcades du ministère de l'Intérieur. Un homme épaule sa carabine et me vise, comme à la chasse. Je voudrais que mon corps soit encore plus grand, encore plus large : un bouclier pour les petits. Le chasseur s'enfuit, tournoie et s'écroule, lâchant son fusil. Tout près, un homme vêtu d'un long manteau est tombé. Ordres hurlés, fumée âcre, et la voiture qui s'emballe enfin.

Je sais déjà que le roi est mort, mais je crois que les enfants sont sauvés.

Manuel, très pâle, se tient le bras. Le sang inonde la poitrine de Louis-Philippe, il coule de son visage à moitié arraché. J'ai pris mon petit contre moi, et je l'ai serré encore plus fort quand la voiture a brutalement tourné pour franchir la porte de l'arsenal. Mon enfant chéri vivait encore. Il est mort dans mes bras, avant que des soldats ne le portent dans une salle en même temps que le roi.

On les a retirés du landau aussi doucement que possible pour les coucher dans la cour sur des matelas. Je demande un prêtre. Je me heurte à João Franco et je hurle : « Ils ont tué le roi, ils ont tué mon fils ! » Je cours partout, Manuel près de moi ; un instant je trébuche. Je ne sais qui criait que j'étais blessée mais c'était le sang de mon mari et de mon fils qui mouillait ma poitrine. Leur sang, leur sang partout, sur mon visage, sur mes mains, et Manuel qui supplie son frère de lui parler, de lui dire qu'il est vivant. Des hommes les armes à la main. Vont-ils nous tuer, nous aussi ? Mon Dieu, un instant, un seul instant j'ai désiré qu'on me tue, à bout portant pour ne plus rien sentir. Non. Ces hommes sont nos défenseurs. J'entends que plusieurs assassins ont été abattus. Autour de moi, les officiers, les soldats, les gentilshommes du roi. Il faut que je donne des ordres. Qu'on transporte les corps à l'intérieur de l'arsenal.

Voici venir la reine Maria Pia, accourue du palais de Ajuda. Elle sait déjà que son fils est mort, s'agenouille près de la dépouille du roi puis se relève et m'embrasse.

« Mon fils, mon pauvre enfant », me dit-elle d'un souffle.

Et moi : « Mon fils, mon pauvre enfant !

— Quoi, votre fils ? »

D'un geste, je lui désigne le second gisant. Elle comprend qu'elle vient de perdre son fils et son petit-fils, et tombe évanouie sur le sol taché de sang.

Tandis que son entourage s'empresse, je décide que nous ne pouvons rester là. Il faut que mon fils rejoigne le palais royal, pour montrer à tous que l'État reste inébranlable dans le malheur. Si une insurrection éclate, je pourrai avec lui y faire face. Il me semble que mon corps ondule, que mes jambes ploient. La tête me tourne, mon regard vacille mais ma voix est ferme, puisque je suis obéie. Les voitures fermées que j'ai demandées entrent dans la cour. Dans l'une on installe le corps de mon mari ; le pauvre est si corpulent qu'il faut le maintenir assis, et le grand maréchal de la cour prend place à côté du cadavre de son roi. Mon petit Louis-Philippe est allongé dans une autre berline. Je prends la tête du sinistre cortège dans une troisième voiture en compagnie de la reine Maria Pia et de Manuel.

Le palais enfin. Dans les rues sombres, nous étions du gibier pour les assassins. Aux Necessidades, nous sommes l'État, nous pouvons réagir et agir. Mon fils est là. Il est le roi. Le roi dom Manuel II de Portugal. Le pauvre petit souffre de sa blessure, et les minutes terribles de l'attentat marquent son visage. Mais il se tient debout comme un roi doit le faire.

Un instant, je pense à mon père. Il voudrait que je sois forte pour deux. Il m'a appris qu'une princesse de France ne devait jamais faiblir. Que diraient les Français s'ils apprenaient que je n'ai pas fait mon devoir de reine ! Moi, Marie-Amélie, fille du comte de Paris, prétendant au trône de France, épouse du défunt roi, désormais reine mère, je dois assurer la paix civile pour le bien du Portugal et des Portugais. Il faut pour cela de l'autorité, mais certainement pas la brutalité dont a fait preuve le président du Conseil. Ces saisies de journaux, ces arrestations de républicains : João Franco a trop tiré sur la corde.

On m'annonce l'arrivée au palais de M. Saint-René Taillandier. Je suis touchée que le ministre de France soit le premier de tous les ambassadeurs à venir nous présenter ses condoléances. C'est le roi lui-même qui le recevra, pour le remercier et lui dire que je n'oublierai jamais sa démarche. Mais je demande qu'on laisse la porte entrouverte afin que tous ceux qui viendront ce soir aux Necessidades me voient en train de travailler pour le bien de l'État.

Voici Franco, sûr de lui. Il croit sans doute que nous allons lui demander de sauver la monarchie. C'est lui le premier responsable de la tragédie, celui qu'on appelle le *dictateur* parce qu'il s'est rendu odieux. Avant qu'il ait ouvert la bouche, je lui dis qu'il n'a pas su remplir sa tâche, ni même assurer la protection de son roi et du prince héritier, et qu'il est indigne de ses fonctions de président du Conseil. La reine Maria Pia entre dans la pièce, le visage blanc d'épuisement, les yeux brillants de colère.

« Franco, tu avais promis de sauver la monarchie de la tombe, et tu as creusé la tombe de mes enfants. »

Puis elle repart.

Le président du Conseil balbutie. Je ne l'écoute pas car voici que monte vers le palais l'écho d'une fusillade. On tire dans différents quartiers de Lisbonne. Un officier m'informe que des émeutiers en armes se sont rassemblés rua da Emenda, devant la maison de Franco. Ils tentent d'entraîner les deux compagnies d'infanterie qui la gardent. Si c'est la révolution, nous saurons résister et, s'il le faut, mourir.

Je suis calme. D'un mot, je congédie Franco et je vais rejoindre mon fils. Il affronte fermement la tentative d'insurrection et, dans l'attente des nouvelles, m'informe du déroulement de l'attentat. Trois régicides ont été tués : un instituteur, Buica, et deux employés de commerce de Lisbonne, Luis Lopez et Cordoba. Avant d'être abattu par un poli-

cier, l'un des assassins a réussi à blesser le lieutenant Figueria et le soldat Valente qui venaient de
le saisir au collet. J'irai les voir dès que possible
à l'hôpital et j'ai demandé qu'on prenne grand
soin d'eux et de leurs proches. Le duc d'Oporto,
qui était en automobile derrière nous, a fait le
coup de feu pour protéger notre retraite jusqu'à
l'arsenal : je ne doutais pas que le frère du roi,
qui s'est installé au palais, était un brave.

D'autres nouvelles arrivent : partout, les
émeutiers ont été repoussés et dispersés, et il se
confirme que l'armée, d'une fidélité sans faille,
assure complètement l'ordre dans la capitale.
Le pire est évité, pour ce soir du moins, mais il
faut faire vite : un nouveau gouvernement, des
élections, la réunion du Conseil d'État et de la
Chambre des pairs, des mesures d'apaisement.
Consultés tout à l'heure, les chefs de parti, aussi
bouleversés les uns que les autres, sont d'accord
avec ces dispositions. Je veux sauver le Portugal
et nul n'ignore désormais que je suis prête à
faire le sacrifice de ma vie.

Le plus noir de la nuit est passé. Je vais retourner dans la chapelle ardente, veiller mes morts et
prier Dieu.

Cette horreur sans nom, Dieu l'a permise. Je me
soumets à Sa volonté et je me confie pour tout
à Sa justice et à Sa miséricorde. Mon Dieu, je
vous supplie de m'aider à faire le noble devoir si
tragiquement tracé. Donnez-moi force et courage.
Sursum corda !

1

Enfance

Je n'ai pas aimé mon enfance.

Je n'ai pas aimé mon enfance parce que ma mère ne m'aimait pas. Mon père et ma mère, mariés depuis un peu plus d'un an, voulaient un garçon pour premier-né. Ils désiraient un héritier mâle pour que l'avenir de la dynastie soit immédiatement assuré : celui de la Maison d'Orléans, dont mon père le comte de Paris était le chef et, comme tel, prétendant au trône de France. C'est dire que j'ai souffert deux fois de mon sexe : née fille dans une société faite par les hommes et pour eux, j'étais en outre coupable d'empêcher que mes parents fassent immédiatement don à la famille du prince héritier de la monarchie – celui dont la naissance eût réjoui le bon peuple de France.

Qu'y puis-je ? Telle était tout simplement la volonté de Dieu, dont les desseins nous sont parfois impénétrables.

Ma naissance malvenue eut lieu à sept heures du matin le mercredi 28 septembre 1865 sur les bords de la Tamise. On raconte que ma mère pleura à chaudes larmes. Sa tristesse et son dépit ont dû me marquer au plus profond de mon âme. Les nourrissons répondent bien aux sourires et aux paroles tendres des parents penchés sur leur berceau : pourquoi ne ressentiraient-ils pas les défaillances de l'amour qu'on devrait leur donner ?

Pourtant, ma naissance a sans doute fait rêver les jeunes filles de ce temps, en Angleterre comme en France : dans la fraîcheur dorée de l'automne anglais, à l'heure où flottent les premières brumes de la saison, une princesse naît dans l'ancienne demeure de Jacques II Stuart, en cette chambre où naquit la reine Anne ; les parents sont des princes exilés, que la reine Victoria, la plus puissante souveraine du monde, a pris sous sa protection. Son père, Louis-Philippe d'Orléans, comte de Paris, est le fils de Ferdinand-Philippe, duc d'Orléans, prince royal, et d'Hélène de Mecklembourg-Schwerin. Sa mère, Isabelle d'Orléans-Montpensier, est la fille d'Antoine d'Orléans, dixième enfant du roi Louis-Philippe, et de Marie-Louise-Fernande de Bourbon et Bourbon, sœur de la reine Isabelle d'Espagne. Petite-fille de roi, fille d'un prince appelé à reprendre le trône de France ! Le sang d'Henri IV et de Saint Louis ! La mémoire des siècles qui ont vu naître et grandir la France ! On ne pouvait imaginer héritage plus glorieux ni destin plus romantique...

Hélas ! Mon enfance fut mon premier exil. Depuis la révolution de 1848, toute la famille royale avait suivi le malheureux roi Louis-Philippe dans cette Angleterre où il avait déjà trouvé refuge en 1793 pour échapper à la persécution jacobine, et où il retourna en 1815, refusant de suivre Louis XVIII dans sa fuite vers Gand lorsque Napoléon revint de l'île d'Elbe. Mon arrière-grand-père resta en Angleterre jusqu'en avril 1817, à bonne distance de Louis XVIII, et c'est dans cette nation toujours amicale que le roi des Français vint se réfugier et mourir.

En 1865, alors que le Second Empire, tellement assuré de lui-même, prenait une tournure libérale, les Orléans attendaient leur heure près de Londres. Mes parents s'étaient mariés le 30 mai 1864 à Kingston-on-Thames, non loin de leur résidence de York House. Le duc d'Aumale résidait à Orléans House dans une demeure que Louis-Philippe avait achetée en 1807 et où il avait vécu jusqu'à la Restauration. La reine Marie-Amélie, épouse de Louis-Philippe, vivait au château de Claremont, à quelques lieues d'Orléans House, en compagnie du duc de Nemours et du prince de Joinville – lequel s'en alla résider au mont Liban après la mort de sa mère. Le duc de Chartres vivait quant à lui au village de Ham, de l'autre côté de la rivière. La dernière reine de France avait donc ses enfants tout autour d'elle. Sans doute se réjouissait-elle de voir sa lignée se renforcer et se prolonger à chaque naissance qui la faisait grand-mère.

C'est d'ailleurs Marie-Amélie, dont je porte le double prénom, qui fut ma marraine ; mais elle était malade le jour de mon baptême et c'est la marquise de Beauvoir qui me porta sur les fonts baptismaux. L'absence forcée de la reine était de mauvais augure. J'avais six mois quand elle mourut – le 24 mars 1866 très exactement. Elle fut enterrée, selon sa volonté, dans la robe qu'elle portait lorsqu'elle avait quitté la France. Sans que je puisse encore m'en apercevoir, d'autres malheurs vinrent assombrir mes premières années. D'abord la mort du fils aîné du duc d'Aumale, le prince de Condé : au cours d'un voyage, ce brillant jeune homme que son père adorait contracta la fièvre typhoïde et mourut à Sydney le 24 mai 1866, quelques jours après avoir appris le décès de la reine Marie-Amélie. Trois ans plus tard, la duchesse d'Aumale s'éteignait à Twickenham un jour de décembre 1869, le 6, si ma mémoire est bonne. Est-ce en raison de tous ces deuils que je me suis persuadée, très jeune, que je portais malheur ?

Comme tous les enfants du monde, je n'ai gardé de mes premières années que des images fugitives, parfois d'une émouvante précision, et quelques autres presque effacées. Il y a ainsi un jardin qui descend en pente douce jusqu'au fleuve, et mon père sur la berge qui m'appelle en souriant. Un gros poupon pleure dans son berceau : c'est mon frère, Philippe, duc d'Orléans, né le 6 février 1869. Je vois une façade de briques rouges, celle de notre demeure. Dans un autre château, étalés sur une vaste pelouse, de beaux vêtements brodés d'or qui me fascinaient lorsque les épaulettes et les chamarrures prenaient les rayons du grand soleil d'été. Plus tard, on m'expliqua que mon oncle Aumale avait coutume de faire prendre l'air à ses uniformes, parmi lesquels sa grande tenue de général de l'armée française. Quelques années plus tard, songeant à ces tuniques militaires alignées sur la pelouse d'un parc anglais, je me pris à songer que ces formes couchées annonçaient à ma famille les morts et les blessés qui allaient joncher les plaines de l'Est puis les alentours de Paris.

La guerre a marqué mon enfance. Je n'avais que cinq ans en 1870, mais l'invasion forme la première toile sur laquelle se sont fixées des chaînes de souvenirs. Je revois mes oncles Aumale, Joinville et Chartres partir pour la guerre ; je me les représentais à la tête d'immenses armées, dans leurs uniformes chamarrés. J'appris plus tard qu'on ne leur permit pas de combattre pour leur patrie. Même après Sedan, le gouvernement provisoire refusa de donner un commandement à Aumale, et c'est en clandestins que ses deux frères participèrent aux derniers combats : oncle Chartres s'engagea dans la Garde nationale de l'Ouest sous le nom de Robert Le Fort, et oncle Joinville fut le « colonel Lutteroth » de l'armée de la Loire et démontra ses éminentes qualités d'artilleur dans les combats autour d'Orléans. Ayant demandé officiellement au général Chanzy de combattre à ses côtés, il se heurta au refus de Gambetta, fut arrêté, mis au secret pendant cinq jours et rembarqué à Saint-Malo pour l'Angleterre !

J'étais trop petite fille pour comprendre et m'indigner de ces mesquineries politiques, mais je me souviens de ces heures pendant lesquelles je tricotais, comme toutes les femmes de la famille, les écharpes de laine que nous envoyions aux soldats. Sans bien saisir les paroles que j'entendais – Sedan, le siège – je voyais mes parents devenir chaque jour plus tristes. S'ajoutait chez mon père une tension particulière qui tenait, il me l'expliqua plus tard, à son état de proscrit qui lui interdisait de se jeter dans la bataille sur la terre de France, et de mettre au service de son pays la science militaire qu'il avait acquise pendant la guerre de Sécession comme officier de l'armée du Nord.

Puis ce fut la catastrophe de la reddition de Paris, les jours terribles de la Commune – une sorte de guerre que je ne comprenais pas puisque des Français se battaient les uns contre les autres... Après tant de malheurs, je me souviens de la joie du comte de Paris apprenant qu'il pouvait revenir en France avec toute sa famille. Aumale et Joinville partirent immédiatement. Mon père, bouillant d'impatience, dut attendre à Twickenham une nouvelle naissance – celle, le 13 juin 1871, de ma sœur Hélène.

Enfin nous partîmes pour la France. Ce furent des jours heureux, parce que mon père était tout à la joie de retrouver la France et qu'il voulait la faire partager à chacun. Me souvenant des trop nombreuses journées où je le voyais arpenter sombrement les bords de la Tamise, je compris combien il avait souffert de son exil. L'exil, le terrible exil, synonyme de malheur : je fis serment de ne plus jamais prononcer ce mot, comme s'il eût été inconvenant. Hélas, je ne pus tenir parole... Mais l'enfant que j'étais, malgré les mots lourds et graves qui encombraient déjà sa cervelle, se réjouissait surtout de voir la mer, de monter sur un grand bateau et de découvrir cette France dont on lui parlait comme d'une figure de légende, douloureuse et belle, injuste parfois, mais toujours préférable à toute autre patrie.

J'ai des souvenirs confus de notre débarquement au Tréport et de notre installation à Eu. Je trouvais simplement que le château était bien plus grand et bien plus vieux (il date du XVIe siècle) que notre modeste demeure anglaise et j'étais contente d'avoir un beau parc (peu m'importait alors que Le Nôtre l'ait dessiné) pour mes promenades et mes jeux. Mais je n'oublierai jamais mes promenades dans Paris en compagnie de mon père. Il me montrait les boulets encore fichés dans les fortifications, les maisons incendiées de Saint-Cloud, les arbres abattus du bois de Boulogne – toutes les traces terribles du siège et des combats de la Commune. La gorge nouée par tant de désolation, découvrant que les batailles « pour de vrai » ne ressemblent en rien aux images glorieuses de mes livres d'enfant, j'allai m'agenouiller sur les tombes des soldats, alors dispersées sur tous les lieux de combats, suppliant Dieu que la guerre ne recommence pas.

Je n'ai pas aimé mon enfance parce que j'ai été élevée sans douceur. Je sais bien que les enfants doivent être fermement éduqués, et acquérir aussi vite que possible les habitudes physiques et les principes moraux qui leur permettront de se bien tenir dans toutes les circonstances de la vie. Ces principes rigoureux étaient ceux des hautes classes, nobles et bourgeoises, où l'on interdisait les élans du cœur et les confidences. Sous le regard d'un Dieu terrible, toujours guettés par le démon, toujours suspects de pensées mauvaises – dont ils ignoraient tout –, les enfants vivaient courbés sous la discipline, tancés, menacés, sans cesse contraints.

Toute ma jeunesse, j'ai vécu selon ces principes, dont l'application était d'autant plus rude que les princes et les princesses de France se devaient d'être exemplaires en toutes circonstances et dans tous les domaines. Le roi Louis-Philippe, qui disait avoir été élevé « avec férocité » par Mme de Genlis, avait fait subir à ses enfants un véritable dressage de l'esprit et du corps. Toute la sainte journée, qui commençait à cinq heures, ils étaient gavés de savoir, accablés d'exercices physiques et de cours de bienséance, sans qu'on leur laisse le moindre répit. Pour le roi, c'était une grossière erreur que d'assimiler le congé à l'oisiveté : on doit, disait-il,

« profiter du jour de congé pour faire ce qu'on n'a pas eu le temps de faire les autres jours ».

De tempérament, mon père était porté à la bienveillance et je crois qu'il aimait beaucoup la petite fille que j'étais. Mais il se protégeait contre d'éventuelles faiblesses à mon endroit par des froideurs et des paroles sévères qui sanctionnaient mes vétilles. J'en éprouvais une peine muette, qui n'a jamais altéré l'amour que je lui porte. En revanche, la dureté de ma mère lui était naturelle, et son caractère comme ses goûts ressemblaient à ceux d'un homme. Je garde l'odeur des cigares qu'elle fumait, quand elle rentrait de la chasse en compagnie de son chien Moustache. Alors qu'elle était, comme on dit, « enceinte jusqu'aux dents », elle fit un doublet de perdreaux, sentit les douleurs, se coucha, accoucha, et avala le bouillon fait avec les perdreaux pour se remettre d'aplomb ! Souvent je me disais qu'elle m'aimait cent fois moins que ses chevaux. Sans cesse tancée, vertement, et impitoyablement punie, je ne tardai pas à lui tenir tête, comme le déplore mon père dans une lettre qu'il m'écrivait de Vesoul en septembre 1878 : « J'espère comme tu le promets que tu seras bien obéissante et que tu t'observeras pour ne pas raisonner et faire des réponses quand ta mère te fait une observation. J'aime à croire qu'à mon retour je pourrai constater un progrès sur ces points. »

J'avais treize ans... Il y avait eu d'autres lettres, lourdes de réprimandes et de menaces, et la longue série des châtiments que m'appliquaient un père et une mère toujours solidaires lorsqu'il s'agissait d'en accroître la sévérité. Alors que, pour les mêmes fautes vénielles, mes cousins étaient mis au piquet, on m'attachait au pied de mon lit ou on me ficelait à quelque autre meuble des heures durant, parfois dans l'obscurité d'une chambre fermée à clé. Dominant ma peur ou ma colère, j'ai appris, très jeune, à serrer les dents, à cacher sous une attitude impassible mes chagrins et mes bonheurs de petite fille. Mes frères et sœurs étaient soumis au même régime, ce qui renforçait notre solidarité. Je protégeais tout particulièrement Phil[1], que mes parents enfermaient dans un cagibi de quelques mètres carrés, seulement meublé d'un pupitre et éclairé d'un bec de gaz. De toute manière, étant l'aînée, c'est moi qui recevais, pour un oui ou pour un non, les plus nombreuses et les plus fortes gifles maternelles. Il en fut ainsi jusqu'à mes fiançailles.

Chaque soir, je priais le Seigneur Jésus de me faire grandir très vite, afin d'échapper aux punitions. Je ne pouvais imaginer la frayeur du premier sang, les brusques émois du corps, les tentations indécises et les pensées troublantes qu'il me fallut réprimer des années durant. J'étais devenue femme, et mes parents continuaient de me traiter comme une enfant pour tout ce qui concernait ma vie personnelle. De son côté, mon confesseur n'avait pas tort de chercher à débusquer les nouveaux péchés qui me menaçaient. D'une voix plus sourde qu'à l'ordinaire, il me questionnait sur les « mauvaises pensées » qui auraient pu naître de « mauvaises lectures », lesquelles auraient pu me conduire à des « attouchements répréhensibles ». Mes réponses obstinément négatives entraînaient le brave homme à prononcer une homélie confuse

---

1. Frère cadet d'Amélie, futur duc d'Orléans et chef de la Maison de France.

sur les hontes de la « luxure » et l'horreur du « péché de chair » qui faisait de nous les proies pantelantes du démon.

Les questions et les menaces de mon confesseur piquaient ma curiosité. Elle fut satisfaite par les précisions de deux jeunes domestiques, presque des amies, qui avaient toute ma confiance, et par les livres que j'allais dénicher dans les hauts rayonnages de la bibliothèque... Plus sûrement que tout autre, Brantôme fit mon éducation.

Je n'ai pas aimé mon enfance mais, en princesse bien éduquée, j'ai toujours fait bonne figure et enfoui au plus profond mes peines, mes colères et mes humiliations. Je ne décris pas un enfer, comme dans ces romans de Dickens où tous les malheurs du monde s'abattent sur de pauvres orphelins. J'adorais mon père et mes oncles Aumale et Joinville, j'aimais jouer avec mes frères et mes sœurs, et j'éprouvais une vive affection pour Mlle Levasseur, notre gouvernante. De toutes les grandes personnes, Mademoiselle, comme nous l'appelions, était la plus proche parce que la plus présente. Avec sa voix douce, ses yeux bleus et son chignon chaque année un peu plus gris, Mademoiselle tempérait sans mot dire les duretés de l'éducation familiale. Non qu'elle fût complaisante : elle surveillait strictement notre travail, mais elle séchait nos larmes avec une infinie tendresse et racontait mieux que quiconque les belles histoires de l'histoire de France. Mademoiselle a accompagné toute ma jeunesse, guidant mes lectures, attentive à mes toilettes, toujours soucieuse du parfait respect des règles de la bienséance.

J'ai retrouvé une lettre que Mademoiselle m'écrivit en août 1882 alors que nous étions à Cannes.

« J'ai été au Bon Marché et au Louvre », disait-elle pour accompagner un envoi de feuilles d'éventail et de soie à ma sœur Hélène. « J'ai regardé en passant les éventails qui ne m'ont semblé offrir rien de nouveau sauf les petits personnages à la façon de Kate Greenaway. Encore les auteurs n'avaient-ils pas dû se creuser la tête pour trouver des sujets inconnus. J'ai vu des enfants dansant en rond ou sautant à la corde, des nègres dirigeant un orchestre de chats, beaucoup d'oiseaux, de fleurs et de papillons. »

La description des « nègres dirigeant un orchestre de chats » n'empêchait certes pas Mlle Levasseur de me prodiguer ses conseils et ses encouragements pour mes études. « Comment va la lecture allemande ? » m'écrivait-elle dans une autre lettre expédiée de Nancy, le 18 septembre 1883. « J'espère que les difficultés des premières pages ne vous ont pas rebutée. Il n'y a que les commencements qui coûtent. Vous avez dû le voir lorsque vous vous êtes mise à lire Walter Scott. Au bout de quelques pages, vous n'aurez plus besoin de dictionnaire. » Ma « lecture allemande » me fut d'un inestimable secours lorsque, deux ans plus tard, je fus présentée à la cour de Vienne... Chère Mademoiselle, si attentive aux moindres détails, et qui nous était tellement attachée qu'elle fut moins bouleversée par une maladie de son père que par l'obligation de nous abandonner quelques jours pour s'en aller le soigner à Nancy... d'où elle surveillait mes progrès en allemand !

De mes premières années à Eu, je garde le bon souvenir des après-midi que nous passions sur la plage du village d'Ault-Ornival, que nous appelions le « bourg d'Ault ». Les étrangers au pays se demandaient toujours ce que pouvait signifier « aller au bourdeau » ou « revenir du bourdeau »... Il y avait aussi mes collections, de papillons, de minéraux, et surtout ma grande collection de timbres que mon père et mes oncles enrichissaient lorsqu'ils étaient à l'étranger.

J'avais sept ans lorsque mon père m'emmena pour la première fois à Dreux, et j'étais d'autant plus fière d'être avec lui que ce voyage venait en récompense de ma bonne conduite. Cette même année 1872, nous allâmes en vacances à Dinard – je revois la promenade au clair de lune et, de l'autre côté de la baie, la flèche de la cathédrale de Saint-Malo au milieu de la ville entourée de remparts. Fin juillet, notre séjour fut assombri par la mort de mon cousin Guise, dernier fils du duc d'Aumale, des suites d'une scarlatine. Encore la mort, toute proche, qui frappait.

Mais l'enfance est l'âge où l'on passe facilement du rire aux larmes, et les deuils, si cruels fussent-ils, ne nous empêchaient pas de connaître les joies simples des vacances familiales. Celles que nous attendions avec la plus vive impatience se passaient à Cannes. Nous y allions parfois l'hiver, pour échapper à l'humidité normande, et je me souviens comme d'un doux rêve de la villa Luynes, sur la route de Fréjus, et des après-midi que nous y passions à jouer aux charades avec notre oncle Ferdinand de Saxe-Cobourg, qui devint plus tard roi des Bulgares. Un jour de fête des rois, je trouvai la fève et fus couronnée de papier doré. On cria « La reine boit » et on me salua tout au long du goûter de solennels « Bonjour Majesté » qui nous faisaient pouffer de rire. Je n'imaginais pas que ces mots signifiaient le devoir et la contrainte, la solitude et la douleur.

Chaque été ramenait dans notre chère villa Saint-Jean la joyeuse troupe que nous formions, frères et sœurs, cousins et cousines – auxquels venaient se joindre nos innombrables amis et amies. J'aimais tout particulièrement Yolande de Luynes, Élisabeth Gore, une de mes partenaires préférées au tennis, Marie de Bannelos qui habitait la jolie villa Marie-Tonita, Jeanne Gouvial, etc. C'était une succession trépidante de jeux, de bals, de concerts et de promenades dans la chaleur parfumée par les eucalyptus. Nous nous amusions à deviner les prénoms cachés derrière les initiales que les amoureux avaient coutume de graver sur les aloès, parce que les lettres grandissaient en même temps que la plante. Et le soir, quand de légères brises mélangeaient toutes les odeurs de la Méditerranée, nous rêvions de princes charmants, de royaumes de légende et de peuples heureux dont nous serions les reines gracieuses et bienfaisantes. Ces nuits-là, nous chassions de notre esprit ce que nos parents nous disaient des duretés de la vie politique, des intrigues de cour et de la méchanceté des hommes.

Cannes était un endroit de délices, dont l'image est restée si fidèlement empreinte dans ma mémoire que je vois encore la salle à manger de la villa Saint-Jean, telle qu'elle était ce jour de Pâques où l'on avait caché sous les meubles les œufs que nous découvrions en poussant des cris de joie. À tout âge, en toute saison, Cannes était le lieu merveilleux où nous faisions provision d'amusements en prévision du château d'Eu.

Quand je n'étais pas accablée de réprimandes, de punitions et de gifles par ma mère, l'ordinaire des jours dans la demeure familiale n'était pas désagréable. L'enseignement que je recevais était sérieux, sans jamais être très approfondi, mais riche de sujets variés. Bien entendu, on m'apprenait à parler couramment l'anglais, l'espagnol, le portugais, plus tard l'allemand. Aux matières proprement scolaires s'ajoutait tout ce qu'exige l'éducation d'une jeune fille de mon rang : la musique, le chant, l'art du bouquet où j'excellais (à quinze ans, j'ai même remporté un concours). Oncle Joinville me donna mes premières leçons de dessin et d'aquarelle, avec tant de délicatesse et d'enthousiasme que le goût qu'il me fit prendre devint la passion qui ne m'a pas quittée. Toute jeune, j'ai adoré avoir une palette, un essuie-mains, des couleurs qui sentent mauvais et qui tachent – comme l'artisan qui aime la matière qu'il travaille, les odeurs de son atelier et les outils qu'il emploie. Pendant que maman était à la chasse quatre jours sur trois, je dessinais avec ardeur, prenant chaque mois un peu plus d'assurance et un plaisir toujours plus grand.

Comme pendant ma jeunesse, c'est la peinture qui me console de mes déceptions et de mes peines, et qui me distrait de mes obligations.

J'évoque là les distractions terrestres, car c'est dans la prière que j'ai trouvé le véritable réconfort. Très jeune, on m'a appris à aimer et à craindre Dieu, à lui offrir mes chagrins et mes souffrances – par exemple les oreillons qui me tinrent couchée plusieurs jours en juillet 1877 –, à prendre soin des pauvres pour l'amour de Lui et en mémoire de Son sacrifice, à lui demander chaque jour pardon pour mes insuffisances et mes fautes. C'est en toute pureté que, le 20 juin 1878, j'ai fait ma première communion à la collégiale d'Eu, toute décorée de roses blanches. Je garde précieusement la statuette en argent de la Vierge Marie que papa et maman m'avaient donnée, le paroissien en quatre volumes offert par mon oncle et ma tante Chartres, et tant d'autres cadeaux qui évoquent mes jeunes années et les figures familières qui m'entouraient : il y a ainsi le crucifix en argent de Mlle Levasseur, la statuette de Saint Louis en terre peinte de tante Marguerite, le chapelet rouge, béni par Sa Sainteté Pie IX, de Mlle de Boerio, le médaillon en émail irisé de Bon Papa et Bonne Maman... Quelle douce joie lorsque, tout de blanc vêtues, nous avons reçu mes compagnes et moi la Sainte Communion. Ma mère, quant à elle, avait chanté le *O Salutaris* de sa voix superbe, dont elle fut, une fois de plus, abondamment complimentée après la messe. Ni l'âcreté des cigares ni l'humidité des sous-bois ne lui avaient abîmé les cordes vocales...

Quant à moi, en ce jour solennel qui aurait dû être parfaitement lumineux et tout entier occupé de la pensée de Dieu, je reçus des éloges qui me firent mal. On semblait s'être donné le mot pour me comparer à une « jeune mariée » en raison de ma haute taille. À la dixième réflexion de ce genre, j'en vins à détester ma robe de première communiante et je m'efforçai de ployer le plus longtemps possible les genoux. Si du moins ma taille excessive n'avait été évoquée qu'une journée durant ! Mais c'était chaque jour ou presque qu'autour de moi on y faisait allusion. Plutôt que de me donner mon prénom, on m'appelait « ma Grande » ou « la Grande », comme s'il fallait à tout prix souligner cet aspect physique qui m'embarrassait. Mon père et mes oncles avaient un ton affectueux, mais ma mère se moquait constamment de moi, et cette humiliation cruelle me donnait l'impression que j'étais encore plus grande et plus lourde que je ne le supposais. J'ai détesté ce corps que j'essayais de rapetisser et j'avais honte chaque fois qu'un regard se posait trop longtemps sur lui. J'aurais voulu des médicaments pour l'empêcher de grandir car j'avais peur de devenir monstrueuse : si on comparait la première communiante à une mariée, à quoi ressemblerait donc la mariée, puis la mère de famille que j'allais devenir ? Plusieurs fois je fis le même cauchemar : ma mère me vendait à des romanichels qui m'exposaient dans une baraque de foire. « Voyez la femme-éléphant ! » criait un gnome moustachu à la peau presque noire. Et la populace riait en me montrant du doigt.

Grandir n'avait pas que des inconvénients. La sévérité de mon père ne l'empêcha pas de me parler très tôt comme à une grande personne, dès lors qu'il s'agissait de l'histoire et des affaires du pays. « Tu as la tête politique », me disait-il. J'étais fière d'être ainsi distinguée, alors que le pauvre Phil se faisait traiter de tête de linotte. Il est vrai que mon frère était un garçon enjoué et gourmand, qui se laissait vivre malgré les sermons et les punitions répétées. Mon père en éprouvait agacement et dépit, et m'emmenait promener. Il savait raconter les histoires, et mêlait avec bonheur les souvenirs personnels et les considérations politiques. Je me souviens très précisément de ses évocations du voyage qu'il fit en Orient avec plusieurs de ses amis. Parti de Trieste en novembre 1859, mon père visita la Grèce avant de débarquer à Alexandrie. Il me décrivit l'Égypte, la visite qu'il fit avec ses compagnons au couvent du mont Sinaï, et vanta la vitalité des missions françaises de Syrie et du Liban, qui contrastait avec l'affaiblissement visible de la société musulmane. Il avait été tout particulièrement frappé par l'ardeur des lazaristes de Damas, qui tenaient une école de près de trois cents élèves, et par le magnifique dévouement, à côté d'eux, des sœurs de Saint-Vincent-de-Paul qui se partageaient entre l'éducation des filles et les soins aux malades. « Ces sœurs, me disait mon père, rappellent avec ténacité et intelligence l'un des plus grands bienfaits que l'humanité doive au christianisme, la réhabilitation de la femme. » Hélas ! au moment où mon père traversait le désert de Palmyre, la guerre éclatait de toutes parts en Syrie et entraînait d'épouvantables massacres de chrétiens par les Druses. Malgré le danger, il avait rejoint par voie de terre les montagnes du Liban, et découvert la vie et les mœurs des maronites qui y demeurent, tournés de tout leur cœur vers l'Europe et surtout vers la France. Plus tard, j'eus le plaisir de lire une description complète de ce voyage dans *La Revue des Deux Mondes*, sous la plume du marquis de Ségur[1], puis dans le livre que papa publia à Londres sous le titre *Damas et le Liban* et dont il me fit présent.

Plus tard, alors qu'il rédigeait sa grande *Histoire de la guerre civile*, mon père me raconta en détail le rôle qu'il avait joué dans la guerre de Sécession. Retour d'Orient, il s'était embarqué pour l'Amérique

---

1. « Une caravane française en Syrie au printemps de 1860 », *Revue des Deux Mondes* des 1er mai et 1er octobre 1861.

en compagnie d'oncle Chartres et d'oncle Joinville le 30 août 1861. Tous trois arrivèrent à New York alors que le pays était à feu et à sang depuis plusieurs mois. Pour manifester la sympathie qu'ils éprouvaient envers la République américaine, ils demandèrent à servir dans l'armée du Nord. Le président Lincoln ayant accueilli avec faveur cette démarche, mon père et oncle Chartres entrèrent dans les troupes fédérales fin septembre 1861 avec le grade de capitaine d'état-major, et servirent comme aides de camp du général McClellan, commandant en chef de l'armée des unionistes – qu'on appelait l'armée du Potomac. Mon père reçut son baptême du feu lors du siège de Yorktown, en avril 1862, qui se termina par la conquête de la ville, et combattit dans la cavalerie à la bataille de Williamsburg, également victorieuse pour les fédéraux. Puis ce fut la bataille de Gain's Mill : le régiment dans lequel se trouvait mon père y fut décimé, et il eut fort à faire pour éviter la débandade des troupes puis pour ramener les soldats au feu. Quelques jours plus tard, alors qu'elle était menacée d'encerclement par le général Lee, l'armée du Potomac fut obligée de battre en retraite vers la James River. Ce fut une longue marche de sept jours, marquée par la bataille du Chickahominy, le 27 juin, au cours de laquelle la conduite des trois princes d'Orléans (Joinville était de l'affaire) fut particulièrement glorieuse. Papa me décrivait simplement une journée « très chaude », le sifflement des balles, les cris atroces des mourants, la poussière et la soif, et la terrible poussée de l'ennemi au soleil couchant, sous un ciel couleur de sang, la panique qui s'empare des fédérés, les drapeaux qu'on plante en terre afin de rallier les plus braves et les combats au corps à corps où l'on ne pense plus, où la peur s'absente pour laisser place à la rage de tuer pour ne pas être tué.

Papa, si paisible, d'une élégance si parfaite ! Je l'imagine dans son uniforme bleu maculé de sang, le visage en sueur, abattant son sabre avec fureur et faisant reculer les soldats du général Lee. Un héros, comme dans les livres d'images ! D'ailleurs, je n'étais pas loin de la vérité : les généraux américains, les journalistes et oncle Joinville dans une lettre publiée par *L'Indépendance belge* saluent en termes identiques la bravoure du comte de Paris et du duc de Chartres. À leur grand regret, tous deux furent cependant contraints de quitter l'armée du Potomac après la retraite sur la James River, en raison de la tension que l'expédition du Mexique avait créée entre la République américaine et la France : c'est pour éviter qu'on ne puisse dire que les princes servaient dans l'armée d'un pays hostile à leur patrie qu'ils demandèrent leur congé au président Lincoln et au général McClellan. Ils partirent en ayant gagné la reconnaissance éternelle des États-Unis d'Amérique pour leur dévouement à la cause de la liberté.

Mais pourquoi faut-il que les gestes les plus glorieux se déroulent sur des scènes rouges du sang versé, dans ces batailles qu'oncle Joinville sut rendre dans ses aquarelles que je regardais chez mon père avec une admiration terrifiée ? Dans leur fougue juvénile, papa et oncle Chartres ont risqué mille fois la mort. J'en suis fière et je tremble à l'idée qu'ils auraient pu être fauchés, en même temps que des milliers et des milliers de jeunes hommes marchant avec le général Lee ou sous la bannière étoilée. Chaque jour je prie

Dieu pour que cette horreur nous soit épargnée dans notre Europe, déjà terriblement secouée par la guerre entre la Prusse et l'Autriche, puis entre la Prusse et la France. N'y a-t-il pas, pour les hommes, des gloires plus paisibles que celle du métier militaire ? Nous avons déjà notre poids de chagrin lorsque des êtres chers nous quittent dès l'enfance ou dans la fleur de l'âge, pour une maladie mal soignée. Que les hommes ne nous rajoutent pas une guerre : la mort rôde déjà partout en temps de paix, et plus particulièrement autour de moi.

Il me semble avoir vécu toute ma jeunesse au rythme des enterrements. J'ai déjà évoqué la mort des enfants d'oncle Aumale. Trois ans après la mort de mon cousin Condé, j'ai perdu mon petit frère Charles, né le 25 janvier 1875, mort le 7 juin de la même année. Puis il y eut la mort de tante Christine, dernière sœur de maman, qui était infante d'Espagne et mourut à Madrid le 30 avril 1879, quelques mois après la mort de la reine d'Espagne, tante Mercedes. Et la mort d'un autre de mes frères, Jacques, né en avril 1880, qui mourut dans les convulsions le 22 janvier 1881. Papa et maman ne cessaient de me dire qu'il fallait que je sois responsable. Ils n'avaient nul besoin de faire de grands discours sur ce point. Je me sentais et je me sens toujours responsable de la mort de ceux que j'aime. Mon Dieu, pourquoi ne m'épargnez-vous pas la succession interminable de ces deuils !

C'est encore la mort qui vint tout à coup marquer ma vie de jeune fille et, surtout, bouleverser la paisible existence de mon père. Le 24 août 1883, le comte de Chambord poussa son dernier soupir à Frohsdorf, la résidence autrichienne où il avait passé les dernières années d'un interminable exil. Je confesse que cette disparition ne nous fit pas verser une larme. Certes, nous respections le chef de la branche aînée des Bourbons, qui fut tout au long de sa vie un homme parfaitement digne et d'une grande piété. Mais il y avait eu trop de conflits entre le fils du dernier roi de France et le petit-fils du dernier roi des Français, et trop de déceptions à la suite de la restauration manquée de 1873, pour que nous puissions être intimement affectés. Mon père m'avait raconté cette longue querelle, qui n'opposait pas seulement deux branches d'une même dynastie, mais aussi deux conceptions de la France et de la monarchie.

La Révolution de 1789 fut à l'origine du conflit entre nos deux Maisons. Lorsque vinrent les grands troubles, Louis XVI avait vu d'un très mauvais œil grandir la popularité de son cousin le duc d'Orléans. Mais Philippe Égalité fut lui aussi emporté par le torrent révolutionnaire, qui l'entraîna chez les Jacobins et le poussa à voter la mort de Louis XVI. Telle est la faute, commise dans une atmosphère de folie et de terreur, que le duc d'Orléans expia sur l'échafaud et dont les fidèles de Charles X et de Chambord ne cessèrent de nous accabler. Comme s'il y avait une responsabilité collective ! Comme si les fautes étaient héréditaires alors que toutes les créatures du Seigneur sont déjà marquées par le péché originel ! Ceux qui, de génération en génération, nous ont accusés de régicide, oublient tout de même bien volontiers les faiblesses et les erreurs de Louis XVI, les légèretés de Marie-Antoinette et le refus obstiné que la cour opposait au nouvel ordre des choses. Mon père et oncle Aumale m'expliquaient que nous n'avions pas à avoir honte du passé. Non seulement Philippe Égalité avait racheté sa faute au prix de son sang, mais son fils avait relevé l'honneur de la famille et exposé mille fois sa vie comme officier de l'armée française. Tous deux me disaient qu'ils étaient fiers de leur arrière-grand-père, combattant de Valmy et de Jemmapes, célébré par Heine comme « le soldat tricolore de la liberté », qui demeura fidèle aux principes de 1789 bien que la fureur jacobine l'eût contraint à l'exil.

Quand le duc d'Orléans accepta la lieutenance du royaume après la fuite de Charles X en juillet 1830, et quand il fut appelé par les Chambres à devenir « Louis-Philippe Ier, roi des Français par la grâce de Dieu et la volonté nationale », le roi déchu et ses fidèles dénoncèrent « l'usurpation » avec la plus extrême vigueur. Sans acrimonie, mais avec une froide précision, oncle Aumale me fit comprendre la situation de l'époque. Sans nul doute, les lois fondamentales de la monarchie française ne permettaient pas que la branche cadette se substituât à l'aîné de la famille. Mais entre 1817, année de son retour en France, et la révolution de 1830, le futur Louis-Philippe n'avait jamais eu la moindre attitude séditieuse. Incontestablement loyal envers Louis XVIII et Charles X, il se contentait de mener une vie simple et vertueuse qui le rendit d'autant plus populaire auprès du peuple de Paris qu'il affichait des convictions libérales. Déroulant pour moi l'histoire du règne de Charles X, oncle Aumale m'expliqua que le dernier roi Bourbon fut le premier responsable de sa chute. Il voulut gouverner avec les ultraroyalistes, dans la nostalgie de la société d'Ancien Régime qu'il confondait à tort avec la monarchie. Desservi par Polignac, qui ne brillait pas par l'intelligence, aveuglé par ses courtisans, plaie de toutes les monarchies, il crut pouvoir imposer ses conceptions autoritaires en faisant promulguer les ordonnances qui mirent le feu aux poudres.

La signature des ordonnances royales, le 15 juillet 1830, avait surpris Louis-Philippe et sa famille dans leur belle campagne de Neuilly : mes oncles virent dans l'agitation que provoqua l'événement l'occasion d'un jour de congé, mais la tension croissante et la révolution n'interrompirent pas le cours de leurs études. Oncle Aumale, qui avait huit ans à l'époque, me raconta avec humour les événements révolutionnaires tels que pouvait les vivre un tout jeune garçon.

« Je me souviens, disait-il, avoir entendu gronder le canon au soir du 28 juillet, pendant que nous dînions. Tu imagines que nous eûmes, Joinville et moi, bien de la peine à nous endormir ! Le lendemain, c'était un jeudi, on ne cessa d'entendre le bruit de vives fusillades. Des visiteurs qui passaient en coup de vent apportaient les nouvelles les plus contradictoires et, sans bien saisir les raisons de la bataille, nos âmes d'enfants vibraient à l'unisson familial : heureux des progrès de l'insurrection, nous fûmes accablés quand un visiteur vint nous dire que Charles X avait vaincu les Parisiens, rassérénés quand on nous rapportait les hypothétiques succès des insurgés. Puis la princesse Marie vint annoncer que les régiments de ligne avaient été désarmés, et que les soldats fraternisaient avec le peuple de Paris. La joie de la famille fut immense et générale. Mon père, qui n'aimait pas Charles X, était ravi – mais aussi soulagé parce qu'il avait horreur de la guerre civile et de ses désordres. Ma mère nous regardait en souriant, et avouait les craintes qu'elle avait eues pour son époux et ses enfants. Dans ce climat soudain détendu, nous vivions la soirée comme une fête sans pouvoir imaginer le rôle qui allait être dévolu au chef de la famille.

« Notre joie était prématurée. Lui succéda, le vendredi matin, une extrême angoisse lorsqu'on apprit qu'un corps d'armée, massé sur la rive gauche de la Seine, allait tenter de franchir le pont de Neuilly au risque de transformer notre parc en champ de bataille. On s'empressa de nous faire partir pour le château de Villiers. Alors que je déjeunais avec mes frères et mes sœurs, un proche vint nous annoncer que les députés voulaient que mon père devienne roi. Nous fûmes saisis d'une indicible émotion et mes sœurs se mirent à pleurer. « Pauvre papa, pauvre papa, répétaient-elles. Quel malheur ! Il est perdu... » À la demande de notre mère, nous repartîmes tous pour Neuilly, où accouraient des messagers qui pressaient mon père de prendre sa décision. Après s'être retiré quelques heures au Raincy pour réfléchir dans le calme, il revint à Neuilly et nous le vîmes prendre vers 10 heures du soir la route de Paris.

« Le samedi – c'était le 31 juillet – notre mère nous apprit que Charles X avait effectivement abdiqué et que papa était lieutenant général du royaume. Le soir même, il demanda que sa femme et tous ses enfants viennent le rejoindre à Paris. On se prépara en toute hâte et maman nous entassa dans une Caroline[1] qui roula sans

---

1. Voiture publique.

difficulté jusqu'à l'Étoile. Il y avait là un poste de garde tenu par des insurgés. La voiture fut immédiatement entourée par des hommes fatigués et énervés, prêts à faire feu. Ainsi tenus en joue, nous étions pétrifiés par la peur et certains qu'on allait nous fusiller sur place. Avec un calme apparent, maman expliquait qui nous étions et pourquoi nous demandions le passage. Après de longs conciliabules, il nous fut accordé. La voiture prit les Champs-Élysées. Toujours muets de frayeur, nous évitions de regarder au-dehors, priant le Ciel que les chevaux hâtent le pas. Puis ce fut la rue de Rivoli et notre entrée au Palais-Royal gardé par des soldats. Pour nous, c'était la maison, papa, notre vie – la Vie ! Comme au soir d'une bataille, nous tombâmes sur nos lits, assommés de fatigue et d'émotions. »

Oncle Aumale acheva son récit par quelques remarques générales que je trouvai pétries de bon sens : dès lors que la révolution était faite et que Charles X avait pris le chemin de l'exil, fallait-il laisser proclamer la République au risque de l'anarchie sanglante et de la terreur jacobine ? Face à cette effrayante perspective, Louis-Philippe permettait tout à la fois de sauver la monarchie et de rétablir la tranquillité publique. Tous les défenseurs de l'ordre social reconnurent dans le roi des Français leur meilleur protecteur et garant – à l'exception d'une poignée de républicains acharnés, et des légitimistes qui organisèrent des complots et qui, en juin 1832, participèrent à la pitoyable tentative de soulèvement de la Vendée par la duchesse de Berry. Laquelle sombra dans le ridicule et le scandale lorsque, après la débandade de ses maigres troupes et son arrestation, on apprit qu'elle attendait un enfant – non du duc de Berry, ce qui eût été un miracle puisque le pauvre homme avait été assassiné douze ans plus tôt, mais d'un certain Lucchesi-Palli, un Italien qu'elle avait épousé secrètement.

C'est dire si les relations entre Bourbons et Orléans étaient exécrables. Les exilés et leurs amis ne nous dénonçaient pas seulement comme usurpateurs ; ils haïssaient tout ce que nous représentions : la tradition de 1789, les Trois Couleurs, les idées « bourgeoises » qui n'étaient rien d'autre que la modestie, la sagesse tolérante, la croyance au progrès par le développement du travail et de l'épargne. Oncle Aumale me dépeignait l'étroitesse d'esprit de Charles X et de Chambord[1], leur rigidité morale, leur cécité politique et cette excessive soumission aux prêtres, dont mon oncle, tout bon catholique qu'il fût, se méfiait et qu'il tenait à distance.

La chute de la monarchie en 1848 et le départ de notre propre famille en exil, la République, l'Empire, la guerre et la Commune auraient dû désarmer l'hostilité entre nos deux Maisons et faciliter une réconciliation. Tel était, avec des nuances, le souhait de notre famille. Ce fut encore oncle Aumale qui m'expliqua cette affaire fort embrouillée, à laquelle il avait été mêlé de près alors que mon père était encore enfant.

La première tentative de réconciliation eut lieu après 1848. Approuvée par Louis-Philippe,

---

1. Né en 1820, le fils unique de Charles X reçut le titre de duc de Bordeaux et s'intitula comte de Chambord vers 1840.

l'initiative en revint aux chefs de l'orléanisme, et d'abord à Guizot qui en eut le premier l'idée. Elle s'imposait d'autant plus que la transmission de la charge dynastique de la branche aînée à la branche cadette était rendue inéluctable par le fait que le comte de Chambord n'avait pas de descendance. Revenus à la légalité après les mésaventures de la duchesse de Berry, les chefs du légitimisme étaient favorables à la fusion avec le parti orléaniste, et résignés à reconnaître les Orléans comme successeurs de plein droit des Bourbons. La mort du roi Louis-Philippe, en 1850, retarda le projet. La reine était hostile à la fusion parce qu'elle voulait que, en bon prince héritier, le comte de Paris respecte à la lettre le testament du roi défunt en se faisant « le serviteur passionné, exclusif, de la France et de la Révolution ». De même, oncle Aumale posait comme condition à la fusion que le « Grand Cousin », comme il disait, accepte sans aucune réserve les Trois Couleurs et que les partis monarchistes se réunissent « sur le terrain des principes de 89 », comme il l'écrivit à Thiers. Il ne pouvait pas deviner à quel point la question du drapeau national serait cruciale quelque vingt années plus tard ! Après un long silence, le comte de Chambord accepta en janvier 1851 la politique de réconciliation et de fusion. Mais, à peine deux mois plus tard, il laissa le parti légitimiste voter contre l'abrogation de la loi d'exil, ce qui eut pour effet d'anéantir tous les efforts de rapprochement. D'ailleurs, oncle Aumale avait en 1851 d'autres graves sujets de préoccupation : face à la menace représentée par Louis-Napoléon Bonaparte, oncle Joinville avait été sollicité pour se porter candidat à la présidence de la République afin de barrer la route à la dictature. Les discussions familiales roulèrent bon train sur cette grave question, à laquelle il fut finalement décidé de répondre par la négative. Lorsque la menace de coup d'État se précisa, oncle Aumale et oncle Joinville, forts de leur immense prestige dans l'armée, se préparèrent à organiser la résistance militaire. Encore eût-il fallu que l'Assemblée nationale leur adressât un signe. Il ne vint pas.

Bien que les ambiguïtés de Chambord et les hypocrisies de ses partisans nous aient blessés, oncle Nemours fit une nouvelle tentative de rapprochement dès 1852, se rendit à Frohsdorf avec l'accord de ses frères et publia à son retour un communiqué qui autorisait de nouveaux espoirs. Ils tardèrent à se concrétiser. Certes, le Grand Cousin fit un geste en rendant visite à la reine en 1856 et semblait tenir pour acquise une réconciliation qui valait à ses yeux ralliement à sa personne alors qu'il n'avait rien dit sur l'essentiel : le caractère constitutionnel de la monarchie et la reconnaissance du drapeau tricolore. De nouvelles conversations politiques avec Chambord confirmèrent que le Grand Cousin voulait obtenir notre pleine et entière soumission à ses vues, et restait figé dans des principes que ni la reine ni le comte de Paris, devenu majeur et chef de la Maison d'Orléans, ne pouvaient accepter. D'ailleurs, même oncle Nemours, qui s'était dépensé avec ardeur pour la fusion, était fatigué de tant d'atermoiements et de faussetés. C'est lui qui rédigea en janvier 1857 une lettre constatant que Chambord rendait impossible « toute communauté de vues » et repoussait jusqu'à « l'idée d'une entente préalable ».

Comment notre famille aurait-elle pu abandonner les principes libéraux, alors que, sous l'égide d'oncle Aumale, elle bataillait ferme contre ce que nous appelions la « boutique impériale » ? Mon oncle, chef politique et moral de la famille et principal précepteur de papa, exerçait une influence décisive sur l'ensemble du parti libéral qu'il soutenait de ses idées et alimentait de larges subsides. Publiée en 1861 à Paris et diffusée clandestinement à des dizaines de milliers d'exemplaires, la *Lettre sur l'histoire de France* par laquelle il cinglait le petit empereur lui valut une immense popularité.

Ces combats pour la liberté n'avaient point d'écho à Frohsdorf, où Chambord régnait sur une petite cour surannée. La guerre et la chute de l'Empire ne modifièrent en rien l'étroitesse de ses vues, à nouveau réaffirmées dans son manifeste de juillet 1871. Devenu chef de notre famille, papa vécut intensément la tentative de restauration et, prenant la suite d'oncle Aumale, me l'expliqua par le menu.

« En 1871, jamais le comte de Chambord n'a été plus près du trône : à l'image de la grande majorité des Français, l'Assemblée et le gouvernement sont acquis à la restauration. Mais la monarchie ne peut sans se perdre être confondue avec les mauvais souvenirs de l'Ancien Régime aboli depuis quatre-vingts ans. Et voici que Chambord réitère dans son manifeste sa condamnation de la Révolution française et son attachement au drapeau blanc, au motif que "Henri V ne peut abandonner le drapeau d'Henri IV" ! À l'exception des ultras, aveuglément attachés à la personne de leur prétendant, les légitimistes convenaient en privé que l'obstination de Chambord confinait à la bêtise. J'avais envisagé de rencontrer mon cousin pour lui dire que je ne lui ferais obstacle en aucune manière. La démarche me parut dès lors inutile et fâcheuse.

« Les choses en restèrent là jusqu'à la chute de Thiers. En novembre 1872, le chef du gouvernement provisoire s'était prononcé sans détour pour le régime républicain. Il eut un sursis de six mois, car il fallait conclure l'accord sur l'évacuation anticipée des troupes prussiennes, puis notre cher Broglie sonna l'hallali : mis en minorité par les monarchistes, Thiers démissionna le 24 mai 1874. Dès le lendemain, Broglie devenait chef du gouvernement et le maréchal de Mac-Mahon était élu à la présidence de la République. Cela signifiait que les monarchistes disposaient de l'ensemble du pouvoir exécutif et, à la Chambre, de la majorité nécessaire à la Restauration.

« La voie étant complètement dégagée, je décidai de prendre l'initiative d'une réconciliation publique et solennelle de nos deux Maisons, afin qu'il soit bien clair aux yeux des Français qu'il n'y avait plus l'ombre d'un obstacle dynastique à la désignation de Chambord. Après avoir reçu l'approbation des oncles, je pris incognito le train de Vienne le 1er août, débarquai au palais Coburg, chez tante Clémentine, et dépêchai mon gentilhomme de service à Frohsdorf, porteur de ma demande d'audience. Celle-ci provoqua une stupéfaction totale, ainsi que je l'avais souhaité : il ne fallait pas que le Grand Cousin ait le temps de réfléchir, c'est-à-dire de tergiverser. J'avais calculé que ma demande serait remise à Chambord vers midi et demi et que son messager serait obligé de quitter Frohsdorf assez tôt pour prendre le train de 15 h 45 en gare de Wiener Neustadt. En gros, cela laissait deux petites heures au cousin.

« De fait, la réponse que je reçus dans la soirée était favorable mais précautionneuse. Par écrit, j'étais avisé que, pour que la rencontre ne donne pas lieu à une "interprétation erronée", "M. le Comte de Chambord" demandait que "M. le Comte de Paris, en l'abordant, déclare qu'il ne vient pas seulement saluer le chef de la Maison de Bourbon, mais bien reconnaître le principe dont M. le Comte de Chambord est le représentant, avec l'intention de reprendre sa place dans sa famille".

« C'était me tendre un fort vilain piège qui, une fois refermé, m'aurait maintenu dans une attitude de totale soumission. Reconnaître le principe, c'était accepter le programme politique du cousin. Reprendre place dans la famille, c'était attribuer aux Orléans la responsabilité de la rupture et offrir à la propagande légitimiste l'occasion de dire que je condamnais la monarchie de Juillet. En exigeant de tels reniements, Chambord poussait trop loin son avantage, et le savait. Je décidai donc de laisser passer l'allusion au "principe", tout en me réservant *in petto* le droit de l'interpréter comme une adhésion – évidente – au principe monarchique et non au programme du drapeau blanc. Puis je rédigeai un texte précisant que je venais donner à Chambord l'assurance qu'il ne rencontrerait "aucun compétiteur" parmi les membres de ma famille. Le représentant de Chambord, Vanssay, donna son accord et nous n'eûmes plus qu'à régler les détails de ma visite.

« C'est ainsi que, l'esprit tranquille, j'arrivai à Frohsdorf le 5 août à 9 heures du matin. Le château était un bâtiment sinistre, à façade jaunâtre, qui devait être parfaitement désespérant l'hiver. Dans l'entourage du cousin, on murmurait d'ailleurs que vivre là-bas, c'était être deux fois exilé ! Grâce à Dieu, je n'étais pas venu prendre racine mais accomplir un acte de portée historique. Ce qui fut fait simplement et prestement. "Je viens, déclarai-je à mon cousin, vous faire une visite qui était depuis longtemps dans mes vœux. Je viens, en mon nom et au nom de tous les membres de ma famille, vous présenter mes respectueux hommages, non seulement comme au seul chef de notre Maison, mais comme au seul représentant du principe monarchique. Je souhaite qu'un jour vienne où la France comprenne que son salut est dans ce principe. Si jamais elle exprime la volonté de revenir à la monarchie, nulle compétition- donnâmes l'accolade.

« La réconciliation étant officiellement faite, Chambord me convia au premier étage pour un bref aparté qui fut consacré à des amabilités sans conséquences. Il fut suivi d'un déjeuner auquel se joignirent la comtesse de Chambord et les gentilshommes de service, au cours duquel furent échangées de mondaines banalités. Puis je m'en retournai à Coburg, où Chambord me rendit une visite de pure forme le lendemain.

« Il restait à régler les modalités politiques de la Restauration, par accord préalable entre le futur roi et les représentants de la nation. Présidée par le général Changarnier, une commission réunissant les représentants des divers groupes de la majorité se mit au travail en octobre 1873 et aboutit rapidement à un accord qui prévoyait l'instauration d'un régime parlementaire sous l'égide du roi, détenteur du pouvoir exécutif. Sur la question du drapeau, les discussions furent plus longues, mais les orléanistes et les divers courants légitimistes finirent par trouver une formulation satisfaisante, et qui paraissait pouvoir être acceptée par Chambord : "Le drapeau tricolore est maintenu ; il ne pourra être modifié que par accord du roi et de la représentation nationale." Un député, Charles Chesnelong, était chargé de présenter les résolutions de la commission Changarnier au comte de Chambord, qui se trouvait alors à Salzbourg. La rencontre eut lieu le 14 octobre, et Chesnelong revint d'Autriche avec un texte dont on ne voulut pas voir combien il était lourd d'arrière-pensées réticentes et de précautions manœuvrières.

"1. M. le Comte de Chambord ne demande pas que rien soit changé au drapeau avant qu'il ait pris possession du pouvoir.

2. Il se réserve de présenter au pays et il se fait fort d'obtenir de lui par ses représentants, à l'heure qu'il jugera convenable, une solution compatible avec son honneur et qu'il croit de nature à satisfaire l'Assemblée et la Nation."

« Par sa très grande habileté, Chesnelong avait obtenu tout ce qu'il était possible d'obtenir, mais cette possibilité se résumait à ce *pas que rien* : la dénégation, que personne ne lui demandait (quant au changement de drapeau), d'une décision que personne ne voulait prendre (le choix du blanc). Du moins, le texte de Chambord laissait un espoir que chacun s'employa à conforter, mais qui était obscurci par les échos contradictoires de la presse, par les maladresses de certains jeunes parlementaires et par de fluctuantes rumeurs. Ce qui est sûr, c'est que Sa Sainteté Pie IX s'efforça de convaincre Chambord en lui faisant valoir que c'est avec le drapeau tricolore que les Français avaient rétabli le pape à Rome. Mais le cousin, qui était pourtant dévot et se déclarait fort soumis au souverain pontife, estima ce jour-là qu'il ne fallait pas suivre son avis... Respectueux de l'autorité du pape quand cela confortait sa bonne conscience, le cousin se montrait là plus obstiné qu'obéissant, plus égoïstement attaché à ses certitudes personnelles que fidèle aux principes qu'il voulait incarner.

« Hélas ! Nous ne fûmes pas long à mesurer les conséquences funestes de la religion de l'honneur, lorsqu'elle n'est pas reliée aux devoirs d'État. Dans une lettre datée du 27 octobre, que publia *L'Union*, M. le Comte de Chambord brisa net toutes les espérances : "On me demande aujourd'hui de sacrifier mon honneur ; que puis-je répondre ? Sinon que je ne rétracte rien, que je ne retranche rien de mes précédentes déclarations. Les prétentions de la veille me donnent la mesure des exigences du lendemain, et je ne puis consentir à inaugurer un règne réparateur et fort par un acte de faiblesse. Il est de mode, vous le savez, d'opposer à la fermeté d'Henri V l'habileté d'Henri IV (...) mais je voudrais bien savoir quelle leçon se fût attirée l'imprudent assez osé pour lui persuader de renier l'étendard d'Arques et d'Ivry."

« Chambord ne comprit même pas que cette fière déclaration lui fermait définitivement la voie du retour et empêchait la restauration immédiate de la monarchie : ni la nation ni le parti orléaniste ne pouvaient accepter le drapeau blanc ;

mais les députés ultra-légitimistes empêchaient le recours à la monarchie tricolore que je représentais. Arc-bouté sur des convictions d'un autre âge, oubliant que le tricolore est l'insigne de la nation française depuis le règne de Louis XVI, le comte de Chambord a durablement installé le régime républicain qu'il récusait de toutes ses forces. L'Histoire n'est pas avare de ces cruelles malices, par lesquelles les plus farouches ennemis d'une cause se font, sans le vouloir, ses alliés les plus constants et les plus décisifs. »

Le refus de Chambord contraignit papa à la retraite politique, de même que les oncles Aumale et Joinville, qui ne se représentèrent pas aux élections de 1875 : l'occasion était passée, et une guerre de chicane contre le gouvernement eût été dérisoire. Mais cette retraite n'était pas résignée. Papa attendait, les journaux et le parti orléanistes attendaient...

Lorsque le Grand Cousin tomba malade, papa lui rendit visite à Vienne et l'accueil que lui fit le chef de la branche aînée confirma que le chef de la Maison d'Orléans était bien son successeur. Certes, quand Chambord mourut, sa veuve nous fit une dernière avanie en demandant à un Espagnol de conduire le cortège funèbre. Papa refusa donc de se rendre à Goeritz pour l'enterrement, mais l'ensemble du parti légitimiste s'empressa de le reconnaître comme seul prétendant légitime et possible à la couronne de France.

Toute la vie de notre famille, et mon propre destin, s'en trouva profondément bouleversée.

2

Cours d'Europe

J'ai fêté mes dix-huit ans lorsque mon père devint chef de la Maison de France, et je dois avouer que c'est mon anniversaire qui me parut l'événement le plus important de l'année 1883. Enfin je cessais d'être une enfant – encore que maman me traitât comme telle jusqu'au mariage – pour devenir une jeune fille, princesse de surcroît. Je ressentis pleinement ce changement d'état lors du voyage que je fis en Espagne avec papa et maman en janvier 1884. Accueillis à la gare de Madrid par Alphonse XII, nous avions visité l'Escurial, Aranjuez et la Granja, et participé à une grande chasse organisée à la Casa del Campo[1]. De là nous partîmes en Andalousie chez Bon Papa Montpensier[2], qui nous fit descendre le Guadalquivir sur un vapeur paresseux qui nous permettait d'admirer les vifs contrastes formés par le vert pâle des forêts d'oliviers et les terres rouges ou dorées des collines, avant de savourer l'étrange et calme

---

1. Propriété royale au sortir de Madrid.
2. Qui était également le parrain de la princesse Amélie.

beauté des Marismas[1], lorsque les eaux tranquilles reflètent la lumière du soir.

Tout au long de ce voyage, la presse madrilène me couvrit de compliments qui, comme on dit dans les romans, mirent ma modestie à rude épreuve. L'évocation en termes fleuris de ma grâce, de ma beauté et de mon esprit me fit le plus vif des plaisirs – à tel point que j'en oubliai d'être embarrassée par ma taille.

Depuis ma prime enfance, l'Espagne m'était familière car nous allions souvent passer une partie de l'hiver à Villamanrique[2]. Après avoir salué la duchesse de Montpensier dans son palais sévillan de San Telmo, nous partions pour notre demeure, heureux de retrouver la verdoyante campagne andalouse et traversant des villages dont les noms – Aznalcasar, Aznalgarache – évoquent la longue domination des Maures. Le palais de Villamanrique avait été embelli par Bon Papa Montpensier, qui adorait ce domaine et le cultivait avec une telle passion et un tel savoir que les gens du pays l'avaient surnommé El Naranjero – l'homme de l'oranger. Papa fit installer tout un système hydraulique qui permit d'irriguer les merveilleux jardins, les plates-bandes de rosiers bordant les grandes allées, les bois d'orangers et de mandariniers, les eucalyptus et les palmiers (l'un d'eux, réputé le plus haut d'Europe, était la fierté de Bon Papa, qui le montrait à tous ses invités) et de superbes enchevêtrements de plantes

---

1. Grande étendue d'eau marécageuse.
2. Gros bourg situé à une trentaine de kilomètres au sud de Séville, où se situe un magnifique palais qui appartenait alors à la famille d'Orléans.

rares qui faisaient le plus pittoresque des effets. De puissants moteurs alimentaient les bassins de marbre et de céramique, et le mouvement de l'eau faisait marcher des dynamos qui assuraient l'éclairage électrique du palais. Ainsi les beautés les plus délicates de la nature et celles des vergers dignes de l'Orient des légendes se déployaient grâce aux techniques les plus modernes, qui donnaient par ailleurs à notre demeure un éclat proprement féerique. Dans le patio d'un marbre blanc d'une extrême pureté, il suffisait de regarder l'ombre des lataniers profilant leurs larges feuilles sur l'éclatante blancheur des fines colonnes pour se croire dans un conte des Mille et Une Nuits.

À la grâce du palais, à la luxuriance des jardins, succédaient à l'extrémité du domaine les terres arides sur lesquelles sont élevés les taureaux sauvages promis aux arènes des grandes corridas. Montée sur un solide cheval andalou, armée de la *garocha*[1], c'est là que j'ai appris, avec autant d'assurance qu'un homme du pays, à poursuivre les jeunes taurillons et à les renverser d'une poussée – la *burrada* – afin qu'ils soient marqués au fer rouge. À ce jeu, Hélène montrait toutes ses qualités d'écuyère, souple, énergique, et d'une redoutable audace. Sur les collines couvertes de chênes-lièges, dans les landes broussailleuses où fleurissent les genêts et les cistes, nos chasses étaient somptueuses : cerfs, renards, perdrix bleues, outardes, et ces sangliers que Phil adorait tuer à l'épieu.

C'est à cheval aussi que nous traversions sous l'œil des vautours la sierra désolée qui se perd dans la province de Huelva, pour nous joindre au

---

1. Pique traditionnelle.

pèlerinage de Nuestra Señora del Rocio, la Vierge miraculeuse toute parée de velours brodé d'or et de perles que l'on vénère depuis le XVIᵉ siècle. Je prie souvent la *Virgen* : c'est elle qui me donne la force dans l'affliction, et l'espérance dans les plus sombres heures.

Pourquoi faut-il que l'évocation des jours heureux de mon enfance soit toujours ternie par l'interminable série des maladies et des deuils ? Je ne suis pas responsable de ce rythme qui fait alterner la douceur et l'amertume, mais la vie elle-même, et l'Histoire qui est le plus souvent placée sous le signe d'un cruel destin.

Mes souvenirs d'Espagne ne manquent pas à la règle : aux bonheurs de l'hiver andalou de 1884 succéda la tristesse de 1885, lorsque nous apprîmes que Dieu venait de rappeler à lui Alphonse XII. Terrassé par la tuberculose, le pauvre n'avait que vingt-huit ans ! Il avait eu la douleur de perdre sa première femme, notre tante Mercedes[1], et laissait tante Christa[2] en attente d'un enfant, le futur Alphonse XIII, et en charge d'un royaume dont elle fut pendant quinze ans la régente. Malheureuse Espagne, sans cesse déchirée en ce XIXᵉ siècle. « De sang et d'or », dit-on des couleurs du drapeau national. De larmes et de sang, pourrait-on dire de la vieille terre ibérique. D'abord la terrible guerre contre les troupes de Napoléon, puis le *pronunciamiento* de Riego en 1820 et la guerre civile entre les partisans de Ferdinand VII et les

_____

1. Mercedes d'Orléans était la fille du duc de Montpensier.
2. Marie-Christine de Habsbourg-Lorraine.

libéraux. Ensuite la première guerre carliste après la mort de Ferdinand VII[1] jusqu'en 1839, de nouveaux coups d'État, la reprise de la guerre carliste en 1847, une nouvelle succession de *golpes* et de *pronunciamientos* en 1854, 1866 et 1868, et l'abdication de la reine Isabelle II que les Cortes remplacèrent par Amédée d'Aoste en 1869. Faible et moqué par l'aristocratie comme par le peuple, son règne ne dura que deux années, au terme desquelles l'Espagne fit l'expérience, courte et désastreuse, de la république. Las ! Une succession de dirigeants incapables et bavards conduisit immanquablement à un nouveau *pronunciamiento* en 1874, soit trois cent soixante-sept jours après la proclamation de la République. Le général Piava, qui fit évacuer les Cortes par la troupe un soir de janvier 1874, et, quelques jours plus tard, l'armée espagnole, qui venait d'infliger leur dernière défaite aux troupes de don Carlos, proclamèrent Alphonse XII, fils de la reine Isabelle, roi d'Espagne. On vint le prévenir de ce singulier retournement du destin alors qu'il se trouvait dans un théâtre parisien, et c'est en toute hâte qu'il se précipita à Marseille afin d'y embarquer pour Barcelone. Alphonse XII fut le roi de tous les espoirs et de toutes les libertés : liberté de parole, liberté de réunion, liberté de conscience, qui sont toutes proclamées et garanties par la Constitution de 1876. Un roi libéral, une Constitution libérale : tels étaient les principes orléanistes grâce auxquels l'Espagne connut une longue période d'ordre et de paix, du vivant d'Alphonse XII et pendant la régence de la reine Marie-Christine – qui eut

---

1. En 1833.

cependant la douleur de se voir arracher par les Américains les dernières colonies du royaume[1]. Hélas, depuis qu'Alphonse XIII a ceint la couronne d'Espagne[2], il semble que cette période relativement heureuse, dont nous fûmes les témoins, soit en train de se terminer. L'agitation anarchiste est extrême, la violence couve dans toute l'Espagne et la mort rôde autour du roi. Que Dieu l'ait en Sa sainte garde !

Le temps, qui efface les aspérités, nous fait souvenir de la fin du siècle dernier comme d'une époque bénie pour les nations d'Europe qui connurent plus de quarante années de paix. Et ces souvenirs sont d'autant plus lumineux qu'ils portent sur les années de ma prime jeunesse – celle d'une jeune fille qui se morfondait parfois sous les pluies normandes, mais qui n'en savourait que plus intensément les douceurs cannoises et les vifs contrastes de la terre andalouse. Pourtant la vie brillante des cours d'Europe était assombrie par l'angoisse quotidienne de l'attentat. Certes, nous avions appris très jeunes que les créatures de Dieu ne connaissent « ni le jour ni l'heure » de leur mort. Mais pour les familles royales, ces mots avaient une densité toute particulière puisque le roi le plus puissant, le prince le plus jeune et le mieux portant pouvaient être déchiquetés par une bombe ou frappés par une balle lors d'une joyeuse cérémonie ou d'une paisible promenade en calèche. Dans toute l'Europe, les nihilistes intriguaient dans l'ombre et frappaient comme l'éclair.

---

1. Le traité de Paris de 1898 consacre la perte de Cuba, de Porto Rico et des Philippines.
2. 17 mai 1902.

C'est en Russie que les attentats les plus terribles étaient commis. La tragique série commença en 1878 par la tentative d'assassinat du préfet de police de Saint-Pétersbourg, le général Trépov : une jeune exaltée, Véra Zasoulitch, fit irruption à son domicile et déchargea son revolver sur le pauvre général qui échappa miraculeusement à la mort. Arrêtée, elle fut jugée par une cour d'assises mais le jury, sensible aux arguments de la jeune fille qui dénonçait la brutalité du chef de la police, prononça l'acquittement de cette dangereuse nihiliste qui alla se réfugier en Suisse ! Cette affaire eut un énorme retentissement dans toute l'Europe, et papa me raconta que *La Revue des Deux Mondes* avait désigné le prince Gortchakov, éminente figure du congrès de Berlin, et cette anarchiste russe comme les deux personnes les plus célèbres de l'Europe, en cette année 1878. J'ai même ouï dire qu'un drame intitulé *Véra Zasoulitch* avait été joué en Italie, sous les applaudissements frénétiques de la jeunesse nihiliste du pays.

Ce mauvais exemple et l'exaltation perverse qu'il provoqua eurent les plus funestes conséquences : dans cette même année 1878, on tira par deux fois sur l'empereur d'Allemagne, un ouvrier tenta de tuer le roi d'Espagne et un cuisinier italien se précipita un couteau à la main sur le roi d'Italie ! La Providence, ou la maladresse des assassins, fit qu'ils échappèrent tous trois à la mort. En Russie au contraire, le sang coulait à flots. Le général Mezentsov fut tué en plein jour à Saint-Pétersbourg et le gouverneur général de Kharkov, Dmitri Kropotkine (le cousin du célèbre anarchiste !), fut exécuté à son domicile. Cette folie meurtrière se tourna contre Alexandre II, le tsar vénéré qui avait aboli le servage et que le peuple russe nommait « le Libérateur ». Après avoir échappé à un premier attentat et à d'innombrables complots, il rencontra la mort à Pétersbourg, par un matin glacé de 1881, sur le quai du canal Catherine : alors qu'il passait en voiture, entouré de sa garde cosaque, une première bombe jetée sur le cortège endommagea la voiture impériale et blessa plusieurs hommes d'escorte. À l'encontre de toute prudence, l'empereur fit arrêter son véhicule, malgré les supplications du cocher, et descendit réconforter les blessés. C'est alors qu'un deuxième terroriste jeta sa bombe. Les jambes déchiquetées, Alexandre fut transporté à son palais où il mourut dans la nuit. On dit qu'un troisième terroriste, qui se préparait à lancer sa bombe au cas où la précédente aurait manqué sa cible, tenta de secourir le tsar alors que celui-ci, à demi appuyé contre la grille du canal Catherine, se vidait de son sang... Quel mystère que l'homme, même au plus noir de ses méfaits.

La terrible menace pesait aussi sur la France et sur nous-mêmes puisque papa fut à son tour visé par les anarchistes. C'était au début du mois de mars 1884, quelques semaines seulement après notre retour d'Andalousie. Atteinte du faux croup, ma sœur Louise, alors âgée de deux ans, avait inquiété mes parents et nous étions tous descendus à Cannes pour veiller sur elle. Quelle ne fut pas notre émotion lorsque la police nous prévint qu'une tentative d'attentat contre papa venait d'être déjouée, et nous expliqua dans quelles conditions.

Le vendredi 9 mars vers sept heures du soir, un commissionnaire se présentait au bureau lyonnais de la Compagnie du PLM[1], un colis sous le bras. Le paquet pesé, la déclaration d'expédition reçut son visa et l'homme acquitta benoîtement le prix de l'envoi en port payé, à savoir la modique somme de 1,25 F. Quelques instants plus tard, l'agent chargé d'enregistrer la déclaration de l'expéditeur sur le registre prévu à cet effet fut frappé par la manière dont elle était libellée. L'expéditeur était un M. Becker, rue des Feuillants, à Lyon, et le destinataire n'était autre que Mgr le Comte de Paris, en son hôtel de la rue de Varenne, 57, à Paris. La marchandise expédiée était ainsi décrite : une caisse de soierie, quincaillerie et échantillons, pour 1,600 kg. Or l'employé savait pertinemment qu'il n'y a pas de « rue des Feuillants » à Lyon, mais une petite et une grand-rue des Feuillants. Intrigué, il consulta l'annuaire de Lyon et s'aperçut que « M. Becker » n'y figurait pas. Prévenu de ces étrangetés, le chef de bureau se fit apporter la boîte, défit la ficelle et ôta le papier bleu tendre dont elle était enveloppée. Apparut une boîte de bois blanc, dotée d'un couvercle coulissant tenu par une solide ficelle. Avec précaution, les employés firent doucement glisser le couvercle et s'arrêtèrent à mi-course car ils venaient d'apercevoir un objet qui constituait une « quincaillerie » très particulière : en l'occurrence une cartouche métallique de forte dimension, entourée de projectiles de toute sorte et reliée à un appareil encore caché par des fils de fulmi-coton qui devait faire exploser l'ensemble dès que le couvercle serait entièrement retiré. Le commis principal du PLM, M. Pierre Denis, était un ancien sous-officier

---

1. Le chemin de fer Paris-Lyon-Méditerranée.

d'artillerie : il avait au premier coup d'œil compris le danger représenté par le contenu du colis et empêché l'explosion fatale. Sa prudence le sauva, ainsi que ses collègues, et son flair évita la mort d'un ou de plusieurs domestiques de papa, qui auraient ouvert d'un seul coup la boîte infernale. Ainsi, les anarchistes n'hésitaient pas à mettre en péril la vie de simples gens. Quelques années plus tôt les anarchistes en avaient d'ailleurs fait la démonstration dans cette même ville de Lyon, en jetant une bombe dans un café fréquenté la nuit par des journalistes et des hommes politiques qui s'affichaient, dit-on, en compagnie de dames de petite vertu. L'engin tua un ouvrier socialiste qui tentait de le désamorcer, mais les politiciens visés ne furent que très légèrement blessés. Ce premier attentat eut lieu en 1882. Ses auteurs sont sans doute les mêmes que ceux qui, à peine un an plus tard, composèrent le colis qui devait exploser dans notre maison. Bien entendu, papa envoya une forte récompense aux employés qui, au péril de leur vie, avaient déjoué le sinistre projet des anarchistes.

Inquiétudes pour ma petite Lou, soulagement de la voir guérie. Douceur de la vie à Cannes. Violence tapie dans les faubourgs de Lyon. Que de contrastes, y compris dans l'ordinaire des jours ! De l'hiver 1884 j'ai gardé le souvenir du froid très vif qui s'était abattu sur la Normandie, et des parties de patinage sur la Bresle, marquées de mes chutes fréquentes et de nos éclats de rire. De l'été, au contraire, j'ai gardé l'image du feu. Au début du mois d'août, un violent incendie qui avait éclaté chez un brasseur du Tréport menaça tout un quartier de la haute ville. Le danger était d'autant plus grand que les pompes d'incendie du Tréport et de

Mers étaient trop faibles pour contenir l'incendie qui, après avoir embrasé un hangar rempli de paille, commençait de lécher les maisons proches de la brasserie. C'est alors qu'arriva la pompe à vapeur du château d'Eu, accompagnée par papa, Phil, le marquis de Breteuil et M. Bocher. Tous quatre mirent rapidement l'engin en batterie sur le quai, déroulèrent ses 200 mètres de tuyaux et permirent ainsi aux pompiers du Tréport de déverser des tonnes d'eau de mer sur l'incendie, qui fut rapidement maîtrisé. Les journaux républicains se moquèrent de ces princes transformés en pompiers. Le maire et la population de la ville y virent une preuve supplémentaire de l'aide généreuse et efficace que notre famille dispensait alentour : à la mi-juillet de la même année, papa avait remis une forte somme au comité constitué pour venir en aide aux victimes d'une terrible grêle qui avait ravagé la Seine-Inférieure, et il envoya en août 50 000 francs de secours aux victimes de l'épidémie de choléra qui frappait Marseille. L'Église n'était évidemment pas oubliée : lorsque maman mit au monde Ferdinand[1], le 9 septembre 1884, papa fit remettre 10 000 francs au nonce apostolique pour le denier de saint Pierre. C'est que, à l'occasion de la naissance de mon frère, Sa Sainteté le pape Léon XIII avait envoyé sa bénédiction au nouveau-né et à toute notre famille par l'entremise du cardinal Jacobini.

Avec le recul du temps, et du fond de mon malheur, je peux affirmer en toute certitude que 1885 marqua le début de mes belles années, si courtes

---

1. Futur duc de Montpensier.

dans leur durée et déjà si lointaines... Le début des belles années, en d'autres termes le début de mon émancipation. C'est à la fin de 1884 que la rumeur familiale porta jusqu'à moi le mot mariage, que des oreilles indiscrètes avaient entendu dans des phrases telles que « Il faut songer à marier la Grande » qui revenaient de temps à autre dans les conversations entre les parents, mes oncles et mes tantes. Le beau songe en effet, qui était celui de la liberté !

On songea donc, puis on pensa à me marier, et l'on en vint à évoquer de grandes capitales et à citer les noms de prétendants. Aux yeux des cours d'Europe, mon père bénéficiait de l'immense crédit du prince qui pouvait devenir roi de France, et sa fille aînée ne représentait pas seulement ce qu'on appelle un beau parti dans les milieux bourgeois, mais le moyen de nouer ou de renforcer une alliance avec l'une des plus anciennes dynasties européennes et peut-être avec l'une des plus vieilles nations du continent. L'aspect politique de la question ne m'était certes pas indifférent, mais la perspective de prendre quelque distance avec ma famille, et de ne plus jamais recevoir les paires de claques maternelles, me donnait des impatiences que je masquais sous des mines de petite fille obéissante.

Le premier projet sérieux, dont je fus officiellement avertie, fut présenté par tante Clémentine[1] et par Bon Papa Montpensier. Tous deux visaient rien de moins que la cour autrichienne, où les candidats possibles n'étaient pas aussi nombreux

_____

1. Une des filles de Louis-Philippe, qui avait épousé le prince Auguste de Saxe-Cobourg.

qu'on pouvait le penser. Derechef, je fus expédiée à Vienne en compagnie de Mme de Butler, dame d'honneur de maman, dûment chargée de m'escorter pendant le voyage et de me surveiller tout au long de mon séjour à Vienne, où m'attendait tante Clémentine.

Je me faisais une joie de demeurer chez cette tante que j'aimais beaucoup et qui avait gardé un charme presque légendaire. Le jour de ses dix-huit ans, le roi Charles X lui avait déclaré : « Si j'avais trente ans de moins et vous, ma chère nièce, quelques années de plus, vous seriez reine de France. » Tout le monde m'avait dit l'influence de tante Clémentine, mais je ne soupçonnais pas alors qu'elle était le centre agissant d'un vaste système d'alliances familiales qui en faisait une alliée d'une utilité exceptionnelle dans toutes les stratégies matrimoniales. La veuve d'Auguste de Saxe-Cobourg-Gotha[1] était en effet la belle-sœur de Ferdinand de Saxe-Cobourg, qui avait épousé en 1836 Marie II de Portugal et était par conséquent le grand-père maternel de dom Carlos, prince héritier du royaume de Portugal. Tante Clémentine était également la belle-sœur de Victoria, femme du duc de Nemours[2], et la tante de leurs enfants – Gaston, comte d'Eu, et Ferdinand[3], le mari de Sophie de Bavière, fiancée un temps au pauvre Louis II, et qui était la propre sœur de l'impératrice Sissi. Liée à la famille impériale d'Autriche, ma tante Clémentine était donc très proche de la

1. L'époux de Clémentine d'Orléans, fille de Louis-Philippe, est mort en 1881.
2. Un des fils de Louis-Philippe.
3. Duc d'Alençon.

cour de Bavière, où je devais me rendre après mon séjour à Vienne, et elle entretenait des relations très étroites avec la famille royale du Portugal. Autant dire que rien ne fut fortuit dans mon séjour à Vienne et à Munich, puis, comme on le verra, dans le voyage que fit mon futur époux à Paris...

Avant mon départ pour Vienne, maman m'accabla de recommandations, de mises en garde, d'interdictions (qui portaient surtout sur les spectacles) et de menaces. Papa ne me parla pas comme à une enfant, ni comme à une fille à marier (maman avait surabondamment tenu ce langage), mais comme à un représentant de la famille en voyage diplomatique.

« Souviens-toi, me dit-il, que les rois de France et les Habsbourg se sont longtemps fait la guerre. Certainement pas pour la gloire, comme on le dit aujourd'hui, ni pour des intérêts à courte vue, mais pour des questions de principe dont dépendait notre existence même. Comme dans tous les empires, la Maison d'Autriche déployait une ambition sans limites et visait à dominer le monde chrétien. Mais l'unité du monde chrétien a toujours été une illusion politique qui a servi de prétexte aux manifestations de la puissance temporelle des papes et aux désirs de conquête universelle des empereurs. Les Habsbourg, qui se voyaient volontiers maîtres de toute l'Europe avec la bénédiction du pape, menaçaient donc l'indépendance de notre pays, que les rois capétiens avaient pour mission de défendre sans jamais accepter la tutelle impériale : « Le roi de France, disait-on, est empereur en son royaume. » Telle est la raison profonde des guerres qui ont opposé les rois de France et les impériaux. Mais la France est depuis longtemps réconciliée avec les Habsbourg : comprenant que la Prusse représentait le principal danger, Louis XV a décidé le « renversement des alliances » de 1756, qui fut conforté par le mariage entre Louis XVI et Marie-Antoinette. L'alliance franco-autrichienne ne survécut pas à la Révolution française mais elle fut renouée par Louis XVIII lors du congrès de Vienne, qui a assuré à l'Europe de longues années de paix.

« Aujourd'hui, conclut papa, nous avons le plus grand intérêt à renforcer les relations entre la France et une Autriche battue par la Prusse à Sadowa[1] à cause de la neutralité française, alors que Napoléon III avait tout intérêt à la défaite des Prussiens comme il l'apprit à ses dépens et pour le malheur de la France en 1870.

« Comme la puissance impériale allemande représente pour la France la plus dangereuse des menaces, il faut que Vienne résiste aux dangereux attraits du germanisme. Tel est l'intérêt supérieur de notre pays qui, pour notre famille, passe toute autre considération. »

Munie de ce bagage diplomatique, j'arrivai à Vienne toute pénétrée de l'importance politique de ma présence, fascinée par la capitale impériale et avide d'en connaître les prestiges et les charmes.

Certains m'avaient décrit une capitale vénérable, engoncée par sa bureaucratie. Quelle ne fut pas ma surprise lorsque je découvris que, comme une jolie femme, la capitale venait de se refaire une beauté et brillait de tous ses feux. Ce que les Viennois appellent *Verschoenerung des Stadtbildes*[2] n'est pas

---

1. 1866.
2. L'embellissement de l'image de la ville.

une illusion. Le superbe anneau de la Ringstrasse, la succession des avenues qui la constituent et les magnifiques constructions qui la bordent m'ont éblouie : sur des kilomètres, que de palais, de bâtiments publics, d'immeubles d'habitation pour la petite noblesse et les grands bourgeois ! C'est la société viennoise qui manifeste là sa puissance, le lien qui unit ses divers éléments et qui se noue en cet endroit où les architectes de l'empereur avaient achevé de construire, deux ans avant mon arrivée, le Reichsrat[1], le Rathaus[2], l'université, et terminaient le Burgtheater. Car l'Autriche-Hongrie est une monarchie parlementaire, et Vienne dispose d'un maire élu – ce qui n'est pas le cas de notre Paris républicain. Cet anneau moderne, ce Ring parcouru par les tramways et les calèches, n'enserre ni ne détruit la vieille ville dont il constitue au contraire la parure. Le cœur de Vienne, et celui de l'empire, c'est et ce sera toujours la Hofburg, la cathédrale Saint-Étienne et la crypte des Capucins où reposent en de majestueux cercueils les cendres des Habsbourg. Vienne, c'est ce mélange réussi de la tradition la plus vénérable et de la modernité. Ce qui est vrai en architecture l'est aussi en peinture, en musique et en politique, puisque le vieil empire est devenu une double monarchie par association de l'Autriche et de la Hongrie, autour de laquelle s'agrègent les nations et les peuples les plus divers. Le cœur de Vienne irrigue tout un monde chatoyant, qui donne à la capitale sa couleur et sa vie.

Tante Clémentine m'accueillit dans son palais avec sa gentillesse coutumière, que pimentaient

---

1. Parlement.
2. Hôtel de ville.

discrètement les projets matrimoniaux qu'elle avait formés. Aussi se lança-t-elle dans une description minutieuse des usages de la cour et des puissances qui la régentaient, qui eut pour première conséquence de m'intimider. Aux faux pas politiques, contre lesquels j'étais prévenue, il fallait maintenant ajouter les fautes protocolaires que je pouvais commettre à chaque instant, à la Hofburg et dans les palais avoisinants. Je dus apprendre à distinguer les éminentes fonctions de l'Obersthofmeister[1], chargé du cérémonial, des voyages impériaux, des jardins et des chasses, des deux théâtres de cour – le Burgtheater et l'Opéra – et des finances ; celles de l'Oberstkämmerer[2] chargé des bibliothèques, des collections et des domestiques, mais aussi de l'attribution de l'Hoffähigheit[3] qui donne le droit de paraître à la cour et dont je n'avais évidemment nul besoin ; celles enfin de l'Obersthofmarshall[4], qui est une sorte de juge pour les affaires intérieures de la cour, et de l'Oberstallmeister[5], qui s'occupe évidemment des écuries, des équipages et des écoles d'équitation. D'avoir affaire au plus important de ces hauts personnages, le prince Constantin de Hohenlohe-Schillingsfürst, qui était Obersthofmeister depuis 1867, me plongea dans une indicible angoisse.

Sans me laisser le temps de souffler, tante Clémentine me fit réviser, comme si j'étais une écolière, ma généalogie des Habsbourg, me dépeignit précisément les archiduchesses et les

_____

1. Grand maître de cour.
2. Grand chambellan.
3. Brevet.
4. Grand maréchal.
5. Grand écuyer.

archiducs que j'aurais à rencontrer et me rappela les principales règles de l'étiquette, fort rigides, qu'il me faudrait respecter lorsque je serais présentée à François-Joseph. La tête m'en tournait et j'étais sûre de bafouiller, de rougir, peut-être de défaillir en présence de Sa Majesté impériale et royale. L'impératrice Élisabeth elle-même supportait si mal les règles et l'immuable froideur de la vie de cour qu'elle s'en tenait le plus souvent éloignée. Tout cela me fut expliqué en allemand, langue que je ne maîtrisais pas parfaitement, avec cette difficulté supplémentaire que les membres de la famille impériale avaient leur propre parler – le Schoenbrunndeutsch, curieusement proche de la langue des cochers viennois – avec lequel je dus me familiariser en quelques jours.

« Tout le reste, qui est bien entendu le plus intéressant, conclut ma tante, tu l'apprendras par les chuchotements. Fais ton profit des confidences et des médisances, mais observe quant à toi la plus extrême prudence. Pour colporter à bon escient les vérités et les mensonges, il faut avoir vécu plusieurs années à la cour. »

Le lendemain à mon réveil, je fus surprise par le silence qui régnait aux alentours du palais Cobourg, et qui contrastait avec l'agitation de la veille. Vienne était sous une neige épaisse, le jardin du palais avait un aspect irréel et les toits de la capitale, la flèche de la cathédrale et les montagnes que j'avais aperçues la veille étaient d'une blancheur immaculée[1]. Ce fut un

---

1. Construit entre 1843 et 1845, le palais Cobourg, de style historico-romantique, est situé sur la Wasserkunst-Bastei et fait face au Ring.

émerveillement sans fin que de parcourir la ville intérieure dans une voiture douillette en compagnie de ma tante qui me fit admirer la cathédrale Saint-Étienne, où nous allâmes faire une courte prière, la Kärntner Strasse[1] et le Neuer Markt, la fontaine de Moïse prise dans la glace sur la délicieuse Franziskanerplatz[2], puis le Graben et tant de palais, d'avenues et de parcs que, le soir venu, tout se mélangea dans un tableau d'une éclatante blancheur d'où surgissaient des flèches gothiques, des portes Renaissance, les arbres noirs du Burggarten et des statues équestres au bout d'allées enneigées sur lesquelles on s'attendait à voir surgir les masses noires des régiments du prince Eugène[3] et de l'archiduc Charles[4].

Il ne fallut pas plus de deux journées pour que la ville me devienne familière. J'allais du Belvédère à Schoenbrunn, et parcourais les avenues du Ring dans les voitures de tante Clémentine avec une liberté que je n'avais jamais connue, ni en France ni dans aucun de mes précédents voyages. Mais la douce exaltation que me procurait la libre découverte de Vienne avait sa contrepartie. Chaque jour j'avais à rencontrer d'imposants personnages, chaque soir il me fallait paraître à des bals officiels ou à de solennels dîners qui mettaient ma timidité à rude épreuve. Certains grands personnages s'en amusaient gentiment. Ainsi l'archiduc Guillaume,

1. Élégante rue commerçante.
2. La place des Franciscains, bordée de maisons anciennes.
3. Célèbre commandant des armées autrichiennes au XVIIIe siècle.
4. Général en chef des Autrichiens aux batailles d'Essling et de Wagram contre Napoléon Ier.

grand maître de l'ordre teutonique, qui était un homme charmant mais horriblement taquin, me faisait rougir jusqu'aux oreilles en inventant des règles de protocole que j'aurais transgressées ou me racontant d'imaginaires rumeurs dont j'aurais été l'objet. Mais ces agaceries me parurent enfantines lorsque je me rendis à mon premier dîner chez l'archiduc Louis-Victor[1], vêtue de ma première robe de gala toute blanche en raison d'un deuil de cour que les princesses devaient porter huit jours : toujours embarrassée de ma grande taille, et ce soir-là de ma traîne, j'aurais voulu rentrer sous terre lorsque les laquais ouvrirent devant moi les portes des salons. L'archiduc m'appréciait, et me conviait souvent à des soupers qui étaient parmi les plus courus de Vienne puisque certaines familles de la très haute société en étaient exclues pour des raisons tenant pour une bonne part au caprice du maître des lieux. Les mauvaises langues assuraient que l'archiduc était fort peu cultivé. Je voyais quant à moi un homme passionné de danse et architecte dans l'âme : c'est lui qui avait dirigé la construction de son palais, conçu dans le style de la Renaissance italienne[2] et audacieusement situé sur la Schwarzenbergplatz, autrement dit sur le Ring. Comme souvent, cette décision fut critiquée car il semblait que le propre frère de l'empereur ne pouvait décemment pas s'installer dans un quartier aussi moderne. L'audace de

---

1. Frère de l'empereur François-Joseph.
2. Construit entre 1863 et 1870, le palais de l'archiduc Louis-Victor, qui fut exilé de Vienne par François-Joseph en 1910 à cause des scandales qu'il provoquait, abrite aujourd'hui le Cercle des officiers de la Neustadt.

1863 est devenue une mode et l'on ne compte plus les grandes familles qui font construire sur la Ringstrasse.

Par-dessus tout, je redoutais le moment inévitable de ma présentation à l'empereur. Alors que je pensais avoir le temps de m'y préparer, et ce jusqu'à la dernière minute, ma rencontre avec François-Joseph eut lieu par surprise et tourna à ma confusion. Par un paisible après-midi, j'avais reçu au palais Coburg l'archiduchesse Valérie[1], qui était élevée de manière beaucoup plus rigoureuse que moi-même puisque l'étiquette lui interdisait de rendre visite à qui que ce soit, y compris ses cousines. Pourtant, l'Obersthofmeister consentit à faire entorse à la règle et j'eus le bonheur d'accueillir une archiduchesse ravie de cette faveur exceptionnelle. Comme Valérie était naturellement délicieuse, nous sommes immédiatement devenues amies, et elle insista vivement pour que je vienne la retrouver dans sa loge du Burgtheater, le soir même. Je ne fus pas longue à accepter une aussi charmante invitation, et je me fis conduire au théâtre, tout à la joie d'une soirée particulièrement agréable. Sans prêter grande attention aux soldats de la Ungarische Leibgarde[2] en grande tenue disposés au pied du grand escalier, ni aux officiers de la Adelige Leibgarde[3] et à la foule de hauts personnages qui peuplaient le promenoir, j'entrai toute souriante dans la loge de Valérie pour me retrouver devant l'empereur. Je sentis

---

1. Seconde fille de François-Joseph.
2. Garde hongroise attachée au service et à la protection de l'empereur.
3. Garde noble.

le sang se retirer de mon visage, prononçai un
« Votre Majesté » confus, fis une révérence chan-
celante sous le regard impérial, qui me parut terriblement ironique alors que ses paroles étaient
très affectueuses. Je les entendais comme dans
un brouillard, et m'efforçais d'y répondre sous
le regard amusé de Valérie. Un coup d'œil sur la
salle ajouta à ma confusion : nul n'ignorait que,
hormis l'empereur, personne ne pénétrait jamais
dans la loge de l'archiduchesse, et je sentis que des
centaines d'yeux me scrutaient tandis que montait vers la loge la sourde rumeur venue de celles
et ceux qui commentaient déjà l'événement. On
m'admirait peut-être ; on m'enviait, on me jalousait
sans aucun doute. Une petite princesse française
dans cette loge, devant l'empereur, alors que les
plus grandes dames de la cour n'avaient jamais eu
droit à cette faveur ! À ma place, toutes auraient
été rouges d'orgueil. Malgré l'exquise amabilité de
Sa Majesté, je demeurai glacée tout le temps que
l'empereur demeura dans la loge et, même après
son départ, je fus incapable de prêter la moindre
attention à la pièce.

Malgré les affectueuses attentions de François-
Joseph, les éloges qu'il faisait de moi à son entourage et le murmure flatteur qui m'accompagnait,
jamais je ne pus me déprendre de la plus extrême
timidité lorsque j'étais en sa présence. Lors d'un
dîner de cour chez l'archiduc Louis-Victor, je fus
incapable d'avaler la moindre bouchée après qu'il
m'eut simplement adressé un regard souriant en
caressant ses célèbres favoris.

Bien entendu, hors de la présence de l'empereur
et de sa proche famille, les histoires inconvenantes
et les anecdotes cocasses couraient les salons, à

commencer par ceux de la princesse Metternich qui régnait sur la haute société viennoise depuis son retour de Paris en 1871. On murmurait que l'archiduc Louis-Victor n'avait pas le goût des femmes, et je crus qu'il avait fait une sorte de vœu de chasteté, ce qui n'était pas le cas. On me raconta les frasques de l'archiduc Othon[1], officier très rigoureux le jour, qui devenait la nuit un extraordinaire farceur : sa plus célèbre plaisanterie fut de se présenter nu comme un ver sous sa cape, mais ceint de son épée d'officier, devant les dames de petite vertu qui déambulaient devant l'hôtel Sacher !

Il y avait des conversations plus graves, auxquelles je prêtais une oreille attentive tout en m'abstenant d'y glisser mon commentaire. Beaucoup évoquaient à mi-voix les difficultés de la famille impériale, non par crainte des remontrances et des sanctions, mais parce qu'ils en éprouvaient une véritable tristesse. L'empereur François-Joseph était autant respecté et aimé par la cour que par le peuple autrichien. Aussi se désolait-on de voir, derrière le faste et l'étiquette, un homme absolument seul. Voilà plus de dix ans que l'impératrice s'était éloignée de lui, éprise de la Hongrie, passionnée de chasse à courre, éperdue de voyages et de séjours à l'étranger.

« Il y a six ans, nous avons cru, me confia tante Clémentine, que la célébration des noces d'argent du couple impérial et royal serait comme une

---

1. Frère cadet de François-Ferdinand, dont le fils Charles fut le dernier empereur d'Autriche et roi de Hongrie, de 1916 à 1918.

nouvelle union. Les fêtes[1] furent magnifiques, et le grand défilé du 27 avril constitue pour tous les Viennois un moment inoubliable. Notre merveilleux Hans Mackart[2] en fut le grand maître. Devant la famille impériale tout entière rassemblée et une énorme foule populaire, il fit défiler sur le Ring tous les corps de métier qui existaient au temps de la Renaissance, en costumes de cette époque, des chevaliers et des hommes d'armes, des courtisans en habit de chasse mais aussi, en hommage à la révolution des transports et avec une pointe d'ironie, la plus moderne de nos locomotives conduite elle aussi par des mécaniciens en costumes du Cinquecento !

« Hélas ! Élisabeth a vite repris ses errances, et l'empereur, qui l'aime éperdument et qui est éperdument aimé de son peuple, a retrouvé sa solitude et ses soucis. Rodolphe, qui est depuis toujours un libéral enragé, ne rencontre que très rarement son père dans l'intimité. L'empereur, qui sait tout, est très mécontent du comportement d'autres membres de la famille impériale et beaucoup disent qu'il finira par se fâcher. »

La solitude du pouvoir... Mon père m'en avait parlé, mais à Vienne je pouvais mesurer le contraste entre l'exercice de l'autorité impériale dans une représentation publique de tous les instants (avec changement de tenue plusieurs fois par jour) et l'homme délaissé qu'on me décrivait. Avec ma naïveté de jeune fille je pensais échapper au sort commun, me promettant de devenir pour

---

1. Elles se déroulèrent en avril 1879.
2. Peintre à la mode, que son style baroque flamboyant fit surnommer le Rubens autrichien.

mon époux la plus attentive des compagnes et la plus sûre des confidentes. On appelle cela les illusions de la jeunesse. Je les ai perdues plus vite que beaucoup d'autres femmes de mon âge et de mon rang. Mais je ne souris pas de mes élans viennois, que je gardais d'ailleurs au plus profond de moi-même. J'étais heureuse de me trouver dans la capitale de la Double Monarchie, pas seulement pour les fêtes et les mondanités, pas seulement pour les témoignages d'affection qui m'étaient prodigués, à commencer par ceux de l'empereur, mais parce que j'étais traitée non plus en enfant mais en jeune femme, en adulte tenue informée des lourdes affaires de l'État, et de quelques-uns de ses secrets. La présence de Mme de Butler ne me pesait donc pas, et les interdictions qui demeuraient me paraissaient bien légères. Les lettres de ma mère, qui continuait à me traiter comme une enfant, me paraissaient par conséquent étranges, comme si elles eussent été envoyées d'un autre monde. J'ai retrouvé l'une d'entre elles, postée à Cannes le 31 mars 1885 :

« Pour *Faust*, je suis absolument de l'avis de la tante. Tu ne dois pas y aller, mais tu as tant d'autres opéras ou pièces à voir que c'est une bien petite privation.

« Avant de quitter Vienne tu feras bien de t'acheter un chapeau rond en feutre mou léger avec une petite plume ; tu sais que c'est à Vienne que l'on fait tous les chapeaux mous. Je t'envoie la mesure de la tête d'Hélène pour que tu lui achètes le pareil au tien, et tu en prendras aussi un pour moi dans le genre de Bijou. »

Je n'ai pas manqué de rapporter le chapeau mou que ma mère demandait, et d'acheter à Hélène

« le pareil » au mien. Mais la ville aux chapeaux mous est aussi celle de grands architectes (comme Friedrich Schmidt qui venait d'achever le Rathaus) et de jeunes peintres éblouissants comme Gustav Klimt, qui entreprit l'année qui suivit mon séjour le plafond du grand escalier du Burgtheater. C'est aujourd'hui un des grands peintres autrichiens, qui est à l'avant-garde de son art... Quant à *Faust*, je me fis une raison. Mais ma pauvre mère ne comprenait pas que, cent fois pire que *Faust*, j'avais sous les yeux le théâtre de la vie, joué sur la grande scène du pouvoir, où l'on voit s'étaler, sous la glace de l'étiquette et le vernis mondain, la passion amoureuse et le catalogue complet des vices, qui entraînent certains à sombrer dans les plus noires débauches.

Je regardais ce morceau de la comédie humaine avec une tranquille attention, sans complaisance ni attrait, sachant qu'une princesse doit à la fois vivre dans le monde et s'en préserver. C'est à Vienne que j'ai lu, gravés je ne sais où, ces mots, *God will provide*. Les mines effarouchées de toutes les Mme de Butler de la terre ne changent rien à l'existence des hommes, mais Dieu Lui-même qui protège et qui pourvoit...

Les affaires de la cour ne me faisaient pas oublier la raison première de mon séjour à Vienne. Mais les candidats possibles au mariage étaient rares, malgré le caractère numériquement imposant de la dynastie habsbourgeoise, qui avait en outre rapatrié en Autriche ses branches italiennes[1]. Or je fus bien obligée de constater que tous les archiducs en âge de se marier étaient loin du trône

1. Toscane, Este.

et dépourvus de toute fortune, même l'archiduc Charles-Étienne[1] avec lequel tante Christa souhaitait vivement me marier. Quant à l'archiduc François-Ferdinand[2], qui était le plus beau parti de la cour, je n'ai malheureusement pas pu le rencontrer car il était en voyage en Égypte.

« Je ne pensais pas que le mari Habsbourg était une denrée aussi rare et si peu chère ! » disais-je à Mme de Butler pour la faire enrager. Immanquablement, je produisais l'effet recherché.

« Oh ! Princesse ! Comment pouvez-vous parler en des termes aussi crus de personnages qui sont, je vous le rappelle, des Altesses impériales ! Les perspectives matrimoniales sont des plus faibles à la cour de Vienne, je le reconnais volontiers, mais, même dans le privé, de grâce surveillez vos expressions ! »

Cette absence de « perspectives matrimoniales » ne me donnait pas grand souci quant à ma propre destinée, mais faisait naître en moi des inquiétudes politiques. On murmurait que M. de Bismarck avait fait savoir qu'il s'opposait à une union entre les Habsbourg et la Maison de France. Le séjour en Égypte de l'archiduc François-Ferdinand était-il vraiment fortuit, ou bien s'agissait-il d'une esquive diplomatique afin de ne pas mécontenter le voisin allemand ? Je n'avais garde d'oublier que, battu à Sadowa par les Prussiens, François-Joseph s'était rapproché de l'empire allemand jusqu'à signer avec celui-ci un traité d'alliance en octobre 1879. Sans doute

1. Frère de la reine Christine d'Espagne.
2. Neveu de l'empereur François-Joseph, assassiné en 1914 à Sarajevo.

cette alliance est-elle explicitement tournée contre la Russie, et la Double Monarchie s'est opposée lors des négociations à contracter des obligations en cas de guerre entre l'Allemagne et la France, puisque la France n'a pas de contentieux avec notre pays. De fait, la France n'est pas nommément désignée dans le traité, qui prévoit que chacun des deux empires respectera une neutralité bienveillante, « en cas d'attaque par un autre État ». Mais rien n'est superflu lorsqu'il s'agit d'éviter des entraînements belliqueux, et le mariage entre une princesse française et un prince autrichien aurait conforté l'amitié entre ma patrie et la Double Monarchie.

Mon séjour se termina sur ces réflexions inquiètes, mais l'empereur et la cour dissipèrent sans le savoir ces sombres pressentiments en m'offrant d'assister à une grande revue militaire. J'arrivai sur les lieux de la parade dans une voiture qui suivait celle de l'archiduchesse Stéphanie, et c'est tout près d'elle que je vis défiler la garde des Trabans et celle des Arciers[1] en tunique rouge ponceau brodée d'or, la garde hongroise en grand uniforme rouge et argent, les tuniques vert foncé à parement écarlate de la gendarmerie de la garde, puis des régiments – lanciers et cuirassiers, chasseurs à pied et artilleurs – qui venaient de tout l'empire dans un grand déploiement de troupes croates, polonaises, tchèques et hongroises qui formaient de vastes ensembles vivement colorés, avec des harmonies de couleurs – rouge, vert, gris – rehaussées par l'éclat des casques qui scin-

---

1. De l'italien *arcere* – archers, en d'autres termes la garde noble.

tillaient au soleil de cette fin d'hiver et par les coloris des plumets. Curieusement, cette représentation de la puissance militaire ne recelait aucune menace. Ces dizaines de milliers de jeunes hommes qui martelaient le sol de leurs bottes impeccables ne faisaient pas songer à la guerre. Ils affirmaient avec une grâce virile la gloire de l'empire et la fidélité de l'ensemble de ses peuples à l'empereur dans une grande fête chamarrée. Dans l'Europe en paix, l'armée impériale et royale exprimait en elle-même une force paisible que l'on retrouvait sur le visage impassible et bienveillant de l'empereur.

Je fus triste de quitter Vienne, où j'avais obtenu de prolonger mon séjour très au-delà de ce qui avait été initialement décidé par papa et maman. Si bien que je ne fis qu'un bref séjour à Munich chez ma cousine Amélie[1], où se morfondait une cour déjà désertée par son pauvre roi mélancolique[2]. J'y fis cependant la connaissance d'un prince qui représentait un parti à la fois très honorable et non dépourvu de charme, mais l'alliance avec un Allemand, qui fut évoquée pendant quelques semaines dans la société parisienne, ne pouvait être sérieusement envisagée. La famille de France ne nourrissait aucune haine à l'égard de la famille impériale allemande, mais pour moi comme pour l'ensemble du peuple français éprouvé par la défaite et se préparant à la revanche, il était inconcevable qu'une fille de France pût se trouver du côté de l'ennemi.

---

1. Duchesse Maximilien de Bavière, et fille de la princesse Clémentine de Saxe-Cobourg-Gotha.
2. Louis II de Bavière.

De retour en France, je retrouvai la discipline familiale et la brutalité de maman. Elles m'étaient désormais littéralement insupportables, et j'avais hâte de me fiancer, ne serait-ce que pour être de nouveau traitée selon mon âge, en princesse de France et tout simplement en femme. Malgré la présence affectueuse de mes plus chères amies, Marie Estancelin et Odette de Mussy, l'été à Eu fut pesant. Mais, à l'automne, papa décida de célébrer par une grande fête le mariage de Marie[1] avec Valdemar de Danemark. Les cérémonies religieuses – d'abord la bénédiction nuptiale catholique, puis la protestante – eurent lieu le 22 octobre 1885 à Eu, en présence de la reine de Danemark, du prince et de la princesse de Galles, du grand-duc Alexis de Russie et de beaucoup de nos parents. La beauté de la princesse de Galles me fascina et je succombai au charme de sa sœur la duchesse de Cumberland dès la première seconde[2]. Bien entendu, on bavarda beaucoup au sujet de mon mariage. Mais il n'y avait rien, décidément rien en Angleterre, ni en Espagne, ni en Belgique. Je crois bien que la présence du grand-duc Alexis, chaud partisan, avec son frère Vladimir, de l'alliance franco-russe, fit naître le projet d'un mariage russe.

L'idée était séduisante et avait des partisans déclarés, à commencer par Mme de Butler qui revendiquait la paternité, si j'ose dire, de cette alliance. Mon cher ami Breteuil[3] était lui aussi

---

1. Cousine de la princesse Amélie.
2. Toutes deux princesses de Danemark, filles du roi Frederik VII et sœurs de Valdemar.
3. Le marquis de Breteuil, ami proche de la famille d'Orléans, député monarchiste et conseiller du comte de

l'avocat dévoué du mariage russe, pour des raisons éminemment politiques. Comme moi, mon cher Breteuil souhaitait ardemment le renforcement de l'amitié entre la France et la Russie qui, en cette année 1885, n'était pas encore à l'ordre du jour. C'est que M. de Bismarck était toujours le maître de la diplomatie allemande, et rebattait les principales cartes européennes à sa manière – fort menaçante pour la France. La Triple Alliance qui s'était nouée grâce à lui entre les Allemands, les Russes et les Autrichiens signifiait que la France était isolée, bien plus isolée que la Grande-Bretagne qui s'appuyait sur son immense empire. M. de Bismarck veillait à ce que ma patrie ne puisse sortir de son isolement de manière très stricte puisqu'il avait fait pression sur la cour de Vienne pour que je ne puisse pas me marier avec un archiduc. Le séjour en Égypte de l'archiduc François-Ferdinand, lorsque je me trouvais à Vienne, n'était peut-être pas l'effet du hasard... Toutefois, la situation européenne ne me paraissait pas figée, et elle était même susceptible de connaître de grands bouleversements dans le système des alliances. D'abord, les accords de 1881 et 1882 n'avaient été signés que pour une durée de trois ans, et les trois empires ne s'étaient promis qu'une neutralité bienveillante en cas d'attaque contre l'une d'entre elles, chaque empire recherchant comme à l'accoutumée à défendre ses propres intérêts. Bien entendu, l'Allemagne

---

Paris, a laissé un « Journal secret » qui est une remarquable peinture de la haute société des années 80 et du milieu monarchiste. Marquis de Breteuil, *La Haute Société, Journal secret*, 1886-1889, Atelier Marcel Jullian, 1979.

voulait se prémunir contre la France, mais la Russie redoutait quant à elle un conflit avec les Anglais en Asie centrale, où les deux puissances poussaient en sens contraire. De fait, le conflit anglo-russe faillit bel et bien éclater lorsque les troupes du tsar poussant vers le sud occupèrent la vallée du Mourgab et affrontèrent les troupes afghanes[1] afin d'occuper la passe de Zulficar[2]. Mais cette Triple Alliance restait fragile parce que le tsar Alexandre III y avait adhéré pour éviter l'isolement, et tout en sachant que Berlin privilégiait les liens avec la cour de Vienne. Or la rivalité entre les Russes et les Autrichiens demeurait entière dans les Balkans, et Saint-Pétersbourg avait vu d'un mauvais œil la Bosnie-Herzégovine passer sous l'influence autrichienne.

De toute évidence, la Russie était le maillon faible de la Triplice, et c'est sur celui-là qu'il fallait peser. La famille de France pouvait à cet égard jouer un rôle décisif puisque nul n'ignorait que la crainte des idées républicaines et socialistes avait pesé lourd dans la décision prise par Alexandre III[3] de signer avec ses partenaires l'accord de 1881. La restauration de la monarchie en France ferait tomber ses préventions, et le mariage entre un grand-duc et une fille de France pouvait constituer une utile préface à l'indispensable alliance des Russes et des Français.

1. Incident de Pendjeh, en mars 1885.
2. Porte d'entrée vers les vallées de l'Afghanistan, qui était considéré par les Anglais comme un État-tampon entre les Russes et l'Empire des Indes.
3. Tsar de 1881 à 1894, Alexandre III succède à Alexandre II, assassiné dans les conditions évoquées plus haut.

Soucieux de maintenir en Europe la paix par l'équilibre des puissances – par patriotisme, mais aussi parce qu'il avait personnellement horreur de la guerre depuis qu'il avait combattu, fort courageusement, en 1870 –, Breteuil m'incitait vivement à prendre le chemin de Saint-Pétersbourg et souhaitait pour moi la plus haute des alliances. Certes, le tsarévitch[1] était beaucoup trop jeune, mais le grand-duc Nicolas[2] eût fait un mari idéal.

« Je connais bien le grand-duc Nicolas, me disait Breteuil. C'est un prince d'une supériorité réelle, d'une intelligence remarquable et d'une grande intégrité morale. Je crois deviner, princesse, que la différence de religion n'est pas un obstacle pour vous, et je parie que vous trouverez à mon ami bien de l'élégance et du charme.

— C'est surtout la haute taille des Russes qui me plaît, répliquai-je malicieusement. Nous avons déjà cela en commun, et j'aimerais en effet un mari avec lequel je serais, si je puis dire, sur un pied d'égalité. »

Dès ma première rencontre avec le grand-duc Nicolas, je vis que Breteuil avait raison. Nicolas Mihaïlovitch correspondait en tout point à la description enthousiaste de son ami : c'était un prince délicieux, spirituel, d'une grande élégance, avec ce sourire presque enfantin des Russes, si près des larmes parfois que les rapides ombres de la tristesse font ressortir leur merveilleuse gaieté.

_____

1. Le prince héritier est né en 1868 et a donc dix-sept ans en 1885. Nicolas II, dernier tsar de Russie, régna à partir de 1894.
2. Frère de la duchesse de Mecklembourg, fils aîné du grand-duc Michel et cousin germain du tsar Alexandre III.

Nous nous sommes rencontrés à plusieurs reprises, papa et maman envisageaient cette union d'un œil très favorable, mais le grand-duc Nicolas n'était pas disposé à se marier. L'alliance russe s'est faite sans moi, et sans le chef de la Maison de France à nouveau exilé de sa patrie.

3

Le prince venu du Tage

La recherche d'un époux, les considérations diplomatiques qu'elle entraînait et mon long séjour hors de France avaient détourné mon attention de la vie politique française. De retour en France, je m'aperçus qu'elle prenait une tournure très favorable à notre famille.

Depuis la mort du comte de Chambord, papa s'était entièrement voué à la complète unification des monarchistes et au réveil des fidélités et des espérances. Tôt levé, tard couché, il avait réorganisé ses partisans, multiplié les voyages en province, donné d'innombrables réceptions et dénoncé vigoureusement le malaise économique et social dont souffrait le pays.

Cette activité inlassable avait rapidement porté ses fruits. À peine deux ans après la mort du comte de Chambord, les monarchistes retrouvaient confiance et enthousiasme, et le premier tour des élections législatives de 1885 avait consacré les efforts du chef de la Maison de France : la majorité républicaine avait été laminée, et les candidats royalistes se trouvaient souvent en situation de ballottage favorable. Certes, les républicains effrayés par ces résultats s'étaient rassemblés pour le deuxième tour, dont les résultats furent quelque peu décevants. Cependant, deux cents députés conservateurs étaient entrés à la Chambre, et les républicains ne disposaient plus que d'une majorité restreinte. Sans prendre garde à la force et à la détermination des adversaires de la monarchie, qui avaient déposé un projet de loi d'exil avant les élections, nous considérions joyeusement que la voie de la restauration était largement ouverte, et qu'il ne suffisait plus que de parachever l'œuvre si bien commencée.

Ces bonnes nouvelles me faisaient d'autant plus ardemment rechercher un mari, et me donnaient de plus en plus de prix.

« Mes actions montent, disais-je en riant à Breteuil, mais si un prince tarde trop à demander ma main, je m'appuierai volontiers sur le bras d'un grand seigneur français.

— Hélas, princesse, répliquait mon ami, les candidats possibles sont encore moins nombreux que dans toutes les cours d'Europe réunies. Ôtez les trop jeunes, les trop vieux, les ruinés : parmi ceux que vous pourriez accepter sans déchoir, je ne vois que les noms de La Rochefoucauld et du prince de Tarente[1], mais le premier nom est porté par le fils d'une piqueuse de bottines, et l'autre par un crétin.

— Il n'est pas seulement bête, ajoutait sa femme, la délicieuse Constance trop tôt disparue[2]. C'est toute la personne qui pèche. Il est vulgaire d'esprit autant que de figure, ignorant et peu agréable.

---

1. Fils du duc de La Trémoille.
2. Constance de Castelbajac, femme du marquis de Breteuil, mourut en 1886.

Son immense fortune et le passé illustre des La Trémoille[1] constituent ses seuls attraits. Mais ils ne vous permettraient pas de supporter un tel personnage. »

Je me rangeais à ces arguments, tout en déplorant de ne point trouver de mari dans mon propre pays. Je connaissais trop de reines et de rois pour mésestimer les accablantes contraintes de la charge, et je savais qu'un mariage français m'eût rendue plus heureuse, en raison de la liberté que j'aurais enfin acquise, et de la joie de demeurer dans ma patrie.

Notre quête se passait joyeusement, dans les plaisanteries et les menus potins, quand, fin janvier 1886, le duc de Bragance s'en vint à Paris accompagné de ses deux aides de camp, le colonel Costa Sequeira et le vicomte de Seisal, s'installa à l'hôtel Bristol et se fit annoncer chez oncle Aumale. Comme je l'ai déjà dit, sa visite n'avait rien de fortuit : de Vienne, tante Clémentine en avait été l'heureuse inspiratrice. Cela avec une efficacité d'autant plus redoutable que son beau-frère, Ferdinand de Saxe-Cobourg, était devenu roi consort de Portugal en épousant Maria II, grand-mère du duc de Bragance.

Avec mes parents et mes proches amis, nous avions parlé du prince héritier de Portugal comme d'un candidat parmi d'autres, mais il était alors fiancé à une princesse allemande. Puis le projet d'union avait été rompu, et il apparut très vite que le prince royal éprouvait de l'intérêt pour la fille aînée du comte de Paris. D'ailleurs, les journaux

1. Cette famille fut plusieurs fois alliée à la Maison de France.

de l'époque ne s'y trompaient point, comme en témoigne cette coupure du *Matin de Paris* en date du 25 janvier 1886 : « Le voyage du duc de Bragance à Paris ne serait, dit-on, pas seulement un voyage d'études. Il est très sérieusement question du prochain mariage du prince héritier de Portugal non pas avec la fille du prince impérial d'Allemagne, princesse protestante dont l'alliance serait impossible, mais avec la fille du comte de Paris. » Des chasses furent données en l'honneur de dom Carlos à Chantilly par oncle Aumale, auxquelles je fus naturellement conviée. M'apparut un jeune homme à la mine avenante, dont la bonne figure, imberbe et ornée de jolies boucles blondes, était encore toute proche de l'enfance. Certes, au contraire des Russes, dom Carlos était de plus petite taille[1], mais il était plein de vie et de gaieté, brillant d'esprit et fort aimable de caractère, assuré en tout point, et se préparait à remplir son devoir lorsqu'il lui faudrait monter sur le trône de Portugal. En outre, dom Carlos avait comme moi la passion de la chasse et nous commençâmes par nous y adonner en nous observant du coin de l'œil. Sur un carnet précieusement conservé, je notai à la date du 29 janvier qu'on chassa en forêt du Lys et qu'un dix-corps fut pris au carrefour rose et servi par le duc de Bragance au bout de deux heures. Papa, maman et mes trois oncles le félicitèrent chaleureusement et c'est en me regardant qu'il reçut leurs éloges. Nous nous retrouvâmes le 2 février – tantes Marguerite et Joinville étant venues grossir la troupe – pour une belle attaque qui commença au bois de Montagny

---

1. Dom Carlos mesurait 1,76 m et Amélie 1,82 m.

et qui se termina au Onze-Vingt. L'élégance et la fougue du cavalier me plaisaient, et ses sourires provoquaient en moi un léger trouble que je ne pus longtemps attribuer au seul plaisir de la chasse.

Bien entendu, le prince royal fut souvent requis par ses obligations officielles, qui furent accompagnées de quelques soirées divertissantes. Reçu par le président Grévy à l'Élysée et par le président du Conseil de l'époque, M. de Freycinet, accueillant à son tour le président de la République au Bristol, dom Carlos eut le plaisir de se rendre à la Comédie-Française, où l'on jouait alors *Un Parisien* – une fort aimable comédie en trois actes de M. Edmond Gondinet que j'avais moi aussi beaucoup appréciée. Au Cercle des Mirlitons, il applaudit *La Vieille Maison* de Theuriet, *L'Invention de la poudre* de Labiche et *La Cicatrice*, une spirituelle comédie du marquis de Massa. La presse le désigna comme « le lion de la saison », et loua son esprit, ses goûts artistiques et la belle prestance de ce « joli garçon » au « regard doux et fin », à l'aspect « gracieux et sympathique ».

Comme Breteuil avait eu l'occasion de bavarder avec dom Carlos à plusieurs reprises, je m'enquis de son opinion, qui était en demi-teinte.

« Trois ou quatre dîners, et quelques cigares après, ne permettent pas de parler du moral. Si le duc de Bragance m'a paru très intelligent, énergique, et plus instruit que je ne l'aurais pensé, je regrette de vous dire que son aplomb, la haute idée qu'il a de lui et son imperturbable assurance m'ont déplu. À l'entendre, il fait tout mieux que personne, et même si c'est vrai, c'est ennuyeux de se l'entendre dire. À cela près, je l'ai trouvé très gai et très désireux de plaire – familier comme le sont en général tous les Méridionaux, mais vraiment aimable.

« J'espère, poursuivit Breteuil, que son caractère est facile à vivre et que son cœur est bon, car je ne me consolerais pas de penser qu'il pourrait vous rendre malheureuse ! Son grand défaut est d'être trop jeune pour épouser une femme aussi sérieuse que vous, à qui il aurait fallu pour compagnon un homme véritable sur le bras duquel vous pourriez vous appuyer en toute confiance, et non un enfant à élever, à corriger et à former.

« Enfin, je vois des points noirs à l'horizon : une belle-mère insupportable, qui ne se console pas de vieillir, une famille où l'union ne règne pas absolument, un entourage où il y a, paraît-il, beaucoup à reprendre. »

J'écoutai attentivement mon ami, décidai de retenir les qualités qui me paraissaient solides, et escomptai que les défauts, mis au compte de la jeunesse et de l'enthousiasme du prince royal, auraient tôt fait de s'estomper. En attendant, je me sentais assez forte pour deux, donnai mon consentement le 1er février et me laissai aller aux douceurs des amours naissantes, tout en priant dom Carlos que la demande officielle ne se fasse pas un vendredi, jour qui ne porte pas chance.

C'est donc le samedi 6 février que le comte d'Andrade Corvo, ministre de Portugal en France, remit à papa des lettres autographes du roi et de la reine de Portugal qui demandaient officiellement « la main de S.A.R. la princesse Amélie de France pour S.A.R. le duc de Bragance, prince royal, héritier de la couronne du Portugal ». Papa et maman donnèrent immédiatement leur consentement. À deux heures, dom Carlos, accompagné de ses deux aides de camp, me faisait officiellement sa première visite. J'avais eu tout juste le temps de courir chez Worth, pour y choisir ma première robe de fiancée.

Dès le lendemain en effet, papa donnait rue de Varenne[1] le dîner officiel des fiançailles. Y assistaient les princes de la Maison de France, le roi François II de Naples et la légation de Portugal à Paris. Puis, le mardi, ce furent oncle et tante Chartres qui donnèrent un dîner en l'honneur de mon fiancé en leur hôtel des quais de Seine. Son élégance m'impressionna, dans une veste aux magnifiques revers de satin, la boutonnière ornée d'un gardénia, sans doute dans le goût anglais qu'il avait pris durant son séjour à la cour du prince de Galles. Tout était parfait, depuis les bagues qui ornaient ses doigts jusqu'aux chaussures brillantes à souhait. Le regardant tout à loisir pendant le repas, je trouvais beaucoup de charme à sa petite moustache blonde joliment retroussée, et très prince alors qu'on ne lui aurait pas donné plus de dix-huit ans[2]. Un instant me revint le trait décoché par Breteuil : « Il a l'air

_____

1. Situé 57, rue de Varenne dans le VIIe arrondissement, l'hôtel de Matignon, résidence du Premier ministre, fut commencé d'être construit sous la Régence pour le duc de Montmorency puis revendu en 1723, encore inachevé, à M. de Matignon, comte de Thorigny. Il appartint ensuite à de nombreux propriétaires, dont le prince de Talleyrand et Madame Adélaïde, sœur de Louis-Philippe. Il fut acquis en 1853 par le duc de Galliera qui le légua à la duchesse de Galliera. Celle-ci avait mis tout le rez-de-chaussée et le parc à la disposition du comte de Paris, qui y descendait chaque fois qu'il était dans la capitale.
2. Le duc de Bragance était alors âgé de vingt-deux ans.

d'un bonbon de chez Séraudin ! » Je voyais quant à moi une jeune et douce figure qui évoquait la Maison de Savoie[1], avec les yeux bleus des Cobourg et la bouche de la Maison d'Autriche. Si je ne parvenais pas à oublier tout à fait le beau visage et la fière silhouette du grand-duc Nicolas, le prince venu du Tage me paraissait devoir faire un mari tout à fait agréable.

Le lendemain de ce dîner officiel, le premier d'une très longue série, dom Carlos partait pour Eu, où de grandes chasses avaient été organisées en son honneur.

Tel fut le tourbillon officiel, qui m'emporta sans que je puisse songer à mes sentiments. Alors que j'étais souvent vêtue comme l'as de pique et peignée avec un clou, je fus conduite chez les grands couturiers, arrachée à leurs salons pour être poussée dans la boutique de bottiers éminents, dont on m'extrayait pour me confier aux mains expertes d'un coiffeur distingué qui me prenait d'interminables heures. Au retour de ces courses harassantes, j'étais poncée, repeignée, discrètement fardée, accablée de conseils, de mises en garde, de mises en demeure et de mises au point par une mère excitée comme un matin de chasse à courre.

Je pus cependant m'échapper pour aller déjeuner chez mes amis Breteuil. Je leur ai confié mes sentiments, ai reçu leurs félicitations, un peu plus réservées chez Henri que chez Constance, et tous deux m'ont raconté par le menu le potin des commères. Les âmes pieuses se réjouissaient

_____

1. Le duc de Bragance était le petit-fils du roi Victor-Emmanuel.

de me voir épouser un prince catholique, mais les dames bonapartistes éprouvaient un vif dépit puisque la reine de Portugal est la propre sœur de la princesse Clotilde, la femme de Plon-Plon[1]. Cela signifiait que j'allais devenir la cousine germaine du prince Victor, héritier du trône impérial ! Je n'avais pas encore prêté attention à cette alliance savoureuse, et j'étais bien entendu ravie de la rage des impérialistes. Du côté des esthètes, beaucoup trouvaient que mon fiancé était trop petit, mais Constance répliquait à ces dames qu'on ne pouvait pas me faire un mari tout exprès, ou le prendre dans le régiment de Préobrajenski[2] !

Constance me raconta aussi le dîner donné par Mme de La Ferronays en l'honneur du prince royal.

« Elle avait son air de dire "Hélas ! Je suis la seule personne de la noblesse française qui puisse véritablement donner idée de ce que c'est à un prince étranger ou de ce que cela devrait être, mais voyez, Monseigneur, il y a encore des femmes qui ont de la tradition." »

« Lorsqu'on pense, poursuivait Constance, à l'attitude qu'avait eue Mme de La Ferronays vis-à-vis des princes d'Orléans du vivant du comte de Chambord et du mépris qu'elle avait pour eux, on ne peut qu'admirer la souplesse de certaines natures à s'accommoder aux choses et aux temps. C'est maintenant, à l'en croire, la grande maîtresse du palais, et elle a pour la famille royale un dévouement tel qu'elle se montre près de vous

---

1. Le prince Napoléon, fils de Jérôme, roi de Westphalie et cousin de Napoléon III.
2. Régiment d'élite du tsar.

en toute occasion afin d'empêcher autant que possible les personnes parvenues et intrigantes de les trop approcher et de les ennuyer de leur présence. »

Le portrait de cette brave dame me fit rire de bon cœur, même lorsque Constance y ajouta la pointe d'un reproche.

« Souvenez-vous, princesse, du bal que cette chère La Ferronays a donné l'année dernière en l'honneur du comte et de la comtesse de Paris, en pensant que son haut patronage ferait oublier les petites rancunes contre les Orléans dans la "véritable noblesse" qui était dévouée au comte de Chambord. Votre père, vote mère et vous-même, princesse, avez accepté de vous prêter à cette innocente manie en étant de la fête. On vous en a beaucoup blâmés. Les princes ne sont pas faits pour aller dans le monde. On a beau les y traiter avec toute la cérémonie possible, c'est gênant pour eux et pour nous.

« Dévouée à Chambord, dévouée aux Orléans, Mme de La Ferronays se dévoue cette année aux Bragance. Elle recevrait le shah de Perse si elle pouvait ! C'est la folie des grandeurs. »

À cela s'ajoutaient les apitoiements hypocrites d'autres dames impérialistes, et leurs cancans financiers. Elles feignaient de me plaindre et répétaient partout que je faisais un bien mauvais mariage. « Pauvre Amélie, disaient deux d'entre elles, c'est affreux de quitter la France pour aller dans ce trou. C'est un pays où il n'y a que des oranges. Que fera-t-elle quand elle en aura mangé deux ou trois cents ? » Et l'autre d'expliquer : « Ce n'est pas étonnant que le duc de Bragance l'épouse, le duc d'Aumale lui donne dix millions de dot ! »

« La vérité, disais-je à Constance, c'est que papa me donne dix-huit cent mille francs. Mon fiancé dispose en toute propriété de deux cent cinquante mille livres de rentes, et le Portugal lui en donne cent cinquante. Il sera donc beaucoup plus riche que moi. Mais ces questions d'argent me sont indifférentes. La liberté pour moi n'a pas de prix, et je serais bien partie au bras d'un homme moins riche et moins assuré de son avenir. J'adore mon père, et au fond j'aime beaucoup ma mère, mais c'est pour moi un vrai soulagement que d'échapper aux tyrannies familiales. Je me demande d'ailleurs qui héritera des gifles que je recevais en priorité, à raison de mon droit d'aînesse.

— Sans doute Hélène, me répondit Constance. Elle est maintenant aussi grande que vous. Madame votre mère sera à sa main. »

Je revis Breteuil au dîner chez oncle Chartres, et nous avons pu causer tranquillement pendant que dom Carlos jouait au billard.

« Connaissant mieux votre fiancé, je révise en bien mes jugements intempestifs, me dit mon ami. Le prince royal a beaucoup d'acquis, de finesse et l'esprit très prompt, en somme il est remarquable et bien formé pour faire un roi.

— Vous me voyez en effet satisfaite, répliquai-je. J'aurais horriblement souffert de lier ma vie entière à un prince arriéré et de cervelle étroite qui aurait pris la routine et les idées reçues pour guides de sa vie ; celui-ci est charmant et j'espère être très heureuse. Mon fiancé me plaît d'autant plus qu'il a tout à fait ma manière de voir en religion et en philosophie. »

Breteuil rapporta mes propos à sa femme, qui les commenta dans le monde en des termes qui me revinrent aux oreilles.

« Cette "même manière de voir en religion et en philosophie" ne mènera pas le duc de Bragance bien loin dans la voie des superstitions et ses peuples peuvent dormir tranquilles, car la princesse Amélie est tout au plus déiste comme son oncle Aumale. Devançant la plupart des femmes de son pays et de son temps, elle a su mettre au panier depuis longtemps les naïves croyances dont on a entouré notre jeunesse. »

L'impertinence ne manquait pas de justesse, et il est vrai que les bigotes de la famille m'avaient alors détournée de la religion.

Les réceptions se multipliaient à Paris, où les regards étaient tournés vers notre couple, mais la vie familiale continuait son train. Au lendemain d'une brillante réception de six cents personnes donnée en notre honneur par tante Chartres, maman partit pour Madrid afin d'assister au mariage d'oncle Antoine[1] avec Eulalie[2]. Connaissant l'affaire dans ses moindres détails, je plaignais la jeune épousée et n'aurais pas parié une peseta sur l'avenir de ce couple dont le sort m'était d'autant moins indifférent que mon fiancé était d'une certaine manière concerné.

Du vivant du roi son père, Eulalie avait formellement refusé d'épouser oncle Antoine, et m'avait cent fois déclaré qu'elle préférait rester

_____

1. Antoine d'Orléans, dernier fils du duc de Montpensier et frère de la comtesse de Paris.
2. Sœur du roi d'Espagne, Alphonse XII, décédé depuis peu.

vieille fille toute sa vie. Le roi, qui voulait ce mariage, sut prendre patience en politique avisé qu'il était. Puis, se voyant malade et sentant la mort approcher, il avait convaincu sa sœur de surmonter sa répugnance et d'épouser son cousin afin de ne pas diviser en deux la famille royale d'Espagne. Cet acquiescement était d'autant plus douloureux qu'Eulalie a eu une vie amoureuse des plus animées. Deux ans avant que nous prissions respectivement époux, elle m'avait confié que le duc de Bragance s'était épris d'elle lors d'un séjour qu'il avait fait à la cour de Madrid et souhaitait ardemment l'épouser. On disait que dom Carlos en avait été empêché par ses parents, qui redoutaient que le Portugal ne s'en trouve par trop inféodé à l'Espagne – un proverbe dit même que « d'Hespanha vêm nem bom vento nem bom casamento[1] ». En réalité, Eulalie avait noué une tendre idylle avec Luis de Soveral, alors jeune diplomate en poste à Madrid. Le scandale qui suivit la découverte de cette liaison entraîna l'abandon du projet de mariage avec dom Carlos et l'éloignement de Luis de Soveral, sous forme d'une nomination à Stockholm.

Quant à l'oncle Antoine, nous pensions tous que l'affaire en resterait là et qu'Eulalie mourrait vieille fille comme elle l'avait dit, ou qu'elle finirait par trouver un mari à sa convenance, lorsque, en décembre 1884, maman reçut une dépêche du palais royal de Madrid qui portait ces seuls mots : « Le mariage d'Antoine avec Eulalie est décidé. » Mes parents tombèrent des nues, et j'en fus stupéfaite. Plus tard, j'appris que, la veille du jour

---

1. D'Espagne ne vient ni bon vent ni bon mariage.

où cette dépêche fut envoyée, Eulalie s'était jetée devant tout le monde aux pieds d'Antoine en lui demandant pardon de l'avoir méconnu et, sanglotante, l'avait supplié de la prendre et de l'épouser. Comme elle n'avait manifestement pas été frappée par la foudre amoureuse, je pensai qu'elle aurait, comme sa mère, la consolation facile. Déjà, à Madrid, elle s'était consumée de passion pour un beau jeune homme de la bourgeoisie, qu'il avait fallu éloigner, et je me promis d'avoir l'œil, au cas où elle voudrait ranimer la flamme de mon futur mari, dont on disait souvent qu'il tenait de son grand-père Victor-Emmanuel, que les Italiens appelaient *il re galantuomo*.

Pendant que maman, accompagnée d'oncle Chartres, assistait aux festivités madrilènes, papa nous emmena à Cannes, où l'on était pressé de recevoir le duc de Bragance. Ce fut une succession ininterrompue de réceptions et de fêtes, qui me permirent de revoir beaucoup d'amies de mon enfance, avec lesquelles je ravivais les souvenirs de nos jeux et de nos promenades. Ma chère Yolande[1] était là, bien entendu, et je montrai tellement mon bonheur de retrouver ma plus ancienne amie que plusieurs dames furent prises de jalousie, et vinrent me conter que la duchesse de Luynes jouait les marieuses et les indispensables. Je savais que c'était faux, car Yolande n'avait pas besoin de jouer les importantes pour demeurer une des plus proches et des plus sûres, parmi mes rares confidentes.

Notre vie mondaine ne me permettait pas de faire mes adieux à mon enfance, ni de partager

---

1. Duchesse de Luynes.

avec mon fiancé des moments d'intimité qui nous eussent permis de mieux nous connaître. Au cours des rares promenades que nous fîmes seuls, il interrompit les mille et une gentillesses dont il me comblait pour me dire qu'il avait eu une enfance triste, à cause d'une mère qui était devenue, sans doute parce qu'elle était malheureuse, terriblement autoritaire. Dom Carlos faisait les frais de ses tyrannies, et je lui contai les rudesses de ma mère. D'avoir subi cette même violence nous rapprocha. Et nous regardions le mariage de la même manière – comme une libération que nous allions vivre ensemble, à la manière des prisonniers qui s'évadent et qui courent les mêmes chemins. Et d'ajouter :

« Vous vous apercevrez à Lisbonne que je ne suis pas le favori de ma mère, qui préfère dom Afonso, duc d'Oporto. Qu'importe. Un jour je serai roi, et vous détrônerez ma mère. Ce sera bien fait. »

Fidèle à mon attitude de prudence, je ne fis pas le moindre commentaire. L'heure n'était pas à des intrigues que je ne souhaitais pas, mais aux politesses protocolaires qui m'avaient fait adresser à la reine de Portugal une lettre dont j'ai conservé le brouillon.

« Madame, j'ai hâte dans un moment si solennel pour moi de venir offrir à Votre Majesté l'expression de mes sentiments dévoués et respectueux. Je tiens à vous remercier ainsi que le Roi de la preuve de confiance que vous m'avez donnée en permettant au Prince royal de demander ma main à mes Parents. Autorisée par eux, c'est de bien grand cœur que je vais associer ma vie à la sienne. Je me réjouis à la pensée que je pourrai contribuer à son bonheur. Mais pour remplir cette tâche vis-à-vis de lui, de la famille dans laquelle je vais entrer et de mon pays d'adoption, j'ai besoin avant tout de pouvoir compter sur la bienveillance maternelle de Votre Majesté, sur ses conseils et sur son affection. En attendant que je puisse le faire de vive voix, j'ose les solliciter dès aujourd'hui et je lui demande la permission de me dire, par avance, sa très respectueuse fille, Amélie. »

Ma future belle-mère me répondit par deux lettres charmantes que j'ai conservées. La première est datée du 18 février. « Quand nous aurons le bonheur de vous avoir ici, alors j'espère qu'en nous aimant bien nous nous entendrons parfaitement. Je ferai mon possible pour ça. Je vous serai toujours reconnaissante du bonheur que vous venez de donner et donnerez à mon fils en associant votre vie à la sienne avec une aussi bonne volonté. » La seconde, datée du 16 mars, me fut adressée à Cannes. « Je vois que votre affection est réciproque, ce qui me rend heureuse moi-même. Je désire ton bonheur et celui de Charles, et il me semble qu'il nous est bien assuré par tes bonnes qualités et la joie que tous les deux vous avez à l'idée de votre union prochaine. Je désire te dire aussi qu'ici en tout notre pays qui bientôt va être le tien aussi, on est très heureux de t'y voir pour Princesse. Le mariage de Charles a bien plu à cause du bon choix de son cœur en choisissant une Princesse aussi accomplie que toi, mon enfant, et on est heureux de savoir que toi aussi tu as choisi Charles de ta libre volonté pour ton mari. »

Le mois d'avril arriva sans que nous ayons vu passer l'hiver. Carlos quitta Cannes pour Lisbonne le 6 mai, afin de préparer le mariage et pour demander à son gouvernement de lui allouer les sommes nécessaires aux cérémonies et aux réjouissances populaires. De Lisbonne, dom Carlos m'envoya des lettres délicieuses que je relis aujourd'hui en versant des larmes de douleur et d'amertume, tant il y avait d'amour – contenu dans sa première lettre, puis débordant de tendresse dans celles qui suivirent. La première fut envoyée de Canha, le 9 mai.

« Ma chère Amélie, je vous écris d'assez loin de Lisbonne. Je suis ici pour voir les dégâts produits par une assez forte inondation provoquée par les dégels des montagnes de Portalegre. Heureusement ce n'est rien de très important. Je vous remercie bien de votre bonne lettre qui vient de m'arriver à l'instant, elle me fait un bien grand plaisir. Vous pouvez dire à Philippe que ce matin j'ai tué un gros vautour avec du tout petit plomb, du 9, il avait tant mangé d'un âne mort qu'il n'a pas pu se lever quand je l'ai tiré à cinq mètres de distance.

« Il fait ici une chaleur épouvantable, c'est une des plus fortes que j'ai supportées de longtemps. Hier soir, quand je suis arrivé à 6 h 30 du soir, il y avait 23 degrés à l'ombre. J'en suis tout à fait ramolli. Je retourne ce soir à Lisbonne, mais j'envoie cette lettre par un de mes domestiques qui arrivera à Belém à l'heure de la mettre à la poste. Dans dix jours d'ici, mon Amélie chérie, nous nous reverrons, je t'attendrai à Pampilhosa, et de là, jusqu'à Lisbonne nous trouverons bien le temps de causer un brin et je pourrai alors bien vous dire encore une fois combien je vous aime. Cela ne peut se décrire, on se dit plus en se regardant une minute qu'en vingt pages qu'on écrit jusqu'à d'ici à 10 jours, je t'en prie, présente mes hommages à tante Isabelle, dis bien des choses de ma part à Hélène, Philippe... »

« Crois à l'amour chaque fois plus grand de ton fiancé qui t'adore et t'embrasse », m'écrivait Carlos le 12 mai. Et, le surlendemain : « Ma chérie, je crois que cette lettre sera la dernière que tu recevras de moi à Paris puisqu'elle y arrivera le 17 au matin, jour où tu partiras pour ton nouveau pays. Comme je suis heureux de pouvoir te dire ceci, tu n'as pas idée, dans cinq jours le matin nous nous reverrons à Pampilhosa. Tu peux être tranquille, je partirai le 18 à 4 heures et j'arriverai à Pampilhosa à 11 heures du soir. Je m'y reposerai jusqu'au lundi matin si toutefois l'impatience et le désir me le permettent. Je ne sais comme te dire que je t'adore et que je t'embrasse plutôt mille fois qu'une, chérie... »

J'étais en effet revenue de mon côté à Paris. Il fallut à la fois nous apprêter pour la grande réception que devaient donner papa et maman à l'hôtel Galliera, préparer le mariage et choisir les personnes qui feraient partie de notre suite. Bien entendu, toutes les grandes dames et mes propres amies voulaient être de la fête. Mmes d'Haussonville et d'Harcourt, qui avaient toujours été aux côtés de maman, voulaient l'accompagner, et ma chère Yolande ne disait rien mais brûlait d'envie de venir. Consulté sur ce point fort délicat, oncle Chartres déclara de manière fort abrupte que plus on emmènerait de dames, plus on aurait, je le cite, d'« emmerdements ». Mes parents se rangèrent à son avis et décidèrent qu'on ne prendrait personne d'autre que Mme de Butler – décidément inévitable, celle-là. Du côté des hommes, le choix se porta sur le duc de La Trémoille et sur le duc de Noailles, M. d'Harcourt et M. de Beauvoir. On me raconta que le principal souci des ducs tenait au fait qu'ils devaient porter la culotte. Tous deux s'étaient précipités chez leur tailleur et le résultat n'avait pas été également heureux. Le duc de La Trémoille, qui a une jolie taille, disait partout qu'il était fort satisfait de la sienne et attendait avec impatience le moment de se montrer ainsi vêtu ; son compère Noailles était au contraire rongé d'inquiétude parce qu'il n'avait pas le mollet assez bien tourné. L'un fut dépité, l'autre immensément soulagé lorsqu'on vint leur annoncer que la culotte était abandonnée et qu'on serait en pantalon.

Les toilettes que les dames portugaises se faisaient faire à Paris nourrissaient elles aussi d'innombrables conversations, et les fastueuses commandes de la reine étaient au cœur des commentaires. Dans l'ordinaire des jours, ma future belle-mère commandait à Paris des robes et des chapeaux par dizaines. Pour le mariage, elle a fait faire chez Hélise une vingtaine de robes, des chemises à 500 francs pièce, garnies de flots de dentelles et décorées aux armes de Portugal brodées à claire-voie sur la poitrine, et un manteau de cour en velours bleu de deux tons brodé de perles et de diamants. Mais il y avait un autre manteau de cour qui l'attendait chez Worth : il était cannelle brodé d'or, et il avait cinq lés de velours de large. Deux personnes suffisaient à peine pour le porter.

Mon propre trousseau était superbe. Alors que maman m'habillait toujours de façon fruste, ce fut tout à coup une obligation – bien agréable – d'aller chez toutes les meilleures couturières de Paris (pour ne pas créer de jalousies) et de commander des robes à chacune. Toutes étaient magnifiques mais, de l'avis général, la robe de cour de Worth surpassait toutes les autres : elle était rose brodée d'argent, avec un manteau de velours rouge également brodé d'argent. Quant à mon voile de mariée, maman décida d'en confier l'exécution aux dentellières de Normandie. J'avais demandé à ce qu'il soit simple, et ce qui sortit des mains normandes combla tous mes vœux : le voile se composait d'une fond de tulle uni d'une extrême finesse, entouré d'une large bordure en point d'Alençon ; la guirlande qui surmontait cette bordure allait en diminuant sur la tête, mais s'élargissait dans le bas du voile qui faisait une traîne de deux mètres quatre-vingts. Sur celle-ci, une guirlande s'enlaçait en un médaillon central qui entourait de la façon la plus gracieuse les armes couronnées de France et de Portugal.

Ces préoccupations vestimentaires ne nous empêchaient pas de plaisanter le soir venu, et mes oncles prenaient un malin plaisir à me taquiner et à me voir prendre avec véhémence la défense de mon futur royaume. Oncle Joinville s'était fait une spécialité de ces boutades, qui avaient fini par me lasser. Je l'entends encore me dire, un soir que nous étions en famille : « Ma chère, il ne faudra pas t'aviser de sortir le soir dans les rues de ta capitale. Tu recevrais sur la tête les pots de chambre de tous les habitants. C'est comme cela qu'on fait son ménage à Lisbonne. Quant au temps qu'il fait là-bas, il jouit d'une fausse réputation. Il y pleut comme à Londres, seulement il y fait un vent qui éteint toutes les lumières le soir. » Mon oncle avait passé les bornes et sombrait dans le mauvais goût. Tant d'injustice me mit les larmes aux yeux.

Ce fut la seule ombre dont je me souvienne dans la succession de ces jours heureux. Parmi les joies quotidiennes, il y avait les cadeaux qui arrivaient par centaines, en témoignage de fidélité monarchiste et, je crois bien, d'affection vraie pour la fille aînée du comte de Paris. Des dames de Touraine, je reçus un plat de faïence représentant les principales villes de leur province, avec une vue du château d'Amboise, le tout couronné des armes de France et de Bragance ; des dames de Bretagne, une statuette de Notre-Dame d'Auray, montée sur une petite colonne de lapis-lazuli ; des dames de Lorraine un paravent peint et décoré de monuments et de paysages de leur pays ; les dames de la ville d'Eu m'offrirent un magnifique christ d'ivoire dans un cadre d'ébène sur lequel on avait réuni les armes de France et de Portugal. Le clergé d'Eu me remit un reliquaire d'une très grande valeur artistique renfermant une relique de saint Laurent, patron de l'église où j'avais fait ma première communion ; l'archevêque de Rouen me fit présent d'une Vierge florentine en ivoire. La famille de Rothschild nous témoigna une fois de plus sa fidèle amitié : la baronne James m'offrit deux jardinières en vieux sèvres, le baron et la baronne Edmond, la baronne Nathaniel une coupe en vieux sèvres, la baronne Gustave une bonbonnière en émail, et la baronne Alphonse une table en bronze avec fleurs. Ma chère Mlle Levasseur me fit présent d'une *Introduction à la vie dévote* en pleine reliure bleue. Les royalistes du conseil municipal de Paris firent une souscription publique, et m'apportèrent un magnifique surtout en argent représentant la nef de la Ville de Paris. Le duc de Doudeauville me donna une grande fleur de lis en diamants et saphirs ; la vicomtesse de Greffulhe un éventail en écaille et plumes blanches, avec les armes de Portugal en émail et diamants. Et puis il y avait des livres, des bouquets, des bonbons, d'autres éventails – celui qui me fut donné par les royalistes de la Seine-Inférieure, enrichi de pierreries et reproduisant des vues du château d'Eu, était si beau qu'on l'exposa tout une journée à l'hôtel Galliera –, des porcelaines, des flacons...

Les cadeaux les plus modestes furent pour moi les plus touchants. Je pense à cet ouvrier parisien, manifestement très pauvre, qui voulait remettre à la souscription des élus royalistes une pièce de dix francs qu'on hésitait à lui prendre, tant le don paraissait excessif. Comme il insistait, la pièce fut acceptée, mais on lui dit que son nom serait gravé à l'intérieur du surtout qui allait m'être offert. Ce qui fut fait. Je pense aussi à ce maître tonnelier eudois qui, peu avant mon départ, demanda à me saluer. Immédiatement reçu par toute la famille, il s'adressa à mon père en des termes que je n'ai pas oubliés : « Monseigneur, il y a quarante ans, Madame votre mère, de passage à Orléans, fut informée qu'un pauvre tonnelier venait d'être légèrement blessé dans la cour de la maison où elle était descendue. Elle voulut le voir, et lui remit un double louis. Cet ouvrier, c'était moi ; le double louis, le voici : j'ai eu bien de la misère, et cependant jamais je n'ai voulu m'en séparer. En fin de compte, il m'a porté de la chance... Je suis patron aujourd'hui, et à mon aise. Voulez-vous me permettre d'offrir à votre fille le porte-bonheur qui me vient de sa grand-mère ? » Et de me remettre une petite boîte contenant la précieuse pièce, dont je le remerciai vivement. Il y eut ainsi des centaines de menus présents envoyés par des hommes et des femmes du peuple de France, qui venaient du fond du cœur, non de l'application des règles de la politesse mondaine, et qui m'allaient au plus profond de l'âme.

Parmi tous ces cadeaux, je mets à part, bien entendu, ceux qui vinrent de ma famille. Papa et maman m'offrirent une très belle parure de diamants, de grosses émeraudes et un superbe diadème. Oncle Aumale me donna une broche en émeraudes et diamants ; oncle et tante Chartres neuf perles blanches et un éventail en écaille blonde avec un bouquet de roses, peint par ma tante ; oncle Joinville treize perles blanches ; mes frères et sœurs six perles blanches.

Les journaux donnèrent maintes descriptions précises de ces magnifiques présents, et certains journalistes m'honorèrent de portraits d'une extrême amabilité. Ainsi, *Le Figaro*[1] évoqua la « figure si suave et si fière » d'un éblouissant papillon, l'ovale grec de mon visage, la couleur auburn de mes cheveux et des yeux pleins de candeurs et de flammes ! Je ne prenais pas ces compliments très au sérieux, mais ils compensaient tout de même certaines avanies. Dès l'annonce de mes fiançailles arrivèrent à Paris des dizaines de télégrammes de félicitations que les souverains d'Europe adressaient à mes parents et des centaines de lettres remplies de compliments et de vœux, auxquels je

_____
1. 14 avril 1886.

passais chaque jour plusieurs heures à répondre. Alors que j'étais quelques mois plus tôt regardée comme une enfant et giflée en conséquence, on me communiquait les dépêches du tsar de toutes les Russies, de l'empereur François-Joseph, de l'impératrice Augusta d'Allemagne et de son fils le prince impérial, de la reine Victoria évoquant son « cher neveu Carlos de Portugal », du roi Humbert d'Italie, du roi Léopold de Belgique, de Sa Sainteté le pape.

De toutes les lettres que je reçus, la plus tendre fut celle de Marguerite d'Harcourt.

« Ma chère Princesse chérie, vous serez partie lorsque vous lirez ces lignes, bien des cœurs vous suivront de leurs vœux, mais pas un avec une tendresse plus vive et plus fidèle que la mienne. À Dieu ma chérie, ou plutôt au revoir, ne m'oubliez pas dans votre nouvelle patrie et laissez-moi en vous quittant vous remercier une dernière fois de tout ce que vous avez été pour moi depuis ce premier jour où nous nous sommes comprises et liées, et où votre amitié a pris une si grande place dans ma vie. Si jamais vous avez besoin d'un dévouement et d'un conseil, si quelquefois le désir d'entendre parler du pays et de ceux que vous y avez laissés vous prend trop fort, si un souci vous agite, venez me trouver, je vous promets bien que je serai incapable d'être paresseuse et que je ferai de mon mieux pour vous être utile et de quelque douceur – mais j'espère que ce sera surtout par le besoin de parler de votre bonheur que vous viendrez causer avec moi. J'osais à peine vous regarder ces jours-ci, je sentais les larmes me monter aux yeux et je craignais de ne pouvoir les retenir, c'est pourquoi je ne vous ai presque rien dit de mon profond chagrin de vous quitter ; vous m'excuserez de n'avoir pas su dominer cette émotion pour vous exprimer ce que je sentais tellement – pour vous, j'ai un soulagement de penser que ces jours d'adieux en France sont passés, car ceux-là seuls, n'est-ce pas, qui ont dû abandonner des lieux et des êtres chéris peuvent comprendre cette agitation du départ et cette tristesse inquiète qui oppresse comme une souffrance physique. Et maintenant, ma chérie, soyez heureuse, allez à celui qui vous appelle et qui vous aime, jouissez de ces premiers temps de votre mariage qui sont des heures d'ivresse dont on se rappelle toute une vie. Je vous disais hier, malgré votre air d'incrédulité, que vous aimerez passionnément vos enfants, que vous aurez le désir d'en avoir ; vous verrez un jour comme vous trouverez une joie étrange dans l'existence de ce lien suprême et mystérieux entre lui et vous, dans l'existence d'un enfant qui sera vous deux fondus dans une même créature... Au revoir, ma chère Princesse, vous emporterez toute mon affection et je vous garde bien avant dans mon cœur – au revoir, au revoir *Dolce vita*, Marguerite. Lundi 17 mai 1886. »

J'ai revu Marguerite après mon mariage. Et aujourd'hui encore je ne peux relire sa lettre sans en être émue jusqu'aux larmes.

Le mariage civil eut lieu à Eu, et donna à la population l'occasion de me manifester une fois encore sa sympathie, de cent manières dont chacune m'alla droit au cœur.

Puis ce fut la grande réception donnée par mes parents à l'hôtel Galliera, le 15 mai. De neuf heures du soir à une heure du matin, nous reçûmes pas moins de quatre mille invités. Vêtue d'une robe de tulle blanc, qui me valut bien des compliments, je me tenais auprès de ma mère pour accueillir nos invités, parents et amis, tous ou presque chers à mon cœur. Leur incessant défilé aurait dû représenter pour moi une épreuve, tant j'étais fatiguée par les préparatifs du mariage. Ce fut au contraire comme une cérémonie à la fois joyeuse et grave puisque je revis en quelques heures les chers visages qui s'étaient penchés sur mon enfance et les êtres qui avaient accompagné et embelli ma jeunesse. Non loin de moi, il y avait bien sûr Hélène et Phil, mes oncles Aumale, Joinville, Nemours et Chartres, tante Clémentine accompagnée de son fils mon cousin Ferdinand, le grand-duc et la grande-duchesse Wladimir de Russie, des tantes, des oncles, des cousins, des parents proches ou lointains venus de toute l'Europe, plusieurs ambassadeurs – mais je ne pris pas garde à la signification hautement politique des membres présents du corps diplomatique, ceux d'Espagne et du Portugal, et des absents, représentants les grandes puissances, qui s'étaient fait excuser sous la pression du gouvernement français – et une grande partie de l'élite des sciences, des lettres, des arts et de la magistrature.

Après nous avoir salués, nos invités passaient dans le grand salon du milieu, où les cadeaux avaient été exposés. Ils y admirèrent tout particulièrement les dentelles normandes sorties des ateliers de MM. Lefébure, et le chef-d'œuvre de Froment-Meurice, cette nef en argent de la Ville de Paris qui provenait de la souscription parisienne dont j'ai déjà parlé. Un immense buffet était servi dans le salon voisin.

Vers une heure du matin, un souper de quatre-vingts couverts réunit notre famille et nos principaux invités étrangers, parmi lesquels figurait bien entendu le comte d'Azevedo, premier secrétaire de la légation de Portugal.

À tous égards, cette réception fut parfaite, si bien que chacun put mesurer le prestige que notre famille avait conservé ou retrouvé en France et à l'étranger. C'est bien ce qui ne nous fut pas pardonné...

Mais j'étais à mille lieues des vicissitudes de la vie politique. Tard couchée le samedi, je me levai de bon matin le dimanche pour veiller à la préparation de mes innombrables bagages et, le lundi en début d'après-midi, je fis mes ultimes adieux à mes amies. J'embrassai Yolande et mon amie Chazelle. Constance[1] me fit présent d'une grande ombrelle dont elle avait dessiné le manche, très simple, en or garni de petits diamants.

« C'est un en-cas pour oublier qu'on est princesse pendant qu'on cueille des fleurs dans son jardin », me dit-elle avec une émotion contenue.

Je l'embrassai. Chère Constance, je ne pouvais pas deviner que la mort allait l'emporter si vite. Chaque fleur que je cueille me rappelle son ultime sourire mouillé de larmes. Quittant l'hôtel Galliera dont la cour était encombrée de camions chargés de mes bagages et de mes cadeaux, nous prîmes le chemin de la gare d'Orléans[2] pour prendre le train spécial, composé de huit wagons-salons, qui allait nous conduire à Lisbonne. Nous, c'est-à-dire papa et maman, Phil et Hélène, mes oncles, tante

1. De Castelbajac.
2. Actuellement gare d'Austerlitz.

Clémentine et Ferdinand. Parmi les personnes de notre suite, il y avait le marquis de Beauvoir, le comte d'Haussonville, le capitaine Morhain, Camille Dupuy[1], le docteur Guéneau de Mussy, père de ma chère Odette, les deux ducs cités plus haut, Mme de Butler et Mlle Levasseur.

À six heures précises, le train quitta la gare d'Orléans. Dans toutes les villes de France où nous passâmes, à Tours, à Poitiers, à Bordeaux, des milliers de royalistes étaient venus acclamer papa et me donner des fleurs ou de menus présents. À Blois, et dans d'autres villes où notre train ne faisait que ralentir, la foule se pressait aux barrières et sur les quais. Il y avait là des ouvriers, des paysans, des bourgeois et des nobles, en somme tout un peuple qui espérait ardemment la restauration prochaine de la monarchie. D'ailleurs, la société des chemins de fer[2] avait baptisé notre convoi « train royal », et notre déplacement ressemblait fort à celui d'une famille régnante.

Tel était le bon côté de la médaille, qui renforçait notre allégresse et nous empêchait d'en voir le revers. Les politiciens et les journaux qui nous étaient hostiles ne s'étaient pas trompés sur l'importance de mon mariage et sur la popularité dont bénéficiaient le chef de la Maison de France et l'ensemble de sa famille. À preuve cet article que publia *Le Temps*[3] alors que nous arrivions au Portugal.

---

1. Secrétaire particulier du comte de Paris.
2. En l'occurrence la compagnie d'Orléans, qui était une société privée.
3. Journal de la classe dirigeante sous la IIIe République ; par son austérité et son influence, il est souvent comparé au *Monde*.

« La réception qui eut lieu samedi à l'hôtel Galliera a été une véritable revue du parti royaliste. Avec une audace et une inconvenance auxquelles M. de Freycinet et ses collègues ne s'attendaient peut-être pas, le comte de Paris a invité les membres du corps diplomatique, comme osent seuls le faire les chefs d'État. Le prétendant, agissant ouvertement en roi, a constitué autour de lui une véritable cour. Il est parti pour l'Espagne avec toute une escorte de chambellans et de dames d'honneur ; le train qu'il a pris a été qualifié de royal, et de hauts employés de la compagnie d'Orléans ont cru devoir l'accompagner de Paris à la frontière, honneurs réservés jusqu'ici uniquement au chef de l'État ou à des membres de familles étrangères régnantes. La France aurait-elle aujourd'hui deux gouvernements, l'un qui siège au palais de l'Élysée et l'autre à l'hôtel Galliera ? Si la République laissait se prolonger cette situation, il faudrait nous attendre demain à voir les gouvernements étrangers considérer le comte de Paris comme le second souverain de la France, une sorte d'héritier présomptif ayant droit à tous les honneurs régaliens. »

Cet article et d'autres de la même eau nous firent un tort d'autant plus considérable que certains députés avaient repris le projet d'expulsion que les républicains méditaient depuis longtemps contre la famille royale de France. Nous n'avions pas conscience du danger, et aucun d'entre nous ne songea à l'exil lorsque notre train s'arrêta à la frontière espagnole. La seule nouvelle qui nous y parvint était l'occasion d'une réjouissance supplémentaire puisque papa reçut en gare d'Irún une dépêche de tante Christa[1] lui annonçant qu'elle venait de donner naissance à un fils, et par conséquent de donner un héritier au trône d'Espagne, qui porterait le nom d'Alphonse XIII. La coïncidence nous parut belle.

Le train reprit sa marche. On déjeuna à Miranda, on dîna à Medina, chaque repas ayant été commandé par le roi de Portugal. Juste avant d'arriver en gare de Salamanque, notre train fut obligé de s'arrêter car des milliers de personnes s'étaient installées sur les voies, demandant à nous voir pour nous acclamer. Dans la nuit, les étudiants de l'université, recteur en tête, me donnèrent la sérénade. J'entends encore leurs voix, fraîches et joyeuses, qui pénétraient mon sommeil et m'en retiraient doucement pour me plonger dans un monde que la musique et les chants rendaient irréel.

Enfin, à neuf heures et demie du matin, nous arrivâmes en gare de Vilar Formoso, à la frontière entre l'Espagne et le Portugal. À l'entrée dans mon nouveau pays, je sus ce que signifiait cette « liesse populaire » dont on parle dans les livres. De ma vie je n'avais vu un tel enthousiasme. Trempés par une pluie diluvienne, les autorités portugaises et une immense foule paysanne crient, chantent, acclament à n'en plus finir. Il a suffi d'un instant pour que ce peuple devienne le mien – bien sûr pas comme si je venais prendre possession d'un domaine et de ses habitants. Au contraire, c'est moi qui en fais désormais partie, qui deviens portugaise, à la fois femme du peuple portugais et, par mon devoir de princesse, de proche épousée

---

1. Reine régente d'Espagne.

et de future reine si Dieu le veut, toute dévouée au royaume, depuis l'instant où j'ai répondu d'un simple sourire et d'un geste timide à la clameur du peuple, jusqu'à cet autre instant qui sera celui de ma mort. Plus tard, j'ai compris que cet instant de la rencontre avec le peuple portugais était aussi celui où le devoir de princesse que j'évoquais se change en amour – amour du pays, amour du peuple vivant, amour résumé et magnifié dans l'union qui va être célébrée entre une petite princesse venue de France et celui qui porte les espérances de Portugal.

Autrefois, pour bien marquer le changement qui s'accomplissait dans la princesse, le cérémonial monarchique prescrivait qu'à la frontière du royaume de son futur époux la princesse revêtît des vêtements complètement nouveaux, sans en garder aucun de son pays natal. Cette coutume fut respectée par Marie-Thérèse quand elle épousa Louis XIV, par Marie Leszczynska et par Marie-Antoinette lorsque l'une épousa Louis XV et l'autre Louis XVI. C'est en souvenir de cet usage aujourd'hui abandonné que je changeai de toilette à Santa Comba Dão, passant une robe en moire blanc et bleu aux couleurs portugaises et me coiffant d'un petit chapeau bleu surmonté d'une colombe blanche. C'est ainsi que je parus à la portière de mon wagon, sautai sur le quai pour rejoindre mon fiancé qui m'attendait comme l'avait prévu le protocole, et l'embrassai sans plus de cérémonie. Ce mouvement tout à fait spontané me valut de longues et vibrantes acclamations de la foule, tout agitée de mouchoirs et d'éventails, tandis que résonnait l'hymne national portugais interprété avec une extrême vigueur. Par la suite, on me rapporta que c'est le pied gauche que j'avais posé en premier sur le sol portugais, et que beaucoup y discernèrent un mauvais présage...

Nous remontâmes dans le train les bras chargés de fleurs, et reçûmes à chaque halte les mêmes hommages enthousiastes. Ainsi à Coimbra, Pombal, Santarém, Alhandra, Sacavém, Pampilhosa... Des mères me présentaient leurs enfants, des petites filles me remettaient des fleurs, on nous complimentait en français, en portugais, on tendait les bras pour nous retenir, il y avait des milliers de sourires et des milliers de regards qui brillaient et se mouillaient de larmes.

À notre arrivée dans la capitale, vers cinq heures du soir, nous étions attendus à la gare de Santa Apolonia par le roi, la reine et duc d'Aoste[1], toute la cour et l'ensemble du corps diplomatique. Après avoir baisé la main de la reine, qui s'empressa de me relever pour me serrer dans ses bras, et fait ma révérence au roi, le cortège se forma pour la traversée de la ville. Je pris place dans la première voiture, une calèche découverte à quatre chevaux conduits à la d'Aumont, à côté de la reine, papa et dom Carlos nous faisant face ; le roi dom Luis, maman, tante Joinville et le duc d'Aoste étaient derrière nous, dans une voiture également tirée par quatre chevaux. Puis venait un peloton de cavalerie et sans doute d'autres voitures. Tous ces détails me sont revenus en mémoire par la suite, car sur le moment j'étais bouleversée par l'émotion, attentive à mon maintien, étourdie par le tonnerre des vivats.

1. Frère de la reine Maria Pia.

Sur notre parcours, l'enthousiasme populaire passa tout ce que j'avais connu et imaginé. Toute la ville était dans les rues de la capitale, dont les murs étaient décorés de guirlandes de feuillages, pavoisés d'écussons portant les tours de la Maison de Bragance et les trois lis de France, et de milliers de drapeaux, les uns aux trois couleurs françaises, les autres aux deux couleurs portugaises. Il est d'ailleurs inexact de dire que les Lisboètes étaient dans les rues : ils étaient à leurs fenêtres, dans les arbres, sur les monuments publics, sur les toits, agitant des mouchoirs, des drapeaux, et jetant des milliers de fleurs. Il nous fallut près de deux heures pour parvenir au palais des Necessidades. Jusqu'alors, Lisbonne s'était présentée à moi en images fugitives, illuminées par les rayons d'un éclatant soleil. Des jardins du palais, je découvris le Tage et l'admirable baie, où des centaines de bateaux allumaient leurs fanaux et faisaient danser leurs lumières, afin que se joignent dans le même hommage les marins et les capitaines, le fleuve et la mer.

Le lendemain fut un jour de répit, que de pieux commentateurs nommèrent « retraite » en raison de la bénédiction apostolique dont Léon XIII m'avait gratifiée. En fait je dormis tout mon saoul, soudain écrasée par la fatigue accumulée pendant le voyage, et soucieuse de paraître à nouveau dans toute la fraîcheur dont on voulait bien me complimenter.

Pendant les deux jours qui précédèrent le mariage, et qui furent marqués par une seule réception intime, je vécus auprès de mes parents, qui avaient fait savoir qu'ils n'accorderaient que de très rares audiences afin de me consacrer tout leur temps. Papa fut comme toujours affectueux, mais avec moins de retenue que d'ordinaire puisque mon statut de presque épousée et de future reine levait les disciplines qu'il avait jugé bon de m'appliquer. Maman multiplia les attentions et les gentillesses, et elle eut même des gestes de tendresse qui n'étaient pas forcés. Je me doutais bien qu'elle m'aimait beaucoup, mais elle s'était crue obligée de manifester à tout propos et hors de propos son autorité de mère, et tenait de son père[1] l'idée fausse que la tendresse est l'ennemie de l'autorité. Aussi fut-elle bien peu maternelle, alors qu'elle aurait pu gouverner sa maisonnée par l'amour. Nos caractères et nos destinées n'en eussent point été fort différents, j'en suis persuadée. Ce ne sont pas les gifles qui ont fait de sa fille aînée une reine, ni empêché Phil de demeurer un gentil sacripant.

Je savourais cette paix retrouvée, que le printemps portugais rendait plus douce encore. Il me semblait que ma nouvelle vie serait à l'image de la saison, et aussi belle que la lumière dorée qui baigna le jour de mon mariage. De l'aspect des cortèges et de la cérémonie, je n'ai qu'un souvenir partiel et brouillé par l'émotion. Mais j'ai trouvé dans le beau livre que le marquis de Flers a consacré à papa[2] une description fort exacte de l'événement que je veux reproduire ici.

« Le matin, dès les premières heures du jour, une foule immense encombre les rues de Lisbonne par lesquelles doivent passer les cortèges pour

1. Le duc de Montpensier.
2. *Cf.* Marquis de Flers, *Le Comte de Paris*, Librairie académique Perrin, 1888.

132

se rendre à l'église Santa Justa et Rufina[1], où le mariage doit être célébré à une heure de l'après-midi. (…) Toutes les places et les rues principales de Lisbonne sont décorées de mâts garnis d'étoffe rouge, surmontés de la couronne royale et pavoisés de trophées de drapeaux.

« L'aspect général de l'église, avec les tentures de velours et de soie multicolores dont les broderies étincellent sous les lumières de centaines de lustres de cristal, est des plus chauds et des plus colorés. Tout au fond, on aperçoit l'autel avec ses hautes colonnes torses, ses gradins où ont pris place les évêques, aux costumes éclatants. À gauche, le dais royal dont les tentures de velours nacarat fleurdelisées d'or sont relevées sur deux hautes colonnes surmontées de sphères pour rappeler la découverte des Indes par les Portugais. À droite, l'estrade des princes d'Orléans, en velours bleu fleurdelisé d'or, surmontée de la couronne royale. Entre ces deux estrades, au centre du chœur, les fauteuils et les prie-Dieu de velours bleu où doivent se tenir les deux fiancés pendant la bénédiction nuptiale. Une couronne ducale, que supportent deux anges et qui par une touchante allégorie est décorée des torches de l'Hymen, descend de la voûte en forme de baldaquin, au-dessus de la tête du duc de Bragance et de la princesse Amélie. À gauche, les dames de la cour et du corps diplomatique, toutes en robes décolletées de soie bleu clair, la mantille de dentelles blanches retenue au chignon par un haut peigne d'écaille blonde. Partout étincelle l'or des uniformes :

---

1. Connue sous le nom d'église de São Domingos, cette église est située à l'angle de la grande place du Rossio.

fonctionnaires civils à l'habit brodé, chambellans à la haute canne d'ivoire, généraux et officiers à l'uniforme noir galonné d'or et de rouge, suivant le grade, le casque à la main, officiers italiens au court veston bleu et argent, officiers de marine espagnols à l'habit à revers écarlates, officiers de la marine italienne, le ruban bleu en sautoir, etc. Dans l'intérieur de l'église, encombré de verdure et de palmiers verts, ces uniformes font un effet magique.

« À une heure, le canon tonne au loin. Le cortège royal vient de quitter le palais d'Ajuda. Arrivent successivement la comtesse de Ficalho, dame d'honneur de la reine ; l'ambassadeur d'Espagne avec les deux fils du duc de Fernan-Nuñez, le marquis de Valada dans son superbe carrosse tout doré et orné de peintures dans le genre de nos anciens vernis Martin : les harnais de ces attelages sont couverts d'ornements en acier ciselé ; les domestiques portent, sans exception, la perruque poudrée à canons.

« Deux heures, les clairons sonnent, les troupes laissent tomber la crosse à terre avec un bruit retentissant. Le cortège royal approche. Bientôt apparaissent les flammes blanches et rouges du peloton de lanciers d'avant-garde. Toute cette cavalerie, la crinière noire flottant au chapska rouge, défile au grand trot et va se placer dans une rue voisine de l'église. Vient ensuite une troupe de piqueurs de la maison royale à la livrée de Bragance, écarlate avec les galons de soie multicolore, frappés de la grenade de velours nacarat. Ils vont se ranger devant l'église, et saluent, levant haut leur cravache. Après les piqueurs arrivent des cavaliers à l'uniforme typique, véritable évocation du XVIe siècle. Ce sont les rois d'armes de Bragance. Leur chapeau de velours noir de la Sainte-Hermandade est surmonté d'un haut panache de plumes blanches et bleues, le tabar de soie cerise broché d'or est chargé de sept énormes tours d'argent doré et d'un large collier d'or aux armes royales. Ils portent le bas de soie noire. Les chevaux ont la selle du siècle dernier, capitonnée de velours vert et galonnée d'or, la crinière nattée et enrubannée, et sur la têtière un panache de plumes d'autruche.

« À leur suite arrivent de magnifiques voitures dorées, véritables merveilles, traînées chacune par dix mules, les deux premières conduites à la d'Aumont. Ces lourds carrosses sont surchargés d'ornements dorés, couverts de peintures ; les caisses sont suspendues par de larges courroies en cuir rouge. Les roues colossales mesurent deux mètres environ.

« Ces carrosses sont tous du XVIIe siècle et du XVIIIe siècle et ont servi à dom João V, à l'infant dom Francisco, à dom José Ier, à dom Pedro II, à Alphonse VI, etc.

« De ces équipages descendent la comtesse de Bertiandos en satin bleu et blanc, avec tablier brodé de jais blanc, la marquise de Funchal, *camareira mayor* de la reine ; les officiers d'ordonnance du duc d'Aoste, dom Augusto, frère du roi ; en uniforme italien le duc d'Aoste ; le prince Georges en uniforme de commodore anglais, avec le grand cordon du Christ ; le duc de Saxe-Cobourg et Gotha, en hussard autrichien, le shako rouge à haute aigrette, la pelisse bleue à tresse d'or sur les épaules. Tous s'arrêtent à l'entrée de l'église.

« La musique du régiment du génie joue la marche royale. Un énorme carrosse doré, conduit par huit chevaux gris pommelé, débouche au petit trot, les valets de pied tenant en main les attelages. Ce carrosse, surmonté de huit couronnes royales et orné de palmes d'or, est appelé carrosse de la couronne. Il fut construit par ordre de dom João V pour les fêtes du mariage de son fils, le prince dom José, avec l'infante d'Espagne doña Maria Anna.

« De ce carrosse descendent le duc de Bragance portant l'uniforme de capitaine de lanciers, le roi dom Luis celui de général de division, et la reine donã Maria Pia dans un superbe costume copié sur un tableau de Rubens : *Le Triomphe de Marie de Médicis* ; la robe est en velours bleu de ciel, brodée, dans le style Louis XIII, ornée de cascades de perles et de gerbes de diamants. Le manteau de souveraine, attaché aux épaules, est en velours bleu de roi, brodé au bas de guirlandes pâles se détachant sur un fond azur. Un semis de fleurs de grenades en soie blanche remplace seul les fleurs de lis de France. Sur ses beaux cheveux blonds brille un diadème de diamants d'une eau et d'une pureté merveilleuses. Les gants, très longs et remontant sur des bras magnifiques, sont marqués au chiffre M.P., et la couronne royale est brodée en couleur sur la manchette du gant.

« À leur arrivée, Leurs Majestés sont reçues par tous les grands dignitaires de la couronne et les princes étrangers. Après s'être placées sous un dais de soie jaune brodée d'or, que supportent les six plus anciens marquis de la noblesse portugaise, Leurs Majestés se dirigent vers le trône royal, la *camareira mayor* portant l'extrémité de la longue traîne de la reine. L'orgue joue la marche des Bragance. Le cardinal-patriarche, accompagné de tout son clergé, avec les parasols de satin, les croix d'or, les larges éventails de plume, reçoit Leurs Majestés et les conduit à leurs places, en marchant au milieu d'une haie formée par les archers de la garde royale, qui se tiennent immobiles et la tête découverte, la hallebarde au port d'armes.

« À deux heures et quart de nouvelles sonneries retentissent. Un escadron de cavalerie, précédé de ses *baterdores*, arrive au grand trot par la place Rocio. Cette fois ce sont des chasseurs, la crinière noire flottant sur le casque, la giberne à baudrier de cuir blanc, le sabre de Tolède à garde d'acier, le mousqueton porté à la botte. C'est l'avant-garde du cortège des princes d'Orléans.

« Ce cortège est également composé de superbes carrosses de gala de la couronne. On en voit descendre successivement : le duc de La Trémoille, le duc de Noailles, le comte d'Haussonville, le marquis de Beauvoir ; la marquise de Rio-Mayor, dame d'honneur de la reine ; le comte de Ficalho ; dom Afonso, frère du duc de Bragance ; la princesse de Joinville, en toilette de jais noir et de soie violette, portant le cordon violet et blanc de l'ordre de Marie-Louise en sautoir ; la princesse Hélène, charmante de grâce dans sa robe rose au corsage garni de perles, le cordon rose et blanc de l'ordre portugais d'Isabelle en sautoir ; le duc d'Aumale et le duc de Chartres, tous deux portant le cordon bleu foncé de l'ordre militaire portugais de la Tour et de l'Épée ; le duc d'Orléans avec le cordon de la Conception. »

Après avoir décrit mon arrivée dans un carrosse à pans coupés, et précisé qu'il s'agissait du « carrosse de dom Fernando, qui fut construit à Rome et offert par le pape Clément XI au roi dom João », M. de Flers indiquait que « la princesse Amélie est accompagnée de son père et de sa mère, M. le Comte de Paris ayant le cordon rouge et vert des ordres réunis de Portugal. Mme la Comtesse de Paris porte un costume d'une suprême élégance en velours frappé ibis d'un rose très doux et doré. La traîne est en velours de Gênes. Les côtés également en velours d'un dessin plus petit, le devant ruisselant de jais blanc. Corsage décolleté en velours ibis. Parure diadème, boucles d'oreilles et rivière en diamants et saphirs, d'un prix inestimable. En sautoir le cordon portugais de l'ordre d'Isabelle ».

De ces événements, décrits de façon si précise et colorée, je n'avais conservé que des images fragmentaires et quelques lumineux éclats, tant j'étais concentrée sur l'essentiel de la cérémonie. De fait, je me souviens précisément de mon arrivée dans le carrosse de dom Fernando, de ma main crispée jusqu'à la douleur sur le livre d'heures que m'ont offert les dames royalistes de la Seine-Inférieure, et de ma descente de voiture, gorge serrée et jambes tremblantes. Maintenant, c'est comme si je tournais une à une les pages d'un ouvrage superbement illustré, et dont nous serions, avec dom Carlos, les principales figures.

Voici celui qui est pour quelques instants encore mon fiancé. Il vient vers moi, ému et souriant, escorté par le grand maître des cérémonies et précédé par un capitaine de la garde. Sa présence me rassure, comme celle de papa dont j'ai pris le bras pour entrer dans l'église, et je suis heureuse de savoir que Mlle Levasseur est juste derrière moi, portant la traîne de ma robe. Comme dans toutes les noces, papa me conduit devant mon prie-Dieu, et dom Carlos qui est entré dans l'église au bras de maman prend place à mes côtés. Commence la cérémonie dans l'église illuminée.

Après l'homélie du cardinal-patriarche, mon fiancé va vers ses parents, baise les mains du roi et de la reine et leur demande de consentir au mariage ; puis je vais à mon tour demander le même consentement à mes parents, qui me le donnent en m'embrassant avec une immense tendresse. Les anneaux nous sont remis, et la bénédiction nuptiale nous est donnée. Retentit alors le Te Deum, jusque dans nos cœurs désormais unis. Le chant solennel nous projette hors du monde et hors du temps, si bien que j'ai l'impression, quand le silence revient, que la cérémonie n'a pas duré plus de quelques minutes. Mais voici que tonnent les canons de tous les navires à l'ancre sur le Tage, tandis qu'éclatent les fusées du feu d'artifice qui ponctuent sèchement la marche royale qu'on joue dans l'église et qui est reprise par la musique militaire quand je parais sur le porche au bras de mon mari. Tonnerre roulant des acclamations qui emportent les sons, les claquements de sabots des bêtes apeurées et les ordres secs des officiers. La ville est un peuple vivant vers lequel notre carrosse nous entraîne, qui s'ouvre à nous et nous emporte joyeusement, comme une houle, à travers la place du Rossio, vers la place du Commerce et jusqu'à notre palais de Belém.

Après avoir gravi une montée entre deux murailles roses, nous arrivons devant notre demeure. Nos familles sont là, mais à quelque distance, si bien que j'ai l'impression, pour la première fois depuis mon arrivée au Portugal, d'être seule avec dom Carlos. Main dans la main, nous contemplons l'océan qui scintille au soleil du soir, savourant le moment paisible, la tête encore bourdonnante des clameurs qui peu à peu s'estompent tandis que la cloche d'une église – peut-être des Jerónimos – sonne l'Angélus.

Ce n'est qu'un instant, presque un songe. Voici déjà qu'on nous presse de rejoindre nos appartements pour que je change de toilette. Des serviteurs s'empressent, Mlle Levasseur veille une dernière fois sur moi, afin que je sois parfaite. C'est que nous devons dîner chez mon beau-père le roi, au palais d'Ajuda, entourés de nos deux familles. Une soirée toute simple, presque reposante après le tumulte et l'émotion de la journée, au cours de laquelle je reçois les cadeaux de ma belle-famille : le roi m'offre un diadème de diamants ; la reine un collier de diamants dans le même style que le diadème ; mon beau-frère le prince Alphonse des jumelles de théâtre avec deux rangées de diamants et le chiffre en brillants ; le duc d'Aoste un bracelet de brillants ; le roi et la reine d'Italie un collier de saphirs et de brillants ; la princesse Clotilde[1] une bague de saphirs et de brillants.

Je ne me souviens pas des plats qu'on nous servit, mais je me revois les manger avec grand appétit.

De la nuit de mes noces, je confierai peu. Sinon que mon mari sut vaincre ma timidité par des paroles et des caresses aussi patientes que délicates, et me donner un plaisir qui me parut l'effet de son amour. Il me fallut apprendre plus tard

1. Clotilde Bonaparte, née princesse de Savoie.

que la maîtrise qu'il avait de ses sens et l'attention qu'il mettait à cultiver les miens venaient de talents révélés depuis belle lurette et développés avec soin...

Épuisés, nous ne vîmes pas les lueurs de l'aube, mais seulement le grand soleil du deuxième matin des cérémonies. Il fallut se lever, se faire vêtir et coiffer en hâte pour la grande réception que nous donnions au début de l'après-midi en notre palais pour les principaux dignitaires du royaume, les officiers du palais et les hauts fonctionnaires. À peine nos derniers invités étaient-ils partis qu'il fallut changer en toute hâte, moi de toilette et Carlos de tenue, afin d'assister à la représentation de gala donnée au théâtre de São Carlos : deux actes de *Sémiramis*, deux actes d'*Aïda*, un ballet... et une chaleureuse ovation qui nous fut adressée pour finir par le public debout et tout d'une pièce tourné vers nous.

Une nuit, brève et tendre, puis une nouvelle réception, celle-ci au palais d'Ajuda, où le roi et la reine reçoivent les félicitations du corps diplomatique et les hommages des grands corps de l'État, du conseil municipal de Lisbonne, de la cour et des membres de la haute société. Le mardi 25 est le jour de l'armée : le roi et dom Carlos passent en revue des détachements de toutes les armes et les élèves de l'École militaire, et j'assiste au défilé des troupes en compagnie de mes parents. Le même soir, c'est le peuple de Lisbonne qui est gratifié d'une magnifique fête de nuit dans la ville illuminée au-dessus de laquelle est tiré le plus beau feu d'artifice qu'il m'ait été donné de regarder. *Amélie*, *Amélia*, du bord de l'eau aux collines, mon prénom sans cesse repris et acclamé résonne dans chaque rue et sur chaque avenue. Je n'ai pas oublié la leçon de mon père, me disant que la monarchie est faite pour le peuple, et non le peuple pour la monarchie. Aussi ai-je voulu que s'organise, dès mon entrée au Portugal, une « association protectrice des intérêts de la classe ouvrière » ; elle a décidé l'ouverture d'un premier établissement de charité qui s'appellera Institut de la princesse Amélie et que j'inaugurerai huit jours après mon mariage. Il me semble que ce n'est pas seulement la « gracieuse princesse » encensée par les journaux que le peuple portugais salue, mais aussi la première décision politique que prend celle qui, au côté de son mari, sera appelée un jour ou l'autre à régner sur le pays.

Le 26, il y eut dans la journée des courses de chevaux puis, le soir, un grand bal au palais d'Ajuda qui se termina vers quatre heures du matin et au cours duquel ma belle-mère s'était parée d'une robe particulièrement éblouissante. Les fêtes se terminèrent, le jeudi 27, par une corrida dans l'immense cirque du Campo de Santa Anna. Je constatai qu'en Portugal le torero ne tue pas le taureau dans l'arène, mais tente de planter des banderilles sur son dos : l'animal est déclaré vainqueur s'il évite six assauts, et le torero ne risque pas sa vie car il torée à cheval – les cornes étant rendues inoffensives par des boules d'ouate. D'emblée, j'ai été impressionnée par le courage de ces jeunes qui tentent d'arrêter le taureau lors de la *pega*.

Fort prisé par les Portugais, le spectacle est moins cruel qu'en Espagne. C'est du moins ce que mon mari se plaît à me faire remarquer. Emportée par l'enthousiasme des quelque vingt mille spectateurs que se pressent dans les arènes, j'approuve d'un mouvement de tête. Puis me revient à l'esprit une ancienne lecture sur les sacrifices païens. Le sacrifice sanglant d'un animal, disait l'auteur dont j'ai oublié le nom, avait remplacé les sacrifices humains. Un instant, je me suis demandé si le refus de tuer un taureau, et faire disparaître ainsi la violence bestiale courageusement affrontée, ne risquait pas de provoquer le retour à une forme moderne de sacrifice humain. Et celui qui court le plus grand danger, comme on le voit en Espagne, c'est le héros de la fête, l'homme en habit de lumière qui meurt parfois, pantin ensanglanté, sous le mufle du *toro*. À cet instant, j'ai su que nos propres habits de lumière nous désignaient aux acclamations de la foule, aussi bien qu'à sa noire fureur si nous nous contentions de parader sur la scène. D'un mouvement d'éventail, j'ai chassé ces sombres pressentiments pour me laisser aller à la joie de la dernière fête de nos épousailles, qui se terminait par un feu d'artifice sur le Tage.

Sur la route qui nous ramenait au palais de Belém, je m'aperçus que j'avais quitté la France depuis dix jours déjà. Le temps d'un rêve.

4

Duchesse de Bragance

Je n'eus guère le loisir de savourer le bonheur de notre mariage, le repos insouciant que nous nous promettions après tant de cérémonies et de parades, et les mille et une joies qui naissent de l'union de deux êtres qui se découvrent en même temps qu'ils éprouvent l'intensité de leur amour.

Certes, nos élans intimes nous portaient à des fusions incandescentes, mais les illuminations de nos nuits ne s'achevaient jamais sans que reviennent de sombres pensées et de tristes soucis.

Nul n'échappe à sa condition, nul ne s'affranchit de son histoire personnelle, et ma situation de fille de France continuait d'être lourde à porter, malgré mon nouvel et brillant état de duchesse de Bragance, épouse du prince royal, héritier de la couronne de Portugal.

Mes soucis tenaient aux attaques qui étaient lancées par les républicains contre papa et contre toute notre famille à nouveau menacée d'être exilée de France. Comme l'épée de Damoclès, le risque était constant, mais la popularité du comte de Paris et l'éclat de mes fiançailles avaient relancé l'offensive de nos adversaires. Déjà, en mars 1886, une proposition de loi tendant à l'expulsion des membres des familles ayant régné sur la France avait été présentée par un certain nombre de députés, mais le président du Conseil, M. de Freycinet, s'y était alors opposé.

L'affaire en était restée là, mais la Chambre avait tout de même voté un ordre du jour qui appelait les républicains à la vigilance. Je ne pouvais imaginer que la merveilleuse soirée donnée à l'occasion de mon mariage déclencherait l'assaut décisif. Les républicains prirent prétexte de l'invitation adressée à des ambassadeurs étrangers pour réclamer le vote, en urgence, d'une loi autorisant le gouvernement à « interdire le territoire de la République aux membres des familles ayant régné sur la France ». M. de Freycinet, qui s'était opposé deux mois plus tôt à cette injuste sanction, et qui avait chargé l'ambassadeur de France à Lisbonne de féliciter le roi de Portugal pour le mariage de son fils avec une princesse française, se montra d'une complaisance inouïe à l'égard des radicaux. On me raconta que les débats à la Chambre des députés furent d'une extrême violence, car l'intolérance se mêlait d'ambitions personnelles. Dans l'opinion, des débats passionnés avaient lieu, auxquels se mêlait la gouaille des chansonniers. On me rapporta par exemple cette chanson de Mac Nab qui fit les délices du cabaret Le Chat-Noir à Pigalle :

On n'en finira donc jamais
Avec tous ces N. de D. d'princes !
Faudrait qu'on les expulserait
Et l'sang du peuple il cri'vingince !
...
D'abord le d'Orléans, pourquoi
Qu'il marie pas ses fill'en France,

Avec un bon vieux zig comm'moi,
Au lieu du citoyen Bragance ?
...
Bragance, on l'connaît c't'oiseau-là !
Faut-il qu'son orgueil soy'profonde
Pour s'êt f... un nom comm'ça !
Peut donc pas s'app'ler comm'tout le monde ?

La loi condamnant à l'exil le comte de Paris et son fils aîné, ainsi que le prince Napoléon et son fils aîné, fut votée par la Chambre le 11 juin. À cette occasion, l'hypocrite Freycinet exposa aux députés les raisons de son attitude. Il eut le front de reconnaître qu'aucun acte délictueux ou factieux ne pouvait être reproché à papa, mais qu'il voulait son exil parce que le comte de Paris était en train de devenir le chef de l'opposition, et par conséquent son principal rival. « Je ne peux pas en tolérer davantage, déclara le président du Conseil aux députés, je ne peux pas laisser grandir encore ce pouvoir rival ; déjà il m'inquiète ; bientôt il me mettrait en échec. »

Ainsi, l'exil qui frappait papa et Phil était à la fois une iniquité et un acte de reconnaissance, une infamie pour celui qui en prenait la responsabilité, et le plus grand des hommages pour ceux qui en étaient frappés. Mais papa, maman et Phil aimaient trop la France pour ne pas souffrir intimement d'en être séparés, fût-ce quelques mois ou quelques années, car ils ne doutaient pas d'une proche restauration.

Je lus dans le *Times* l'entretien que papa accorda à M. de Blowitz, le correspondant de ce journal à Paris, et j'y trouvai comme je m'y attendais une réponse ferme, triste et mesurée. Réfutant le principal argument publié contre lui, papa précisait que la fameuse soirée de l'hôtel Galliera avait un caractère privé et familial. « C'est un père de famille qui invite ses amis. » Il soulignait aussi qu'il n'y avait pas convié le corps diplomatique, mais des diplomates avec lesquels il était en relations personnelles et parmi ceux-ci l'ambassadeur d'Angleterre, lord Lyons, qu'il connaît depuis vingt-cinq ans. Bien entendu, papa n'envisageait pas de résister à la loi votée, ni d'inciter ses partisans à des démonstrations bruyantes. Il annonçait son départ en des termes qui me firent venir les larmes aux yeux. « Je ne renonce pas entièrement à l'espoir de retourner dans mon pays, car même sous sa forme actuelle de gouvernement, je ne puis croire que cette persécution durera toujours, et que la France ne rouvrira pas ses portes à tous ses enfants. Pour cette raison, je ne compte m'établir nulle part en permanence. J'irai çà et là. Nous nous imaginerons que nous voyageons et nous changerons de séjour sans changer d'espérance. »

Malgré cette digne protestation, qui valut à papa de nouvelles marques de sympathie, le Sénat adopta la loi déjà votée par la Chambre, et le président Grévy y apposa sa signature le 22 juin. Papa et maman apprirent la nouvelle à Eu, où ils s'étaient installés pour attendre dans la sérénité la conclusion du débat parlementaire – et pour ma petite Louise[1] qui était atteinte d'une fièvre scarlatine jugée fort préoccupante par notre cher docteur Guéneau[2].

1. Sœur de la princesse Amélie.
2. Le docteur Henry Guéneau de Mussy, médecin de la famille royale.

Le départ des proscrits fut digne, comme papa l'avait souhaité, et un grand concours de population le rendit à la fois solennel et profondément émouvant. L'embarquement fut fixé le jeudi 24 au Tréport, à destination de l'Angleterre – toujours bienveillante pour les princes exilés. Dès que la triste nouvelle fut connue, les habitants d'Eu se pressèrent en grand nombre devant la porte du château, manifestant silencieusement leur tristesse ou condamnant à voix basse la décision du Parlement. Puis ce furent les trains des compagnies du Nord et de l'Ouest qui amenèrent à Eu la foule de plus en plus nombreuse des monarchistes et des amis de notre famille. Au château, dans la salle des Guises, papa, maman, Phil et mes trois oncles reçurent sans discontinuer des parlementaires amis, des délégations, des personnalités de tout ordre, avant d'assister, trois heures durant, au défilé d'une foule qu'on estima à 12 000 personnes. Il y avait là des hommes et des femmes venus des quatre coins de la France, des bourgeois de Paris et des marins de la côte, des paysans, des ouvriers et des banquiers, de vieilles familles nobles – en somme le résumé d'un peuple. Mon cher Breteuil, qui était aux côtés de papa et maman, m'a décrit dans une de ses lettres la triste scène et la douleur des persécutés.

« Je n'oublierai jamais, me disait-il, la physionomie du duc d'Aumale assistant à ces longs adieux ! Debout derrière son neveu, le chapeau à la main, appuyé sur sa canne, il s'efforçait de résister à l'émotion qui le gagnait, ses mâchoires grimaçaient et claquaient sous sa moustache grise ; de temps en temps, il essuyait du revers une larme qui coulait sur sa joue, ses yeux étaient rivés par terre...

« Lui, qui avait traversé des jours bien différents de gloire, de tristesse et d'espérance, il n'avait jamais assisté, peut-être, à un spectacle aussi simple de douleur et de dévouement !

« Le vieux guerrier était empoigné. »

Quand arriva le jour du départ, toute la famille prit la route du Tréport, où attendait un steamer anglais, le *Victoria*, après avoir entendu la messe dans la chapelle du château et fait ses adieux à l'ensemble des serviteurs – tous émus jusqu'aux larmes.

Une foule considérable s'est à nouveau massée devant les grilles, et la famille serre d'innombrables mains. Beaucoup de gens pleurent. Un ouvrier dit à maman : « Je suis plus heureux que ce pauvre prince, je rentrerai chez moi ce soir », et des marins lui baisent les mains qui sont bientôt mouillées de larmes. Tout au long de la route, des hommes tête nue et des femmes aux mains jointes assistent, pâles et silencieux, au lent défilé des voitures qui emportent notre famille sur leur dernier chemin de France. Sur les quais du port, entre vingt et vingt-cinq mille personnes attendent la famille royale, et l'imposant service d'ordre composé de gendarmes et de soldats rassemblés par le préfet en prévision de troubles éventuels forme comme une haie d'honneur pour les princes de France.

Quand paraît la voiture de papa, un imposant silence se fait. Au moment où il met le pied sur le pont du *Victoria*, les trois couleurs sont hissées en haut du grand mât. C'est alors que la foule crie : « Vive le comte de Paris ! » Papa se découvre, salue le drapeau national puis la foule et crie d'une voix forte : « Vive la France ! » De nouvelles acclamations éclatent tandis que toute la famille se rassemble autour du chef de notre Maison. Puis le bateau lève l'ancre. Au sortir du port, le pavillon tricolore est abaissé par trois fois, pour adresser un dernier salut à la patrie.

À la douleur de l'exil s'ajoutait l'angoisse d'un père et d'une mère. Maman avait tenu à accompagner papa en Angleterre – tel était en effet son devoir. Mais tous deux se séparaient ainsi (maman le temps d'un aller-retour) de Louise, alors que sa maladie leur causait de très vives inquiétudes. Maman m'a dit qu'elle était venue avant le départ embrasser ma chère petite sœur et que papa, après avoir couvert Louise de baisers, s'était tristement tourné vers notre bon docteur.

« Mon cher ami, vous savez que j'ai du courage : je fais appel à votre vieille amitié, soyez sincère, est-ce que je reverrai ma fille ? »

Et Mussy de lui répondre, en fondant en larmes :

« Monseigneur, hier je vous aurais dit que non, aujourd'hui je vous affirme que je le crois ! »

À la lecture des journaux et des lettres qui me racontaient ces heures terribles, je sentis peser toujours plus fort le poids de ma propre responsabilité. C'est cette réception donnée pour mon mariage qui a fourni aux adversaires de la Maison de France leur principal argument. C'est la démonstration de la puissance politique du comte de Paris, et de son immense popularité en France et à l'étranger, qui a ravivé les jalousies et l'intolérance.

Dans mon palais ensoleillé, auprès de mon mari aimant, je sus que je ne méritais pas mon bonheur, que j'étais indigne des acclamations que j'avais reçues, et je compris mieux que jamais que j'avais été, que j'étais et que je serais toujours une femme que le malheur ne cesserait d'accompagner. Et pire peut-être : une cause de catastrophes pour tous ceux que j'aimais, pour tous ceux que j'approchais. Tandis que je méditais ce sombre destin, une nouvelle parue dans la presse portugaise provoqua en moi une angoisse indicible : le 19 mai, alors que passait notre « train royal », une pièce d'artillerie, qui tirait des salves en notre honneur depuis les hauteurs de Sacavém, explosa. Deux soldats du 4e régiment d'artillerie, Joaquim Jerónimo et Manuel de Jésus, furent épouvantablement mutilés. Ainsi, la mort me suivait en Portugal, et elle donnait l'éclat sinistre d'une vérité à la rumeur qui me suivait depuis mon arrivée : « La fiancée du Prince royal n'est pas entrée en Portugal du pied droit ; elle amène la fatalité avec elle ! » De ce pays que j'adorais déjà, auprès de ce mari qui me comblait de ses attentions et de ses tendresses, serais-je la princesse porte-malheur, puis une reine de funérailles ? Je le redoutais et priais le Ciel d'être la première à souffrir, et la seule à être sacrifiée.

Découvrant le passé de mon pays, je vis mieux encore qu'il n'y a pas de bonheur en ce monde pour les reines et les rois, mais de lourds sacrifices qui parfois sont sanglants. Les Portugais l'ont toujours su, eux qui gardent le triste souvenir de la Reine morte – la douce Inés qui les hante depuis l'aube de leur histoire. Inés de Castro était aimée de l'infant Pedro, et l'aimait en retour. L'infant était marié, et sa femme Constance fit exiler sa rivale à Albuquerque. Puis l'infante mourut et Inés revint. Des enfants naquirent, de manière

151

illégitime, et le vieux roi Alphonse IV décida de mettre un terme à la liaison coupable en faisant décapiter la maîtresse de dom Pedro. Devenu roi, celui-ci déclara qu'il avait épousé secrètement Inés de Castro, la fit exhumer et transporter solennellement de Coimbra à Alcobaça où elle fut enterrée comme une reine.

Lisant et relisant l'évocation sublime de Camões et la pièce de Vélez de Guevara[1], j'étais saisie par l'angoisse : hors de tout adultère, étais-je destinée à devenir, selon les mœurs et selon le temps, une autre reine morte de Portugal – peut-être même celle qui viendrait clore à jamais son histoire ?

Fondée sur le sacrifice sanglant de la belle Inés, l'histoire du royaume de Portugal était et demeure celle d'un grand peuple noble et poignant. Comme en France, l'histoire du royaume naquit au Moyen Âge de l'alliance du roi et du peuple – ici du roi et des Cortes. Au travers de maintes épreuves, le petit royaume sut préserver son indépendance à l'égard de la puissante Espagne, puis conquérir un immense empire au-delà des mers : les noms d'Henri le Navigateur et de Vasco de Gama sont dans toutes les mémoires. Race d'aventuriers, de marins et de savants, qui ouvrit les portes de l'Afrique et du Brésil. Dieu, qu'ils firent rêver la jeune femme romantique que j'étais... Je pensais à Rimbaud, enfant amoureux de cartes et d'estampes, et me voyais en infante éprise de caravelles et de portulans.

---

1. Dramaturge espagnol du XVIIᵉ siècle, auteur de la pièce *Reinar despues de morir* – « Régner après sa mort » – qui évoque la tragédie de 1355, date à laquelle Inés de Castro eut la tête tranchée.

Comme tout autre peuple, les Portugais connurent des revers et des périodes noires. Ainsi la désastreuse bataille d'Alcacer-Kébir, en terre marocaine, au cours de laquelle le jeune roi Sébastien périt au milieu de vingt mille de ses soldats. Le Portugal tomba pour soixante années sous la domination espagnole, mais sans jamais perdre espoir : le peuple pensait que dom Sébastien n'était pas mort, et que son retour permettrait le triomphe de la liberté. Dans le peuple, des prophètes annoncèrent la venue de Jean IV, duc de Bragance. Et c'est bien ce prince qui fut proclamé roi de Portugal en 1640 grâce à l'action d'un petit groupe de gentilshommes, et qui parvint au terme d'une longue et sanglante lutte à reconquérir l'indépendance du pays.

Depuis, la dynastie des Bragance n'a cessé de régner. Elle compta de grands rois, comme João V[1], une invasion, celle des troupes de Napoléon qui conquirent le pays en 1807, puis une période de renaissance qui commença avec le retour de João VI[2], qui, comme Louis XVIII en France à la même époque, permit l'institution d'une monarchie constitutionnelle qui assura, au travers de nombreux conflits, l'organisation d'une société libérale. Lui succéda une période de « régénération », commencée au tournant du XIXe siècle. On entend par là le mouvement par lequel le pays se modernise, sous l'égide de la monarchie et dans une paix civile qui tient à la bonne marche du « rotativisme » – autrement dit la succession aux affaires du parti régénérateur

1. 1706-1750.
2. 1821.

(réputé conservateur) et du parti progressiste qui représente la tradition libérale.

Quand j'arrivai en Portugal, ce système rotativiste fonctionnait sous le règne particulièrement bienveillant du roi dom Luis. Celui-ci se comportait en parfait monarque constitutionnel, et n'intervenait pas du tout dans les affaires politiques.

Le roi mon beau-père était un personnage merveilleux et d'une étonnante discrétion, que je me pris à aimer sur-le-champ et de tout mon cœur. On m'avait dit qu'il était, au monde, l'homme le moins fait pour régner – et le fait est qu'il n'était pas prévu qu'il régnât : il était le second fils de Ferdinand de Saxe-Cobourg-Gotha et de la reine Maria II da Gloria, elle-même fille de dom Pedro Ier, l'empereur du Brésil. Dom Luis avait donc grandi dans l'amour des livres et des voyages – très jeune, il avait déjà fait le tour du monde – et la mort soudaine de son frère aîné le surprit à bord de la corvette *Bartolomeu-Dias*, qu'il commandait en simple qualité de capitaine de frégate. Dom Luis monta sur le trône de Portugal en 1861, dans un climat d'autant plus dramatique que la disparition de João VI son père et de Pedro V son frère fit naître de folle rumeurs dans le peuple. On parlait du poison des Médicis, et on racontait que dom Luis avait été lui-même victime de deux tentatives d'empoisonnement auxquelles il avait miraculeusement échappé.

Grâce à Dieu, personne ne songeait à assassiner le jeune roi de Portugal, mais il était manifeste que sa couronne lui pesait plus qu'à tout autre. Dès que ses devoirs officiels étaient remplis – et ils le furent toujours de manière aimable et scrupuleuse –, le roi s'enfermait dans son cabinet de travail pour s'adonner à ses véritables passions. Nul n'ignore que dom Luis était un musicien accompli, qui jouait si bien du violoncelle que Rossini lui-même en fut ébloui. Mon beau-père s'était d'ailleurs fait installer un superbe cabinet de musique en son palais de Ajuda : un piano à queue et une harpe, un violoncelle, une mandoline et une viole à archet figuraient parmi les instruments préférés du roi, qui étaient comme enchâssés dans des boiseries en chêne travaillé, et accompagnés par les tableaux des plus grands peintres portugais, sous un magnifique plafond dans les tons sépia, blanc et or. Le roi disposait aussi d'un atelier de peinture de style néogothique dans lequel il exerçait ses talents et où j'aimais venir le regarder travailler et causer avec lui de notre commune passion.

Le roi n'était pas seulement un fin connaisseur de la littérature de son pays et un amateur éclairé des écrivains et des poètes qui marquent de leur talent ou de leur génie l'Europe contemporaine : lisant et parlant le français, l'italien et l'allemand comme si c'était autant de langues maternelles, il avait une prédilection pour l'anglais et pour le plus grand parmi ceux qui ont écrit dans cette langue. Aussi a-t-il traduit en portugais les œuvres majeures de Shakespeare : *Le Marchand de Venise*, *Richard III*, *Othello* et *Hamlet*.

Cet attrait pour les arts et ces traductions remarquées ne permettent pas de ranger mon beau-père parmi les hommes de lettres et les amateurs d'art. Il pratiquait avec le même bonheur les mathématiques et l'astronomie, et cet amoureux des livres fut sans contradiction aucune un ami du progrès : c'est lui qui fit installer la première ligne téléphonique du Portugal au palais de Ajuda, afin de pouvoir écouter les représentations de l'Opéra...

C'est sous l'égide de ce roi très éclairé que se développa la politique de modernisation du Portugal. Fontes Pereira de Melo en fut le maître d'œuvre, à tel point efficace qu'on appelle *fontismo* cette grande période de développement économique, caractérisée par la progression rapide du réseau des chemins de fer, par l'installation du télégraphe électrique – qui relie le Portugal à l'Angleterre depuis 1870 – et par la multiplication des machines à vapeur dans l'industrie. Le commerce a trouvé là de multiples occasions de se développer, et c'est ainsi que les villes se sont enrichies et embellies.

Ce roi intelligent et débonnaire, toujours sanglé dans un uniforme d'amiral portugais alourdi de toutes sortes de croix et de plaques, offrait à l'affection des siens une personnalité en tout point opposée à celle de son épouse. Maria Pia de Savoie, fille du roi Victor-Emmanuel, avait épousé dom Luis à l'âge de quinze ans, ce qui explique sans doute bien des choses quant à son caractère. À Paris, on me l'avait décrite comme particulièrement vive de tempérament, et j'avais pu constater qu'elle était fort dépensière. Je n'oubliais pas non plus le sévère portrait que m'en avait fait mon fiancé, lorsque nous étions à Cannes, et je ne pouvais bien entendu ignorer l'histoire, quasi légendaire, de l'accueil qu'elle fit au maréchal Saldanha.

En 1870, ce maréchal très populaire souleva l'armée et ordonna aux troupes de la garnison de Lisbonne de cerner le palais royal. Fort de ce concours, il demanda à être reçu par le roi, qu'il pria très respectueusement de renvoyer le ministère. Bien entendu, il déclara à son souverain qu'il était prêt à prendre la présidence d'un nouveau gouvernement dont il présenta les membres. Mon beau-père n'avait guère le choix. Il décréta le renvoi, et signa la nomination du maréchal et de ses amis. Avant de prendre congé, le nouveau chef du gouvernement voulut présenter ses respectueux hommages à la reine. Saisie de cette requête, ma belle-mère fit ouvrir les portes de ses appartements, toisa le maréchal et empêcha d'un geste le déferlement, sur ses tapis, d'un flot roulant de politesses.

« Monsieur le maréchal, dit-elle d'un ton glacial, si j'étais le roi, je vous ferais fusiller demain en place publique. Allez, vous pouvez vous retirer, vous savez maintenant ce que je pense de vous et de vos actes d'insubordination. »

Le maréchal factieux se retira sans mot dire, le rouge au front. Quelques semaines plus tard, isolé et discrédité, il accepta un poste d'ambassadeur à Londres et la couronne fut à jamais débarrassée de ce fâcheux.

Instruite par mon mari et par cette histoire, je m'attendais à affronter une maîtresse femme, mais sans grande crainte car ma mère m'avait donné un solide entraînement tout au long de ma jeunesse. J'eus d'abord à connaître une reine éprise de faste. Les dépenses qu'elle avait faites à Paris pour mon mariage n'étaient pas dues au caractère exceptionnel de l'événement. Ma belle-mère était par nature dépensière, et il n'y avait pas de journée sans qu'elle trouvât une ou plusieurs occasions de jeter des sommes considérables sous les yeux d'une population ébahie. Certains murmuraient que ces dépenses immodérées choquaient le petit peuple portugais, d'autres m'assuraient qu'il était au contraire fasciné par cette prodigalité, où il voyait un signe de la grandeur et de la richesse de l'État.

Pour ma part, je ne fus pas longue à m'apercevoir que les bienfaits dispensés par doña Maria Pia formaient un système clos. La reine et son entourage décidaient de faire une kermesse pour les nécessiteux, et on ouvrait une souscription qui était vite couverte par les sommes puisées dans les caisses de l'État. L'argent charitablement dépensé venait des pauvres, qu'on pressurait d'impôts, et retournait partiellement aux pauvres sous forme de dons ostentatoires. Au passage, cet argent donnait du prestige et assurait la popularité de celui, ou de celle, qui le manipulait et qui le redistribuait à grand fracas. Sans doute, la reine pensait en toute bonne foi que cette manière d'exercer la charité lui vaudrait l'amour de son peuple et la sainte admiration des cardinaux et des évêques, tandis que Dieu, touché par la profusion des dons, lui pardonnerait ses péchés de chair. Multipliant ses mises, elle pensait gagner à tous les coups, sur terre comme au ciel, séduire dans l'instant et jouir de la béatitude éternelle. Je savais quant à moi que ma pente naturelle et mes convictions ne me porteraient pas à l'imiter, car les magnifiques cérémonies de mon mariage ne m'avaient pas ôté le goût de la vie simple – et de la discrétion dans les œuvres de charité.

Mais surtout, je découvris très vite une moderne Messaline, dont les débordements étaient d'autant plus ardents que ma belle-mère sentait venir l'âge. Elle avait un favori officiel, Serpa Pinto, mais elle tenait aussi à sa disposition une quantité de chambellans, charmants de visage et larges d'épaules, chargés de la contenter. Elle pouvait aussi puiser dans l'armée de valets que le roi engageait pour elle avant chaque gala, et qui portaient, comme à Rome et à Turin, une livrée rouge, des bas de soie et une perruque poudrée. En outre, comme toutes les femmes galantes qui sentent les atteintes du temps, elle tenait éloignées de la cour les jolies jeunes femmes qui pourraient l'égayer et y accueillait d'honorables dames trop vieilles pour la galanterie et des laiderons qui rebuteraient des navigateurs contraints à plusieurs mois d'abstinence. Si bien que le pauvre roi mon beau-père était contraint de vivre dans un musée des laideurs de la chair, sur lesquelles il promenait un regard courtoisement attristé, avant de retourner dans son cabinet de travail.

Il suffisait de pénétrer dans la chambre de la reine, au palais de Ajuda, pour être saisi par la différence des tempéraments. À la simplicité des pièces dans lesquelles le roi vivait et travaillait, s'opposait la mirifique chambre de la reine. Lit couronné d'un baldaquin en bois sculpté et doré d'où tombent des rideaux de soie blanche et de dentelles, murs tendus de soie damassée bleue avec fil d'argent, moquette à fleurs sur laquelle est jetée une grande peau d'ours blanc qui faisait dire aux mauvais esprits que ce sol douillet était bien fait pour amortir la chute qui ne manquerait pas d'arriver : l'ensemble est trop riche pour ne pas être prétentieux, à l'instar de la salle attenante tendue de soie rose et reproduisant la devise de la reine, « J'attends mon Astre », et celle de Bragance, « Despois de Vós Nós » (Après Vous Nous). Cependant, de multiples signes de piété qui ornent le plafond, peint de figures allégoriques des Vertus théologales, et en dépit de la présence d'un grand christ d'ivoire qui veille sur le royal sommeil et dont on peut supposer qu'il fut souvent tourné contre le mur.

À ce qu'on pourrait appeler diplomatiquement des différences de comportement s'ajoutaient de fortes oppositions de caractère et de conceptions politiques. Ma belle-mère était autoritaire et enjouée, avec une vraie bonté qui se cachait sous ses écarts et ses munificences, alors que dom Luis était un homme réservé, voire mélancolique. Et la profonde piété de cette fille de l'Italie était radicalement niée par le roi, qui était dans tous les domaines un fervent libéral et un anticlérical déclaré : il avait fait supprimer la peine de mort, réformé la propriété en faisant disparaître les biens de main-morte, et soutenu la liberté de la presse – y compris de la presse satirique qui eut son heure de gloire au temps de dom Luis. Mais le roi était aussi un adversaire déclaré de la puissance de l'Église, et il avait obtenu que soient chassés du royaume les sœurs de charité françaises et les lazaristes.

La reine était ravie que son fils eût épousé une princesse de religion catholique, et cette commune appartenance à notre sainte mère l'Église compta pour beaucoup dans l'affection dont elle m'entoura lors de mon arrivée. Mais je m'aperçus bien vite que ces excellentes dispositions n'étaient pas dénuées de calcul politique : après la prise de Rome par les troupes italiennes, la Maison de Savoie était en délicatesse avec le Vatican et la reine Maria Pia trouvait utile de faire valoir auprès du pape que son fils aîné avait épousé une princesse catholique et, disait-elle, d'une exemplaire piété. Quant à moi, je m'amusai de voir que la pratique religieuse de la reine était aussi flamboyante que les toilettes dans lesquelles elle aimait à paraître. Les cérémonies religieuses semblaient être pour elle un spectacle, pour lequel il lui fallait retenir et concentrer l'attention du public formé par la masse fort mondaine des fidèles. Ne racontait-on pas que, très jeune encore, la reine s'était fait attendre une demi-heure pour un Te Deum à São Vicente, car elle savait à quelle minute un rayon de soleil tomberait sur son prie-Dieu et ferait jouer des reflets d'or dans la chevelure de la dévote agenouillée...

La haute société qui évoluait autour du roi et de la reine était fort peu nombreuse et se caractérisait par un conservatisme forcené. Certains, comme Anselmo Braamcamp, regrettaient que les trains amènent en ville tout un peuple qui n'avait rien à y faire. D'une manière générale, les princes et les éminences ecclésiastiques étaient opposés à toute réforme, dans quelque domaine que ce soit – et sans doute maudissaient-ils en aparté le libéralisme éclairé de dom Luis. La situation de fortune était un critère décisif de l'appartenance à cette « bonne » société où l'on dépensait sans compter, comme la reine elle-même, mais où l'on pouvait considérer comme particulièrement élégant d'être à la fois aristocrate et ruiné.

Je n'aimais pas ces gens, qui très vite se servirent de moi, à mon corps défendant, pour nourrir leurs intrigues. Célébrer les mérites de la duchesse de Bragance signifiait l'abaissement de la reine, et se placer sur un bon rang – du moins le pensait-on – pour le jour où je serais reine à mon tour. Au contraire, pour garder les faveurs de doña Maria Pia ou pour conquérir quelques nouveaux avantages, on tentait de me nuire par de misérables moqueries. Comme je pratiquais tout naturellement les vertus d'une femme aimant son mari, les courtisans de la reine moquaient la simplicité de mon éducation, mon sens de l'économie, et cette élémentaire honnêteté qui me conduisait à faire régler régulièrement aux fournisseurs les notes qu'ils nous présentaient. On soulignait aussi, à mon détriment, l'inégalité des conditions, car doña Maria Pia était fille et sœur de roi, alors que j'étais seulement la fille d'un prétendant !

Les rumeurs et les intrigues de la cour ne m'affectèrent que fort peu dans les premiers mois de ma nouvelle vie, que je passais autant que possible à Belém en compagnie de mon époux. L'isolement que nous recherchions, comme tous les amoureux du monde, était sans nul doute la chose la plus difficile à obtenir pour un prince héritier. Nous y parvenions cependant, en exigeant que l'étiquette soit aussi réduite qu'il était convenable qu'elle le fût, en tenant à distance, autant que possible, les officiers de service, majordomes et autres chambellans. Les ordres donnés, et les grands prêtres du protocole aimablement remerciés et rapidement congédiés, nous pouvions déjeuner en tête à tête, jouer au billard, aller monter au manège du Picadeiro – là où j'ai fait installer le musée des Carrosses –, puis aller peindre le même paysage ou lire le même livre français ou portugais. Le soir, nous nous rendions discrètement à l'Opéra, où nous avions fait réserver une loge grillagée. En rentrant, dom Carlos se rendait aux cuisines quérir notre souper, tandis que je préparais une petite table dans notre chambre. On ne sait pas assez que l'idéal de beaucoup de princes et de rois n'est autre que cette vie bourgeoise si souvent moquée par de jeunes esprits romantiques... Qu'ils sachent que ce qu'ils regardent comme une fête est pour nous une obligation, le plus souvent pénible, et qu'un événement n'est pas ce qui vient briser l'ordinaire des jours, mais le moment où l'on mesure le poids écrasant des responsabilités. Comme j'aimais notre palais de Belém, que je regarde comme celui des jours heureux ! Des terrasses, on embrasse l'immensité océane, les murailles du Lazareth et les coteaux de Porto Brandão. Le palais est tout simple, puisqu'il se compose d'un vaste rez-de-chaussée surélevé par un sous-sol, sous une toiture de tuiles plates écrasée à la manière italienne. Dans mon nouvel intérieur, j'appréciais tout particulièrement la véranda qui prolonge le salon de João Quinto, celle dont les murailles sont lambrissées d'énormes *azulejos* en camaïeu bleu représentant les douze travaux d'Hercule. Mais c'est à ma chambre qu'allaient mes préférences. Très élégante avec ses murs tendus de soie bleu ciel, elle semblait m'être destinée depuis la construction du palais puisque son plafond blanc et or était orné des armoiries des Orléans et des Bragance.

Souvent, au sortir de notre palais, quelques pas légers nous portaient à la tour de Belém. J'aimais l'entrelacement de ses formes inspirées du gothique, les douceurs manuélines et le souvenir des architectes maures qui nous transportaient dans l'Orient profond. Les dômes côtelés qui évoquent la Koutoubia[1] nous faisaient rêver aux sables du désert et, regardant la mer, nous songions à la bienheureuse solitude des lentes dérives océaniques. Dans le flamboiement du soleil couchant, qui donnait aux vieilles pierres de Belém des couleurs exotiques, Carlos me racontait le départ de Vasco de Gama pour les Indes et les aventures de ceux qui tentaient de relier l'Angola au Mozambique, pour donner au Portugal un empire à la mesure de ses gloires passées. Nous étions à la jointure de deux mondes, désireux de sceller par notre amour leurs communes destinées. En attendant, nous nous embarquions sur un petit bateau que Carlos pilotait sur le Tage avec un art consommé, laissant à terre domestiques et marins.

Très vite je fus enceinte, et notre bonheur atteignit son point culminant. Carlos était fou de joie et de fierté, jurait à qui voulait l'entendre que l'enfant serait un garçon, et multipliait à l'infini les interdictions – plus de cheval ! –, les cadeaux et les attentions passionnées pour la femme que j'étais et pour la mère que j'allais devenir. La fin de l'année se passa dans d'exquises douceurs, et mon ventre prenait une rondeur qui nous enchantait. L'année 1887 commença pour nous à Alfeite[2]. Je trouvais l'endroit sauvage et charmant, si bien exposé au soleil que les ananas y mûrissent en pleine terre. Les promenades étaient superbes, et je les appréciais d'autant plus qu'elles me rappelaient les environs de Cannes. Nous marchions à

_____
1. Célèbre minaret qui domine Marrakech.
2. Résidence royale en face de Lisbonne, sur l'autre rive du Tage.

pas lents, devisant à mi-voix, et nous laissions de temps à autre le silence s'installer pour écouter le bruit de l'eau du Tage léchant la rive ou pour mieux sentir sur notre visage le souffle d'un vent léger. Une calèche nous suivait toujours à quelque distance car j'étais assez souvent fatiguée et Carlos avait exigé que je puisse retrouver très vite notre demeure où veillaient, trois mois avant le terme, un médecin, des infirmières et des domestiques particulièrement empressés.

Notre enfant naquit à Belém le 21 mars 1887. C'était un fils, comme Carlos l'avait souhaité en futur roi déjà soucieux de la transmission de la couronne de Portugal. Pour moi, Louis était d'abord la chair de ma chair, que j'avais senti grandir dans mon ventre de mère, que j'aimais avant qu'il ne vienne au jour, et que j'ai adoré dès son premier cri. Je ne me souviens plus des douleurs de l'enfantement – et pourtant je les ai ressenties comme toute autre femme – mais j'aurai toujours dans ma mémoire, comme si c'était une photographie, son premier regard sur le monde et la douceur sur son visage lorsqu'il prit son premier sommeil de petit d'homme, dans son berceau tout près de mon lit. En vérité, mon petit Louis était le plus beau bébé que j'eusse jamais vu, mais aussi adorablement gentil et très fort. Hormis la présence de son père, mon époux toujours très aimé, l'agitation des domestiques, les conseils des médecins et la présence de ma belle-famille provo-quaient en moi des agacements muets. Mon petit Louis, je le voulais pour moi, rien qu'à moi, et je ressentais comme une déchirure quand on m'enle-vait mon bébé pour le donner à la nourrice, ou quand une domestique l'emportait pour changer ses langes. Comme si j'avais su que nous avions, lui et moi, peu d'années à vivre ensemble...

Accompagnés par les premiers souffles du printemps, nous conduisîmes Louis à Sintra, petite ville dont la beauté m'avait été bien souvent vantée. Le palais da Pena, notre future demeure, était situé à quelques kilomètres, dans les hauteurs de la ville. Les dernières minutes que durèrent notre voyage me parurent interminables. La route s'élevait en lacet sans fin et la végétation luxuriante m'empêchait de voir le château qui couronnait l'un des deux pics de la montagne. Nous étions si proches et pourtant je ne voyais encore rien de ce lieu dans lequel nous allions vivre. Le chaos des imposants rochers bordant parfois la petite route sinueuse renforçait encore mon appréhension, la flore exubérante qui me cachait le reste du paysage était une constante agression pour quelqu'un qui avait l'habitude de la beauté tranquille, austère, de la forêt d'Eu et des lignes sobres du parc de Chantilly. Tant de couleurs, de parfums, d'exotisme ! La nature offrait ici une surenchère de sensations qui me mettait mal à l'aise. Comme pour ajouter au contraste des roches arides et de la flore luxuriante, un petit vent frais, nous rappelant que l'hiver n'était pas si loin, soufflait en remuant la végétation presque tropicale de l'endroit.

Soudain les pins parasols qui bordaient la route se firent plus rares et, au détour d'un ultime tournant, ils disparurent totalement, brutalement. Le palais da Pena était là, accroché à un rocher escarpé. Je fus frappée de stupeur face à cette agglomération de bâtiments d'une architecture pour le moins fantasque. Pena me fit l'impression tout d'abord d'un mélange sans charme de tous les styles imaginables. Cela allait du minaret arabe aux tours gothiques en passant par les coupoles Renaissance, et même le baroque renchérissant sur le manuélin prenait part à cette construction étonnante, sortie tout droit d'un conte des *Mille et Une Nuits*. Sans doute effrayée d'avoir à passer une partie de mon existence dans un tel endroit, je gardai un certain temps ma première impression, désagréable, de ce château. Mon mari me raconta qu'il avait été conçu par le roi Ferdinand, qui s'inspirait du château de Sigmaringen et qui annonçait par son style l'étrange demeure que le pauvre Louis II avait fait construire à Hohenschwanstein. L'architecte, le baron Eschewege, dut utiliser des chars à bœufs pour acheminer jusqu'en haut du piton le granit, les colonnes, les azulejos et des statues de fonte importées d'Allemagne.

Cependant je ne fus par longue à céder à la beauté magique de Pena, qui restera ma résidence préférée et dont je parle chaque fois avec une émotion toujours plus vive. Le château et son parc avaient la folle démesure d'une création imaginaire. Comment aurais-je pu résister plus longtemps à l'attrait de ce rêve éveillé qui m'avait d'abord aveuglée ? Tout ici n'était que force et pureté. La rudesse des rocs, l'effroi des précipices côtoyaient la douceur de prairies idylliques, la fraîcheur d'étranges clairières où poussent de gigantesques fougères, des bambous, des papyrus... Le souvenir de ces promenades dans le parc au bras de mon époux, poussant le landau de petit Louis ou s'émerveillant à la vue de ses premiers pas, revient cruellement me hanter ; le bonheur de ces instants vient narguer ma vie aujourd'hui brisée. Nous restions souvent au soleil couchant de longs moments à contempler la vue magnifique que nous avions de la terrasse du château. Presque à nos pieds, un voluptueux tapis de camélias, de rhododendrons, de lauriers, d'azalées cherchaient eux aussi à profiter des derniers rayons du soleil, alors que les ombres des ormes, des cèdres, des pins parasols, des platanes n'en finissaient plus de s'allonger pour finalement disparaître dans l'obscurité naissante du crépuscule... Plus loin c'était toute l'Estrémadure, vaste étendue au relief accidenté, qui s'étendait du cap Espichel aux Berlengas, traversée par le filament doré des eaux du Tage scintillant aux derniers feux de l'astre rougeoyant à l'horizon. La nuit enfin jetait son voile, et seule Lisbonne au loin brillait encore, éclairée des mille feux de sa vie nocturne naissante.

Au milieu de ce petit paradis, naturel, presque sauvage, je n'eus pas de mal à reprendre ma simple existence de Normandie. Les habitués de la cour ne cessaient de s'en s'étonner. Élégante, richement vêtue, toujours distante, ma belle-mère représentait pour ce peuple une reine fière et hautaine à laquelle je me refusais de ressembler. Bien au contraire je n'avais pas voulu que l'on interdise le parc au public. Ainsi, lorsque nous jouions au tennis, ils étaient nombreux à venir nous aborder, la bienveillance, l'amabilité que je leur témoignais alors, et dont mes amis s'étonnaient, n'était qu'une réponse à leur touchante courtoisie. Pas un seul instant l'ennui ne me menaça, car les familles les plus considérables du Portugal possédaient à Sintra des *quintas*[1]. Nous donnions alors parfois

1. Villas qui ont la particularité de n'être habitées et meublées que durant la bonne saison.

des petits bals qui me rappelaient le temps de mon existence normande.

Lorsque je ne montais pas à cheval, et que dom Carlos n'était pas avec moi, je prenais mes aquarelles et cherchais le sujet d'une nouvelle « œuvre », comme disait pompeusement la marquise d'Harcourt qui m'en avait commandé une. Les premiers temps il me fut impossible de dessiner quoi que ce soit face à un tel déluge de formes et de couleurs ; chaque vue me semblait aussi belle qu'émouvante, si bien que je n'arrivais jamais à me décider. Je commençai alors par de petits dessins, détails d'un paysage que mon œil n'arrivait pas encore à domestiquer. Les fontaines maures du parc furent mes premiers sujets d'étude, avant de travailler à la représentation du château que j'ai dessiné depuis sous tous les angles. Ce passe-temps trouvait en Carlos un écho bienveillant, d'autant plus que lui-même excellait dans le pastel, ainsi que dans l'aquarelle. Par la suite, il devait exposer avec succès dans divers salons, où la précision de son trait et la vigueur de ses compositions forcèrent plus d'une fois l'enthousiasme des critiques. L'estuaire du Tage, la baie de Cascais et notre chère province de l'Alentejo figuraient parmi ses sujets favoris ; il faut dire que mon mari exprimait dans ses marines la passion qu'il a toujours nourrie pour la mer et pour la navigation. À l'instar du prince Albert de Monaco, n'était-il pas lui-même un ichtyologue distingué, doublé d'un océanographe reconnu ? Ses expéditions scientifiques à bord du yacht *Amélia* devaient ainsi l'amener à inventorier nombre d'espèces.

De retour à Lisbonne, pleinement reposée, toujours heureuse, je fus à nouveau prise dans le filet serré des obligations de la cour et des devoirs que je m'étais fixés. L'étiquette me pesait toujours autant, alors que ma belle-mère l'utilisait avec une science consommée pour sa glorification personnelle. Lui laissant recueillir les hommages empressés des gens de la cour, je me consacrais à ce qui me tenait à cœur : l'amélioration du sort des plus misérables, à commencer par les enfants pauvres pour lesquels j'avais fondé un hôpital. Comme il n'était pas question que je dépense les deniers de l'État, qui d'ailleurs nous étaient chichement comptés par le gouvernement, j'organisai des ventes et des tombolas, et j'écrivis à mes amies de France afin qu'elles fassent la charité aux petits enfants de Portugal. Toutes me répondirent comme je l'avais pressenti : par des lettres débordant de l'affection la plus sincère et par des gestes dont la générosité me toucha au fond du cœur. Toutes mes amies, et d'abord les plus chères : Simone de Luynes, Marguerite d'Harcourt, Jane de Polignac. Le renom de la France s'en accrut d'autant, sinon chez les Grands qui riaient sous cape en observant mes humbles tâches, du moins dans le peuple qui, je veux du moins le croire, sentait qu'il était l'objet d'une véritable sollicitude.

Au mois de juin 1887, à la demande de dom Luis, nous partîmes Carlos et moi pour l'Angleterre, afin de représenter la famille de Portugal au jubilé de la reine Victoria. Jamais je n'ai vu une fête aussi simple et impressionnante à la fois. Elle se déroula devant plusieurs millions de personnes, et ce fut comme si tout le peuple anglais avait envahi les rues de Londres pour rendre un joyeux hommage à la vieille reine et célébrer la puissance de la nation et la gloire de l'empire britannique. Dans la ville pavoisée et fleurie, au milieu de l'innombrable foule qui se pressait sur le chemin allant de Buckingham Palace à Westminster Abbey, le cortège royal était d'une simplicité grandiose. Les rois, les princes dont nous étions, et tous les rajahs de l'Inde suivaient la calèche découverte de la reine, que tiraient six chevaux café au lait. La reine était dans le fond du carrosse, simplement vêtue comme toujours, sans couronne ni le moindre diadème, et elle saluait son peuple avec un bon sourire qui épanouissait plus encore sa figure. C'était comme si une femme maternelle, que sa forte taille rendait aussi puissante que rassurante, se promenait en voiture et saluait ses enfants et ses petits-enfants. Mais cette femme était aussi la reine d'Angleterre et l'impératrice des Indes. La princesse de Galles et la future impératrice d'Allemagne avaient pris place sur le devant de sa calèche, qui était précédée d'un peloton à cheval uniquement composé de ses fils, gendres et petits-fils. Chevauchaient ainsi, botte à botte, le prince de Galles, le duc d'Edimbourg, le duc de Connaught, le prince impérial d'Allemagne et son fils, le grand-duc de Hesse, le grand-duc Serge de Russie... Le vieux duc de Cambridge se tenait en escorte, près de la portière.

À Westminster, le Te Deum fut éclatant.

Tandis que Carlos reprenait le chemin de Lisbonne, je partis pour l'Écosse retrouver papa et maman qui avaient loué une maison à Sheen pour chasser la grouse. Papa s'était installé là dès avant les fêtes du jubilé, car sa présence à Londres, parmi tant de rois régnants, lui eût fait ressentir trop durement sa condition d'exilé. Telle

171

fut du moins mon impression, en répondant aux questions qu'il me posait d'une voix teintée d'amertume. Maman était nerveuse et sa tristesse touchait au désespoir. La restauration de la monarchie en France, qui paraissait si proche un an auparavant, était à ses yeux définitivement perdue et elle s'affligeait de voir papa souffrir silencieusement et apaiser sa douleur par des chimères.

« Ton père, me confia-t-elle, s'intéresse à ce général Boulanger, qui a été ministre de la Guerre, qui ne figure pas dans le nouveau ministère Rouvier, et qui a la sympathie du populaire. On dit qu'il complote dans l'ombre, mais je crains fort que ce ne soit pour lui-même et jamais pour un autre. »

J'avais eu le plaisir de retrouver mon cher Breteuil à Sheen où il était venu passer quelques jours. Il partageait en tout point les réserves de maman sur les services que pourrait rendre le beau général.

« Lorsque Boulanger a quitté le ministère, me dit-il, il y a eu quelques manifestations sur les boulevards et à la sortie de deux ou trois bastringues en faveur de l'ex-ministre, mais une douzaine de sergents de ville en ont eu raison, et je crains bien pour lui que ce général Boum ne s'aperçoive, avant trois mois, de l'inconstance de sa fortune et de la populace. Il est vrai cependant que le régime est terriblement démonétisé, ce qui peut donner à réfléchir à un aventurier. Je ne crois pas à l'étoile de Boulanger, mais s'il veut tenter sa chance il faut qu'il se décide rapidement. À Paris, on peut devenir très vite populaire, et être oublié tout aussi rapidement. »

Breteuil avait un ton léger, mais je sentais qu'il avait le cœur lourd. La cause monarchique lui paraissait à lui aussi fortement compromise, et il n'entrevoyait aucune perspective. Comme il aimait beaucoup papa et maman, sa déception de monarchiste s'aggravait d'une amicale compassion à l'égard de ce vieux couple qui chassait pour oublier la détresse de son exil.

Je quittai Sheen les larmes aux yeux, et une sourde étreinte dans la poitrine.

À mon retour d'Écosse, de nouvelles responsabilités nous échurent tout à coup. Conviés à dîner par le roi et la reine, nous eûmes la surprise à la fin du repas de voir dom Luis prendre un air grave.

« Mon fils, dit-il à Carlos, voici un long temps que votre mère et moi portons de lourd fardeau de la royauté. Nous avons bien le droit à quelque repos et nous voudrions faire tous deux un voyage de plusieurs mois en Europe.

« Vous savez qu'aux termes de notre Constitution, c'est vous qui allez exercer la régence et commander à notre place. Il faut que vous vous accoutumiez à ce rôle et que vous preniez avec Amélie l'habitude de toutes les charges qui vont vous incomber un jour. Pour le résultat de cet essai, nous sommes tranquilles : vous connaissez fort bien les questions militaires, et les affaires de l'administration du pays vous sont aussi familières que les affaires étrangères. Avec une épouse aussi accomplie qu'Amélie, dont le charme et la bonté rendront la monarchie encore plus populaire qu'elle ne l'est, tout ne peut aller qu'au mieux des intérêts de la couronne. C'est donc sans inquiétude, mais au contraire l'esprit joyeux, que votre mère et moi allons partir sans tarder pour la France. »

Carlos me jeta un regard éploré et se montra fort affecté du départ précipité de ses parents. Je n'étais pas non plus très heureuse d'avoir à tenir immédiatement une cour. Et puis notre existence insouciante d'amoureux allait prendre fin, beaucoup trop vite à notre goût. Surtout, Carlos et moi pressentions que le voyage du roi et de la reine était comme la dernière promenade d'un vieux couple qui sent rôder la mort, et que cette escapade apparemment si joyeuse annonçait le départ définitif de dom Luis, dont le visage toujours aimable et souriant ne parvenait pas à cacher une intense fatigue.

Les mois de régence se passèrent sans incident, et à leur retour le roi et la reine eurent la gentillesse de nous faire part de leur satisfaction. Elle n'était pas feinte. Puis le roi, toujours fatigué, confia à son fils des charges de plus en plus nombreuses, que j'étais naturellement appelée à supporter avec lui.

Entre les obligations de la cour et les douces tâches d'une mère qui veillait sur son adorable petit Louis, les mois passèrent très vite. Bientôt, ce fut le premier anniversaire de notre mariage, et toujours le même bonheur qu'au premier jour, mais plus intense et illuminé par la naissance de notre fils. Et comme le bonheur est aussi contagieux que le malheur, je me sentais plus proche de mes parents, malgré la distance et à cause de leur souffrance. J'avais la chance d'être entourée à Lisbonne d'amis charmants, qui me protégeaient des purs courtisans et des esprits malveillants de la cour. Que de dîners agréables, en prélude à des soirées où les plus grands chanteurs de Portugal – Théodorini, les Andrade – venaient nous charmer. Sur mon *diary* de 1888, j'ai noté que la soirée du 21 mars avait réuni Afonso[1], les Ficalho, les Bertiandos, les Mossamedes, les Taronca, les Seisal, le duc de Palmella, Sabugosa, Telles, Serpa... Le matin, j'allais parfois au manège, ou bien je me promenais dans le jardin avec Carlos quand il n'était pas retenu par quelque commission. Le soir, nous allions souvent à São Carlos[2] et au théâtre Doña Maria II, la plupart du temps avec un tel plaisir que nous en venions à oublier que notre présence faisait partie de nos obligations. J'y ai applaudi Sarah Bernhardt, admirable dans *La Dame aux camélias* et dans *Fedora*, mais assez poseuse en dehors de la scène... Parfois, comme deux bourgeois, nous restions à la maison et jouions au billard, à la bésigue ou au trente et un avec nos plus proches amis. Au mois de septembre, j'aimais aussi me rendre sur la merveilleuse plage de Cascais et nager longuement dans une mer tiédie par le dur soleil du plein été. Novembre était l'époque des grandes chasses, autre passion que je partageais avec Carlos : daims, cerfs, bécasses, pigeons, tout était bon pour nos fusils.

C'étaient là des moments de détente, dans la vie de cour à la pesante étiquette, qui nous permettaient de supporter joyeusement le rôle politique que la fatigue et la maladie du roi nous contraignaient à remplir de plus en plus souvent. Carlos parcourait le pays et siégeait dans

1. Dom Afonso, duc d'Oporto, frère cadet de Carlos.
2. L'Opéra de Lisbonne.

d'innombrables et d'interminables commissions. Je présidais des cérémonies, des fêtes, des expositions, visitais des fermes et des fabriques, m'occupais presque chaque jour de mes œuvres de bienfaisance, assistais la reine, toujours très bonne avec moi, lorsqu'elle présidait pour ses propres charités une vente aux enchères ou se transformait en vendeuse de fleurs. J'accueillais en compagnie de mes beaux-parents et de mon époux les chefs d'État et les souverains étrangers – certains ennuyeux comme la pluie, d'autres charmants comme le roi de Suède qui fut notre hôte en mai 1888, au moment où nous fêtions le deuxième anniversaire de notre mariage.

Puis il y eut l'accident.

Un soir de décembre 1888, alors que nous étions à Vila Viçosa, je me reposais en compagnie de Carlos, lui fatigué par une grande journée de chasse et moi toute dolente de porter un nouvel enfant. Soudain des cris, juste au-dessus de nos appartements. Ils viennent de la chambre de petit Louis. Je me précipite. Des flammes entourent le berceau. Une seconde, je crois mon enfant atrocement brûlé, déjà mort peut-être. Je me précipite et l'arrache au lit qui commence à prendre feu. Grâce à Dieu, son doux visage est intact, et il n'y a pas la moindre trace de brûlure sur ses mains ni sur ses vêtements. Sain et sauf ! Une atroce peur au ventre, j'ai serré Louis contre moi. Après je ne sais plus. On m'a dit que j'avais juste eu le temps de mettre Louis dans les bras d'une domestique et que je m'étais évanouie. On m'a portée sur mon lit, on a fait venir un médecin. La peur a déclenché prématurément l'accouchement, dans d'indicibles douleurs. Et ma petite fille est morte à l'instant où elle venait au monde.

Près d'un mari aimant, dans les jardins fleuris et sur les eaux bleues du Tage, bien à l'abri dans des palais de rêve, j'avais oublié la mort qui ne cessait de rôder autour de moi. Elle avait menacé mon petit Louis, et voici qu'elle me prenait sa petite sœur[1], comme s'il y avait eu le sinistre échange d'une vie contre une autre vie, toutes deux innocentes.

De ces noires journées une douleur sourde m'est restée, qu'aucune distraction n'a jamais pu dissiper. J'ai repris ma vie de princesse, reçu des ministres, présidé des fêtes, donné des bals, visité maintes villes, assisté à des courses de taureaux ; j'ai repris les chasses, le manège, les bains de mer, les promenades, mais je savais que le moment du bonheur était à jamais révolu, qu'il y aurait toujours une part d'ombre sur mon existence et peut-être même une sorte de malédiction qui se répandait à mon insu autour de moi. C'est sans doute parce qu'il avait deviné que je portais malheur que Carlos, tout en multipliant les plus affectueuses attentions, commença à prendre ses distances, craignant sans doute que la violence, le malheur et la mort ne l'atteignent comme s'il s'agissait de maladies contagieuses. Hélas, rien ne put empêcher que l'année 1889 soit celle des échecs, des drames et des deuils.

Pourtant, l'année avait bien commencé. Le 3 janvier, je suis partie pour Séville, tout heureuse de

---

1. L'infante Marie-Anne est née et décédée à Vila Viçosa le 14 décembre 1887 ; elle est inhumée au panthéon des Bragance à Saint-Vincent-de-Fora à Lisbonne.

retrouver une ville et un palais qui évoquaient les belles heures de mon enfance. Carlos m'a rejoint le 5 et nous sommes partis pour Villamanrique où j'ai retrouvé papa, paman, Hélène et Mme de Butler. Joie des retrouvailles, conversations et bavardages, éclats de rire. Le 6, nous avons tiré les rois et c'est Carlos qui eut la fève – jour de chance. Nous avons chassé presque tous les jours jusqu'au 21, puis nous sommes partis pour Séville. J'y ai couru les antiquaires avec Mmes de Sabugosa et de Butler, mais sans rien acheter car les prix étaient exorbitants ; avant de rentrer à Lisbonne le 25.

J'étais d'autant plus contente de ces vacances que j'avais pu me rendre compte par moi-même que papa et maman avaient retrouvé confiance et optimisme, comme me l'avait écrit Breteuil. Après avoir relancé le parti monarchiste, papa avait mis tous ses espoirs dans le général Boulanger. Tout en chassant dans la Marisma, il me conta l'affaire en détail. Comment il fut prévenu par Beauvoir[1] que le sémillant général voulait consacrer tous ses efforts à la restauration du comte de Paris puisque la République détruisait lentement la France – ce que ce patriote ne pouvait évidemment supporter. Comment le comte Dillon[2] en vint à demander de l'argent à papa pour aider aux « manifestations spontanées » qui devaient aider son élection dans l'Aisne. Comment le comte Dillon, après avoir réitéré la promesse d'une restauration monarchique, demanda à nouveau de l'argent – cette fois 100 000 francs – pour la campagne du Nord et

---

1. Chef de cabinet du comte de Paris.
2. Homme de confiance de Boulanger.

comment Breteuil obtint, sans même avoir besoin d'indiquer la destination de l'argent ni signer de reçu, un chèque de 200 000 francs que le baron Hirsch signa dans la minute qui suivit la demande. Il suffisait de dire que la cause monarchique avait besoin de fonds pour que le baron Hirsch et les Rothschild ouvrent toutes grandes leurs caisses. La duchesse d'Uzès fit partie des premiers donateurs, et fut jusqu'au bout de l'aventure parmi les plus généreux.

Ces tractations secrètes se passaient en mars 1888, au moment où, d'élection en élection, la vague boulangiste commençait à prendre de l'ampleur. Tandis qu'elle enflait, les représentants du comte de Paris en France – Beauvoir, Breteuil, Mackau[1], Martimprey[2] – s'engageaient toujours plus avant dans le soutien à « la Boulange », malgré les réticences intimes de Beauvoir et de Breteuil. Mais le « brav' général » remportait de plus en plus de succès.

Ce bel argent fit merveille. À Boulogne, le général fut élu sans difficultés, dans le Nord ce fut un triomphe[3], et plus de cent mille personnes s'étaient rassemblées le 20 avril dans les rues de Paris pour saluer l'entrée du héros à la Chambre.

Tout en laissant faire ses représentants en France, papa avait eu jusqu'alors des moments de doute, des scrupules et des hésitations. Il balaya l'ensemble après ce 20 avril, mais aussi

1. Armand de Mackau, alors président (monarchiste) du groupe parlementaire de l'Union des droites.
2. Edmond de Martimprey, alors député monarchiste du Nord.
3. Au début de la IIIe République, les candidatures multiples étaient possibles.

sous l'influence de maman qui était convaincue, comme toujours, qu'il valait mieux faire quelque chose plutôt que rien du tout. Pour concrétiser son engagement, papa préleva 500 000 francs sur sa cassette personnelle et sollicita ses amis banquiers, à commencer par le très fidèle Hirsch, car il fallait plusieurs millions pour assurer le succès de l'opération. Passionnément boulangiste, la duchesse d'Uzès mit 3 millions de francs à la disposition du général en qui elle voyait, de bonne foi, le restaurateur de la monarchie.

Mais l'argent ne peut tout faire. Le général Boulanger n'était pas à la hauteur de son ambition, ni de nos espérances. Il eut un duel stupide avec Floquet[1], et notre militaire fut grièvement blessé au cou par ce civil fort inexpérimenté ! À peine remis, la Boulange se porta candidat en Ardèche, où il fut battu à cause de l'abstention des royalistes. C'est que papa, jugeant l'homme vraiment trop léger et sa cause perdue, décida sur un coup de tête que les électeurs royalistes devaient conserver leur liberté de choix. Puis, sur l'insistance de la duchesse d'Uzès, il accorda de nouveau son soutien quasi public à Boulanger, mais sans plus y croire. Pendant l'été de 1888, le général remporta plusieurs élections, et continua de bénéficier du soutien actif des monarchistes, et de leurs subsides. Son étoile continua de monter jusqu'à ce jour d'avril 1889 où, craignant une arrestation dont on faisait courir le bruit, le héros s'enfuit à Bruxelles. Beaucoup parmi les monarchistes s'aperçurent que cet homme à la petite

1. Homme politique républicain, alors président du Conseil.

cervelle était « un pleutre », comme le disait à qui voulait l'entendre la duchesse d'Uzès, furieuse de s'être laissé berner. Mais les poursuites décidées par le gouvernement au lendemain de cette fuite permirent que le général garde son crédit auprès de l'opinion.

La suite et la fin furent brutales : contre toute attente, les boulangistes furent battus aux élections de septembre et octobre, et le général se suicida à Bruxelles peu après, sur la tombe de sa maîtresse.

Papa ne se rendit pas compte qu'il avait compromis son parti dans cette mauvaise aventure et qu'il était directement atteint par cet échec. Il croyait pouvoir rassembler autour de lui tous les opposants à la République, et se réjouissait de la disparition du boulangisme. Mais dans son entourage certains déploraient qu'il continuât de se bercer d'illusions, que peut-être il avait secrètement perdues, mais sans se l'avouer tout à fait afin de mieux supporter la douleur d'un interminable exil.

Toute à ma tristesse de voir s'effondrer en France un grand espoir, je ne tournai mes regards vers le Portugal que pour affronter une autre agonie. Mon beau-père, qui souffrait depuis longtemps de rhumatismes, était devenu peu à peu impotent, et c'est avec une peine infinie que je vis semaine après semaine progresser la maladie. Il s'était discrètement retiré à Cascais[1]. C'est là que j'allais le voir, régulièrement. Le premier jour d'octobre, alors que j'étais grosse de plus de sept mois, le roi me fit venir près de sa chaise longue et me dit à mi-voix : « Nous avons grande crainte, ma chère fille, de n'être plus de ce monde quand vous nous

---

1. Forteresse-caserne.

donnerez le nouveau prince que nous attendons avec tant d'espoir. »

Je lui jurai qu'il n'en serait rien, qu'il verrait son deuxième petit-fils et guiderait ses premiers pas, mais j'éclatai en sanglots dès que je fus loin de sa vue. Je savais qu'il disait vrai et je le vis s'affaiblir de jour en jour. Dans la nuit du 14 octobre, son état empira, et il fut pris d'une forte fièvre. Je voulus le voir une dernière fois, mais la reine m'empêcha de bouger, par crainte que l'émotion ne fasse venir avant terme l'enfant que je portais. J'attendis, seule et dans l'angoisse, la fin que nous savions tous inéluctable.

Le roi rendit l'âme le 19 octobre. Tout déplacement me fut à nouveau interdit, et c'est dans mon palais que vinrent pleurer Carlos et la reine, tous deux profondément bouleversés, mais d'une fermeté admirable dès que la moindre personne de notre entourage venait à paraître. Le pauvre roi fut enterré le 26, et ce n'est que le lendemain que je pus me rendre à la messe et prier pour lui en compagnie de Carlos, de Bon Papa, du duc d'Edimbourg, et de quelques vieux serviteurs de la couronne portugaise.

Le 15 novembre, je donnai naissance à Manuel. Il venait au monde dans la tristesse et le deuil, et mon bonheur de mère se teintait d'inquiétude à le voir paraître sous d'aussi noirs auspices.

5

Reine de Portugal

Le couronnement eut lieu le 28 décembre 1889.

Encore fatiguée par mon accouchement, toujours très éprouvée par la mort de mon beau-père, j'avais de surcroît été atteinte par l'influenza qui m'avait donné une légère fièvre. Mais la splendeur de l'aube dissipa les tristesses et les malaises, et quelques légers fards ôtèrent à mon visage une pâleur qui eût été de mauvais aloi.

Brisé par la disparition de son père, impressionné par la gravité du moment, Carlos était livide alors qu'il présentait d'ordinaire un teint vivement coloré. Sans nous le dire, nous nous sentions trop jeunes pour porter le poids de la couronne de Portugal, et assumer les écrasantes responsabilités qui allaient peser sur nos épaules jusqu'à l'heure de notre mort. Mais il fallait faire face, et montrer à notre peuple que sa famille royale était forte, qu'elle portait sur son visage le sourire de l'espérance et, avec ses deux enfants, la plus belle et la plus vivante des promesses d'avenir.

Dès qu'elle eut commencé, l'imposante cérémonie chassa provisoirement nos doutes et nos timidités. L'heure n'était pas aux pensées anxieuses.

Il fallait tenir son rang comme nous l'avions tous deux appris depuis notre plus tendre enfance, jouer notre rôle comme dans une représentation.

Nos habits de cérémonie nous y aidaient, car nous avions tous deux l'impression de changer de personnalité, de devenir des personnages qui nous dépassaient et qui nous impressionnaient mutuellement : ce n'était plus Carlos que j'avais en face de moi, mais Sa Majesté Très Fidèle Carlos Ier, roi de Portugal et des Algarves, vêtu de l'uniforme de généralissime sur lequel flottait un vaste manteau de pourpre. Et je voyais dans le regard de mon époux que j'étais Sa Majesté la reine Amélie qui portait, comme dans les tableaux de nos ancêtres, une robe de satin blanc et un long manteau bleu de ciel brodé d'or.

C'est au son de l'artillerie de forteresse et des canons de la flotte que nous quittâmes Belém à dix heures du matin, sous un magnifique soleil d'hiver. Notre cortège emprunta les rues de Junqueira et de Calvario puis les quais jusqu'à l'avenue Dom Carlos Ier. Nous nous arrêtâmes devant les Cortes. Nous descendîmes de carrosse. L'épée à la main, dom Afonso nous conduisit jusqu'à la salle du trône, et j'allai m'asseoir dans l'immense fauteuil à côté de mon époux tandis que les plus hauts dignitaires du royaume vinrent prendre place derrière le trône : le comte de Ficalho, grand chambellan, le duc de Palmella et le comte de Alcaçovas, maîtres des cérémonies, ma grande dame d'honneur la duchesse de Palmella... À gauche, sur la dernière marche du trône, se tenait le marquis de Sabugosa. Il portait le drapeau royal azur et blanc dont les plis étaient enroulés autour de la hampe. Face à nous se tenaient les ministres et les conseillers du roi.

Le chambellan présenta le sceptre au roi, tandis que le président de la Chambre des pairs ouvrait les Évangiles et faisait apporter un crucifix d'argent. Le roi prit le sceptre de sa main gauche, posa sa main droite sur le texte saint et prononça d'une voix ferme le serment rituel.

« Je jure de maintenir dans le royaume de Portugal la religion catholique, apostolique et romaine. Je jure de faire observer la constitution politique de la nation portugaise et les lois du royaume, et de faire tout ce qui dépend de moi pour assurer le bien-être général de la nation. »

C'est alors que le marquis de Sabugosa déplia l'étendard royal en criant : « Real ! Real ! Real ! Gloire et joie au très grand, très puissant et très fidèle roi de Portugal dom Carlos Ier ! » Puis les Grands du royaume acclamèrent le nouveau roi.

Mon rôle cessa après la signature des Actes car le cérémonial portugais prévoyait que la reine et sa suite se retirent en leur palais, tandis que le roi et l'infant rejoignaient l'église São Domingos où les attendaient le cardinal-archevêque de Lisbonne et la foule des personnalités portugaises et étrangères. Un Te Deum fut chanté, pendant lequel je me retirai pour prier, seule, dans la chapelle de Belém. J'y demeurai à méditer, pendant que le roi et l'infant se rendaient à la chambre municipale. Son président y présenta les clés de Lisbonne au roi, qui les prit quelques instants puis parut sur le balcon de l'hôtel de ville sous les ovations du peuple assemblé. Enfin, le cortège royal prit le chemin de Belém, où nous devions nous préparer pour une représentation de gala à l'Opéra, qui

devait marquer le début des fêtes du couronnement. La mort soudaine de l'impératrice du Brésil,
qui vivait à Lisbonne depuis la révolution qui
l'avait chassée de son pays, nous fit annuler ces
fêtes. Le glas sonna comme un sinistre présage.

Très vite, la politique internationale fut au
centre de nos soucis et, à peine installé sur le
trône, Carlos eut à affronter une très grave crise
dont l'Afrique était l'enjeu. Grâce à ses marins, à
ses explorateurs, à ses soldats et à ses commerçants, le Portugal avait multiplié ses comptoirs sur
les côtes occidentales et orientales de l'Afrique – à
Luanda, à Cabinda, en Guinée, dans l'archipel du
Cap-Vert. Forts de cette présence, nous voulions
faire reconnaître nos droits historiques sur les
contrées qui attenaient à nos possessions, et réaliser de proche en proche une grande Afrique portugaise entre l'océan Indien et l'océan Atlantique,
par la réunion de l'Angola et du Mozambique.
Telle était l'ambition, vieille d'un siècle, que le
gouvernement portugais entreprit de réaliser avec
le courageux concours de ses pionniers et de ses
explorateurs – tout particulièrement de Serpa
Pinto qui avait atteint le Zambèze en 1885.
Aussi le Portugal se trouva-t-il en concurrence
avec plusieurs grandes puissances européennes
– la France, l'Angleterre, la Belgique, puis l'Allemagne – dont l'intérêt pour l'Afrique était assez
récent mais violemment affirmé. C'est ainsi que
les Anglais avaient affirmé leurs prétentions sur
des territoires portugais – notamment Lourenço
Marques – dès 1824. Mais nos droits historiques,
efficacement défendus par la Société de géographie de Lisbonne, furent reconnus par plusieurs

arbitrages internationaux. Il était cependant difficile pour un petit pays de résister au vieux lion britannique, et nous avions été obligés de reconnaître en 1878 le libre transport des marchandises anglaises à travers le territoire de Delagoa au sud du Mozambique. L'année suivante, le gouvernement portugais se résigna à signer avec les représentants de la reine Victoria le traité de Lourenço Marques qui leur concédait la construction d'un chemin de fer allant de cette ville à Pretoria. Nous fûmes aussi contraints d'abandonner nos ambitions sur le Congo, que les grandes puissances attribuèrent à la Belgique ; l'Allemagne rejeta nos demandes lorsqu'il s'agit de fixer les frontières entre l'Angola, le Mozambique et ses propres possessions ; le congrès de Berlin s'accorda pour déclarer à notre grand dépit que la doctrine des droits historiques était remplacée par celle de l'occupation effective.

Tous ces échecs avaient provoqué la fureur de notre peuple à juste titre humilié, mais le principe de la conquête effective des territoires raffermissait son espoir. Malheureusement, notre volonté de relier l'Angola au Mozambique en créant ce qu'on appelle la « carte rose[1] » se heurtait une fois de plus aux ambitions britanniques, car Cecil Rhodes voulait quant à lui relier Le Cap au Caire : aussi les Anglais nous avaient-ils signifié leur intention de prendre la Rhodésie et le pays de Makalolo dont notre Serpa Pinto s'était rendu maître. Il y

---

1. La « mapa côr de rosa » illustrait la volonté du ministre Barros Gomez en 1886 de réaliser un gigantesque empire portugais en Afrique, englobant l'Angola et le Mozambique reliés par un territoire central comprenant l'actuel Zimbabwe et une bonne part du Nyassaland.

eut sur ces sujets de nombreuses escarmouches diplomatiques et de vives compétitions sur le terrain entre le consul anglais et Serpa Pinto, puis le gouvernement de Sa Gracieuse Majesté nous adressa le 11 janvier 1890 le fameux ultimatum aux termes duquel il sommait le Portugal d'évacuer les régions qu'il convoitait.

La menace anglaise était d'une extrême gravité car Londres envoyait une escadre sur les côtes orientales de l'Afrique tandis qu'une autre escadre se concentrait à Gibraltar. Comme les Anglais nous demandaient de céder dans les vingt-quatre heures, nous comprenions fort bien que passé ce délai Lisbonne serait bombardée par la redoutable flotte britannique. J'étais anéantie par les exigences de Londres, qui violait son engagement de soumettre tout désaccord sur les questions du Centre-Afrique à l'arbitrage international. Le peuple portugais, à nouveau humilié, était entré dans une terrible colère et l'émeute grondait à Lisbonne comme à Porto. Un moment, je fus persuadée qu'il fallait lutter et périr les armes à la main plutôt que d'accepter un pareil ultimatum. Puis je compris, comme Carlos, que nous n'avions pas le droit de jouer l'existence de notre peuple. Hélas, le Portugal n'était pas prêt à entrer en lice. Il fallait s'incliner, et négocier ce qui pouvait l'être. Des manifestations eurent lieu dans notre capitale, et Porto fut sccouée par des troubles graves. On en voulait au gouvernement et au roi, on leur reprochait une attitude conciliante alors qu'une guerre contre l'Angleterre aurait provoqué d'innombrables victimes et ruiné le pays. Carlos ne fut pas lâche, mais sage. Et il révéla face aux Anglais ses admirables talents de négociateur. Certes, il fut obligé d'abandonner notre vieux projet de carte rose, mais il réussit à obtenir notre souveraineté sur des territoires au nord du Zambèze et à nous assurer la liberté de navigation sur le Zambèze et le Chiré.

Hélas, bien peu reconnurent que le roi avait joué un rôle à tous égards salutaire, et je crois aujourd'hui comprendre que le traité anglo-portugais de 1890 figure parmi les causes lointaines de l'attentat contre Carlos et Luis.

Un premier avertissement nous fut donné le 31 janvier 1891, lorsque des républicains tentèrent d'organiser un soulèvement à Porto en utilisant les humiliations infligées à la nation portugaise et les difficultés économiques et financières que nous avions à affronter. Cette révolte, provoquée par une petite minorité, fut étouffée dans la journée, mais nous avons cru que ce mouvement était passager, et qu'une bonne diplomatie, accompagnée d'une conduite sérieuse des affaires de l'État, renforcerait l'amour réciproque que se portaient le peuple portugais, ses reines et ses rois.

La cour, quant à elle, ne se souciait pas plus des coups de colère que des mouvements de fond. Il n'y était question que de préséances, d'honneurs et d'argent... Sans compter les sempiternelles médisances et les misérables intrigues qui faisaient passer le temps entre deux chasses et trois divertissements.

Dans ma vie quotidienne, il me fallait tenir compte avec le plus grand soin de la hiérarchie nobiliaire, très rigoureuse vers le haut, très diverse en bas de l'échelle. Il y avait ceux qui faisaient partie de la grandesse – hauts prélats, ducs, marquis, comtes et vicomtes, ainsi que les simples gentilshommes auxquels elle avait été directement conférée. En dessous, la noblesse titrée, qui comprend les nobles et les barons qui ne figurent pas dans la *grandessa*. Enfin la simple noblesse des Fidalgos da Casa Real[1] où l'on distingue trois grades : les gentilshommes de service ou Moço parmi lesquels je compte beaucoup d'amis, les chevaliers et les écuyers, qui sont des titres héréditaires attachés à toutes sortes de fonctions – officiers de l'armée, professeurs, hauts fonctionnaires, conseillers municipaux, banquiers, gros commerçants et grands propriétaires auxquels le roi accorde libéralement un titre au vu du seul mérite. C'est dire que, comme en Pologne, la population noble est particulièrement abondante, et que chacun ou presque peut prétendre à un titre, pour lui ou pour ses enfants, s'il a la force ou la chance de s'élever quelque peu au-dessus de l'ordinaire.

Bien entendu, la chasse au titre est acharnée, et elle se double comme partout ailleurs d'une inlassable quête de décorations qui désigne l'appartenance à une multitude d'ordres : ordres militaires de Saint-Benoît-d'Avis, de Saint-Jacques, de la Tour et de l'Épée, ordre civil de Notre-Dame de Vila Viçosa… Tous ces titres et ces médailles avaient été distribués naguère avec une grande prodigalité, contre laquelle nous avons immédiatement décidé de lutter. Carlos se montre très avare, parce qu'il veut que seuls les mérites réels soient récompensés – ce qui provoque, me dit-on, une foule de murmures et de discrètes récriminations. Quant à moi, je protège de la manière la plus sourcilleuse qui soit l'ordre de Sainte-Isabelle,

---

1. Gentilshommes de la maison du roi.

dont je suis le grand maître et qui est réservé à vingt-six dames nobles, selon la règle établie par le roi João VI, qui a fondé cet ordre en 1801 à la demande de son épouse Carlotta-Joaquina. Ce n'est pas l'ancienneté ou le prestige qui font que l'entrée dans cet ordre est très difficile, mais l'obligation charitable à laquelle il est lié : chaque dame membre de l'ordre a l'impérieux devoir de visiter les orphelins une fois par semaine, et de leur rendre tous les offices que la piété recommande. Il ne s'agit pas de parader et de se hausser du col dans la foire aux honneurs et aux vanités, mais de se rendre utile à son prochain, et apporter une aide constante et attentive aux êtres les plus fragiles et les plus merveilleux – aux enfants frappés par le malheur.

Oserais-je avouer que je n'ai jamais pu ni apprivoiser ni me faire accepter par cette abondante noblesse portugaise – dont heureusement le grand maître est le comte de Sabugosa, que je tiens pour un ami. Son grand écuyer est le duc de Loulé, le duc de Palmella est capitaine de la garde, le comte de Figueira est grand maître des cérémonies, et nous comptons aussi un grand maître du garde-meuble, un grand armurier, un grand échanson, un grand maître des haras, un grand veneur particulièrement habile au dressage des faucons. Bien entendu, il faut ajouter à ces hauts personnages ceux qui, militaires et civils, composent la maison du roi et celles qui constituent la maison de la reine. La duchesse de Palmella est la grande maîtresse de ma maison, et j'ai pour m'entourer une pléiade de dames d'honneur : les marquises de Sabugosa et de Castelho-Melhor, les comtesses de Belmonte et de Penamacor, de Seisal et de Figueira, de Valbom et de Vilareal... Je ne saurais oublier mes deux chambellans, le comte de Figueira et le comte de Ribeira-Grande, et le premier médecin, C. Mary Figueira, qui soigne mes petites indispositions et veille sur la santé de mes deux enfants chéris.

La reine que je suis se doit de respecter scrupuleusement les rangs et l'étiquette. Mais la reine Amélie a sa propre règle de vie, qui est de mettre toute son autorité au service du bien, et de mener une vie aussi simple que possible.

Quand j'étais duchesse de Bragance, on raillait déjà mon goût pour les bonnes œuvres, et je sais bien que j'y gagnerai dans les livres d'histoire la réputation d'être une bigote acharnée. On se trompera. Je m'efforce simplement d'être fidèle à l'Évangile – sinon pourquoi aller à la messe ? – et à mon cher Bossuet. Pour répondre sans les vexer aux flatteurs qui célèbrent devant moi mes activités charitables – je ne sais ce qu'ils disent en sortant du palais –, je me contente de citer ce que disait l'évêque de Meaux évoquant Henriette de France. « Si elle eut de la joie de régner sur une glorieuse nation, c'est parce qu'elle pouvait contenter le désir immense qui, sans cesse, la sollicitait de faire le bien. »

Le peu de temps que je pouvais distraire à mes obligations était consacré à mes enfants, à la chasse et à la peinture. Tandis que Carlos manifestait une prédilection pour les marines, je m'attachai aux scènes de la vie populaire que je surprenais au cours de mes promenades et à l'occasion de mes déplacements officiels. C'est ainsi que, avant 1905, j'ai pu présenter à mes amis quelques tableaux dont je n'étais point trop mécontente : *La Femme*

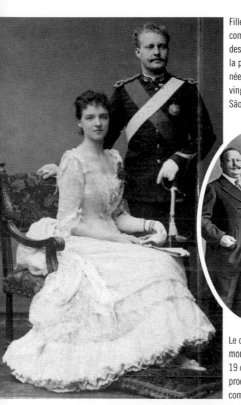

Fille aînée de Philippe,
comte de Paris, petit-fils du roi
des Français Louis-Philippe Ier,
la princesse Amélie d'Orléans,
née le 28 septembre 1865, épouse à
vingt ans, le 22 mai 1886 à l'église de
São Domingos à Lisbonne, le prince
Dom Carlos de Portugal,
duc de Bragance,
fils du roi
Dom Luis I
de Portugal
et de la
reine née
Maria-Pia
de Savoie.

Le duc et la duchesse de Bragance
montent sur le trône de Portugal le
19 octobre 1889 mais Dom Carlos est
proclamé roi le 28 décembre 1889,
comme le montre cette gravure d'époque.

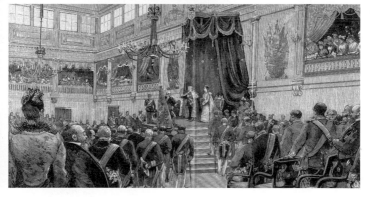

Après la naissance de l'héritier du trône, le prince Luis Filipe, le 21 mars 1887, le duc et la duchesse de Bragance donnent naissance à un second fils, Manuel, le 19 mars 1889, quelques mois avant leur avènement. Le roi D. Carlos (à droite) et son fils aîné (au centre) mourront tragiquement, et Manuel II devient roi en 1908, soutenu par sa mère la reine Amélie, comme ici dans son bureau du château da Pena à Sintra. En bas, la reine Amélie est reçue en France en mai 1903 et elle continue de mener son action caritative d'« Ange de la charité » en visitant l'hôpital des tuberculeux d'Ormesson.

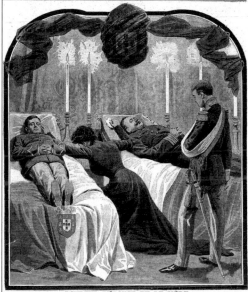

Le Petit Journal

Le Petit Journal — 5 CENTIMES — SUPPLÉMENT ILLUSTRÉ — 5 CENTIMES — ABONNEMENTS

Dix-neuvième Année — DIMANCHE 16 FÉVRIER 1908 — Numéro 900

DOULEUR D'ÉPOUSE ET DE MÈRE
La reine de Portugal au lit de mort de son mari et de son fils

Le destin de la reine Amélie bascule dans la tragédie le 1er février 1908, lorsque le révolutionnaire de la Carbonaria, Manuel Buiça, commet le régicide et assassine le roi D. Carlos I et le prince royal D. Luis Filipe.

La reine protège de son corps son second fils D. Manuel et frappe l'assassin de son bouquet.

Figure imposante de la Maison de France, la reine Amélie vivra en exil en Angleterre et en France où elle s'éteindra, au Chesnay, le 25 octobre 1951 à quatre-vingt-six ans. Quelques semaines avant la mort de son second fils D. Manuel II, à l'été 1932, elle s'était rendue en Belgique chez sa sœur Isabelle et son beau-frère Jean, duc de Guise, chef de la Maison de France, où elle retrouve son neveu Henri, comte de Paris, tout juste marié avec la princesse Isabelle d'Orléans et Bragance.

Depuis son départ en exil en 1910, le château da Pena, à Sintra, aujourd'hui restauré, conserve pieusement le souvenir de la reine Amélie, dernière reine de Portugal.

de Béja, *Les Chars de bois de l'Estrémadure, La Récolte des olives, La Marchande de poisson,* ainsi qu'une vue du *Château de la reine.*

L'année 1890 fut à tous égards une année sombre.

Il ne suffisait pas que notre pauvre petit Portugal fût confronté aux grandes puissances et enjoint de reconnaître la loi du plus fort – qui n'est jamais le droit. Il nous fallut encore affronter des difficultés économiques dont on nous assurait qu'elles seraient passagères mais qui marquaient en fait le début d'une crise qui dura dix ans et qui provoqua dans le peuple des misères dont je reparlerai.

Il ne suffisait pas que ma nouvelle patrie me donnât des inquiétudes à la mesure de l'amour que je lui porte. Il fallut aussi que je sois accablée par des soucis familiaux, qui tenaient à la mauvaise conduite et aux désordres provoqués par Phil.

J'ai dit que j'adorais mon frère, et cet amour ne s'est jamais démenti. C'était aux temps bénis de la première enfance un délicieux compagnon de jeux, et nous avons en commun la passion des chevaux et de la chasse. Haute taille, cheveux blonds, regard bleu de porcelaine, bouche malicieuse prompte aux propos salés, il est d'une prodigieuse élégance, gourmand de toutes choses, drôle et charmant, en deux mots merveilleusement vivant. Mais justement : ce bel appétit de vivre prend trop souvent le pas sur ses devoirs de fils aîné, et mon cher petit Phil oublie trop volontiers qu'il est Philippe, duc d'Orléans, appelé à devenir chef de la Maison de France à la mort de papa et requis dès à présent pour l'aider à la restauration de la monarchie en France.

Bien entendu, Phil avait reçu d'excellents principes, administrés d'une main de fer par maman, et il avait été accueilli en fils de prince dans les meilleures écoles civiles et militaires : d'abord le collège Stanislas à Paris, où son peu de goût pour l'étude et ses actes d'indiscipline firent le désespoir de ses professeurs, puis à l'école militaire de Standhurst où il était entré sans concours, par faveur de la reine Victoria. Sorti de l'école avec le grade de sous-lieutenant d'infanterie, il fut affecté à sa demande au King Royal Riffles à Chakrata dans l'Himalaya et consacra tout son temps libre à des explorations et à des chasses. Après cette année passée aux Indes, papa l'envoya à Lausanne pour y suivre les cours de l'Académie militaire suisse. Comme les officiers anglais, pourtant redoutables dresseurs d'hommes, n'étaient pas parvenus à lui inculquer l'esprit de sérieux, papa le fit accompagner par le lieutenant-colonel de Parseval. Choisi pour la qualité de son dévouement et pour la force de son caractère, ce précepteur implacable échoua lui aussi dans sa tâche car Phil continua de refuser obstinément, mais avec grâce, de se plier aux devoirs de son état.

Sans doute avait-on le tort de prendre mon cher petit frère à rebrousse-poil : plus on le forçait au travail, plus on développait ses tendances paresseuses ; plus on tentait de le contraindre, plus on développait en lui le goût du plaisir et de toutes sortes de distractions. Papa et maman étaient navrés de voir se développer en lui un tel tempérament, et tous deux m'entretenaient souvent de leurs inquiétudes.

Tant que Phil n'eut pas atteint sa majorité, ses dissipations restèrent une simple affaire de famille, et nous nous répétions qu'il fallait bien que jeunesse se passe. Et puis comment résister à sa joie de vivre qui tranchait avec la componction de l'entourage de papa, et qui me distrayait, lorsqu'il venait en Portugal ou en Espagne, des affaires de la cour. Le brave Marcel Barrière, qui fut un de ses précepteurs, me raconta qu'un jour où les propos qu'il avait entendus chez des proches de notre père avaient déplu au « dauphin », Phil lui annonça d'un air bourru qu'il allait « donner sa démission ».

« Votre démission de quoi ? demanda le cher homme.

— Ben, de successeur du patron. Parce que j'en ai assez ; et puis ça embêtera les parents et mon jeune frère. »

Hélas, le jour même de ses vingt et un ans, Phil transporta ses débordements privés sur le devant de la scène politique : le 7 février, il quitte clandestinement la Suisse et prend le train de Paris, affublé d'une fausse barbe et costumé en gentleman britannique. Arrivé dans la capitale, il se rend tranquillement rue de Varenne, chez son ami le duc de Luynes, se repose un moment puis, à 14 heures précises, se présente devant le bureau de recrutement du VIIe arrondissement afin d'accomplir son service militaire, dans sa patrie, au même titre que tous les conscrits de sa classe, avec lesquels il voulait partager la gamelle du simple soldat.

Promené de bureau en bureau par des militaires fort embarrassés, Phil finit par regagner l'hôtel de Luynes pour rédiger une lettre qu'il compte adresser au ministre de la Guerre. Comme le bruit de la présence du duc d'Orléans s'est répandu dans Paris, un commissaire de police prend l'initiative fâcheuse de faire barrer la rue de Varenne par d'imposantes forces de police, d'interpeller Phil et de le faire écrouer à la Conciergerie. Dès lors, l'escapade et le défi narquoisement lancé aux autorités prennent un tour politique, et Phil se retrouve inculpé au titre de la loi d'exil.

Prestement jugé le 12 février, mon frère renonce à se défendre et adresse au tribunal une brève et fière déclaration. « J'ai voulu servir mon pays et faire acte de citoyen ; est-ce un crime ? J'aime mon pays ; est-ce une faute ? Non. Je remercie mes conseils d'avoir voulu m'assister ; je les prie de ne pas me défendre. J'ai appris en exil à respecter la magistrature. Je me soumettrai à ses arrêts, quels qu'ils soient. Je n'attends rien de la clémence. Je compte sur le jugement des 200 000 conscrits de ma classe, qui, ceux-là, m'acquitteront ! » Et le tribunal de condamner le duc d'Orléans à deux ans de prison sous les huées du public... La démarche de Phil ne manquait pas de panache, et elle provoqua l'enthousiasme d'une grande partie des monarchistes qui s'empressèrent de chanter les louanges du « prince Gamelle ». La lourde condamnation du jeune prince lui valut une popularité qui déborda le milieu royaliste. À la lecture des journaux de Paris, je fus moi aussi séduite par le geste, heureuse et fière de voir mon frère prendre ses responsabilités en jetant un superbe défi au gouvernement, et affronter courageusement l'épreuve de la prison.

Les confidences ultérieures de papa et du colonel de Parseval me firent découvrir une réalité moins exaltante. L'aventure du prince Gamelle était née de la rencontre entre Phil, qui cherchait par tous les moyens à échapper aux disciplines studieuses, et Arthur Meyer[1], qui était connu pour sa vanité, son cabotinage et son goût de l'intrigue. Phil avait certainement dû être mis en garde contre ce personnage, mais il n'en avait pas tenu compte. Or ce Meyer animait toute une coterie monarchiste qui estimait que papa avait fait son temps, et qu'il fallait sans attendre pousser au premier plan le duc d'Orléans en lui faisant prendre systématiquement le contre-pied de tout ce que faisait le chef de la Maison de France, afin de pousser celui-ci à l'abdication. C'est dans cet esprit que fut montée l'affaire du service militaire.

Bien entendu, papa était très embarrassé par le geste de son fils – mais il fut bien obligé de lui adresser un télégramme public de soutien –, ses conseillers étaient consternés, et oncle Aumale reprocha vertement à son petit-neveu de faire échec à l'autorité du comte de Paris.

Il reste que Phil était contraint de subir les conséquences de l'aventure, dans une cellule de la prison de Clairvaux. Il le fit à sa manière, somme toute plaisante. Certes, il écrivit au duc de Doudeauville[2] que « la prison est moins dure que l'exil, car la prison c'est encore la terre de France », et cette crâne déclaration fit le tour du pays. Mais les braves gens qui manifestaient dans les rues et qui rédigeaient des adresses pour son soutien ne savaient pas que Phil avait transformé sa cellule en agréable salon. Chaque jour, ses amis

---

1. Directeur du *Gaulois*, quotidien monarchiste.
2. Chef de la droite monarchiste à la Chambre.

lui faisaient porter de très fins repas qu'il faisait suivre d'excellents havanes, et il buvait de petits verres d'une fine qui, à mesure que la journée s'avançait, faisaient virer son teint fleuri à la couleur brique. C'est ainsi que Clairvaux devint la prison la mieux fréquentée du pays : Phil y accueillait les noms les plus illustres de la haute société, mais aussi des petites femmes qui égayaient ses siestes. Ce qui ne l'empêchait pas de recevoir sa fiancée[1] – mais en compagnie de sa mère... Et lorsque le boulevard Saint-Germain voulut, par solidarité, suspendre toutes les fêtes et toutes les réceptions, il répondit à ses émissaires : « Dites-leur que je veux qu'ils n'arrêtent pas de s'amuser. Du plaisir, encore du plaisir, toujours du plaisir. Voilà ma formule. »

Malgré les innombrables douceurs dont il bénéficiait grâce à la complaisance du directeur de la prison, malgré les airs de trompe de chasse dont il réjouissait les prisonniers et les gardiens de Clairvaux, Phil s'ennuyait quelque peu et finit par s'inquiéter de devoir passer deux années à l'étroit.

Le gouvernement sut se montrer compréhensif et un témoin digne de foi m'a même raconté que l'arrestation, la condamnation et la durée de l'emprisonnement de Phil avaient été négociées entre Arthur Meyer et Constans avant que le prince Gamelle ne prenne le chemin de la France – et bien entendu à l'insu de mon frère. Quoi qu'il en soit, sa grâce fut signée début juin par le président de la République, et Phil fut réexpédié en Suisse le 6 juin après qu'il eut adressé un noble appel aux

---

1. Leur cousine Marguerite, fille de la duchesse de Chartres.

conscrits de sa classe. « La grâce, y lisait-on, me rend aux douleurs de l'exil, je change seulement de captivité. Ma résolution reste entière, rien ne me fera renoncer dans mon espoir de servir la patrie. La place que je me réserve dans les rangs, au milieu de vous, près du drapeau, gardez-la-moi. Je viendrai la reprendre. À vous pour Dieu et pour la France. »

On aurait tort de voir de la duplicité dans cette conduite. Phil se contentait de suivre sa nature à tous égards généreuse. Il avait vécu sa prison comme un gentilhomme vivait son embastillement dans l'ancienne France, mais il eût donné sa vie à la patrie avec beaucoup de grâce, après avoir adressé à ses camarades de combat quelque propos plaisant sur la chaleur d'un vin et la douceur des femmes.

De Suisse, Phil s'en retourna à Londres auprès de papa, qui le gratifia en public d'un discours élogieux mais qu'il eut peine à prononcer tant il était fatigué et déjà malade.

Sympathique à l'opinion, l'aventure du prince Gamelle fit du tort à la cause monarchique. Certes, les intrigues menées à Paris par Meyer, le petit Luynes et d'anciens boulangistes n'atteignirent pas leur but : papa n'envisagea pas une seconde l'abdication, et Phil ne cessa d'être parfaitement loyal. Mais le parti monarchiste continua à se diviser entre les fidèles de papa et ceux qui voulaient entraîner Phil dans de nouvelles aventures. Cette division contribua à l'affaiblir.

Toujours aussi peu féru de politique, Phil s'installa à Londres. Fort d'une rente trimestrielle de cent mille francs offerte par papa, il loua à lord Minto sa résidence de Portman Square où il était servi par deux valets de pied anglais, un cocher, un maître queux français et deux femmes de charge. Il disposait de deux voitures, dont une victoria neuve. Soucieux d'être le plus élégant dandy de Londres, Phil préférait aux salons de la haute société les théâtres et les cabarets, et aux concerts les chansons de Bruant et de Mac Nab. Alors que son mariage avec cette pauvre Marguerite était toujours envisagé, il n'osa pas dire à papa qu'il préférait provisoirement les plaisirs du célibat. Nul n'ignorait que Phil avait une vie sentimentale fort animée : il avait laissé en Suisse une maîtresse enceinte de lui – une actrice, ancienne de l'Odéon – et il multiplia les aventures galantes à Londres, avec une prédilection pour les actrices et les demi-mondaines. Il alla même rejoindre à Saint-Pétersbourg la cantatrice Nelly Melba dont il était entiché, après avoir raconté à papa qu'il partait en voyage d'études à Constantinople – d'où il lui faisait adresser des lettres rédigées à l'avance.

Notre pauvre papa n'était pas dupe des vantardises et des mensonges de son héritier. « Phil ne mène pas assez l'existence qui conviendrait à sa situation et au nom qu'il porte. Il pense trop à s'amuser », m'écrivait-il. Mécontente de ces excès, devinant qu'ils contribuaient à altérer la santé de papa, j'écrivis à Phil une lettre sévère pour lui dire qu'il causait beaucoup de chagrin à nos parents, en lui recommandant de ne pas aller plus loin qu'il ne fallait. Mais rien ne pouvait empêcher Phil de vivre sa vie.

Très préoccupée par les désordres que provoquait Phil, j'étais avant tout accaparée par les affaires portugaises, dont Carlos voulait bien m'entretenir régulièrement car il trouvait, comme naguère oncle Aumale, que j'avais la tête politique. Notre règne avait mal commencé, par une crise internationale que notre petit royaume n'avait pas la force d'affronter. Puis il y eut des faillites de banques, et les progrès dans l'industrie s'en trouvèrent ralentis. L'époque était au pessimisme, les rues étaient agitées, des grèves éclataient dans les villes et les campagnes, et mille rumeurs de complots circulaient dans la capitale et à la cour. On parlait de la Carbonaria[1], les idées socialistes progressaient dans le peuple et un député républicain avait même été élu en 1899 ! Des libelles clandestins accusaient les nobles, qui péchaient sans doute par leur esprit superficiel et leurs dépenses, et le roi lui-même qui pourtant faisait jour après jour son devoir.

Certains disaient que nous étions, Carlos et moi, des égoïstes, indifférents à la misère, alors que je passais une partie de mes journées à m'occuper des pauvres, des malades et des enfants. C'est avec mes propres deniers que j'ai créé un dispensaire réservé aux enfants pauvres de Lisbonne : un médecin-chef assisté de neuf sœurs dominicaines y soignent deux cents enfants et obtiennent des résultats remarquables car ils disposent du matériel médical le plus moderne, d'une nourriture abondante servie dans des locaux propres et largement aérés. Je surveille de près un dispensaire pour les tuberculeux, c'est sous mon égide que se mène la lutte contre la tuberculose et j'ai fondé une association dans laquelle tous les Portugais peuvent entrer et qui s'appelle Assistência nacional

1. Société secrète républicaine.

aos tuberculosos. J'ai créé cette association le 11 juin 1899, et c'est dans la salle du Conseil d'État que j'ai exposé son programme :

« 1. Construire des hôpitaux maritimes, pour y modifier l'organisme des enfants qui sont des candidats à l'horrible maladie ;

« 2. Fonder un vaste sanatorium, à une haute altitude dans la montagne, pour le traitement des tuberculeux curables ;

« 3. Établir, dans tous les chefs-lieux de district, des instituts dont les directeurs s'adonneraient non seulement au traitement de la phtisie, mais secourraient les malades qui ont à travailler et veilleraient sur les familles ; ces médecins fourniraient donc des secours en subsistance, donneraient des soins médicaux et des conseils d'hygiène ;

« 4. Instituer surtout des hôpitaux pour phtisiques destinés aux incurables, pour les soigner d'abord, pour empêcher ensuite la promiscuité avec d'autres malades qu'ils contaminent toujours.

« Mon intention est de combattre ce fléau en construisant des hôpitaux, près des trois villes de Lisbonne, de Porto et de Coimbra, dans un site choisi par les hommes de l'art ; mon intention est en outre d'étendre cette mesure à d'autres villes, si je réussis, car la cause est si juste qu'elle ne saurait manquer à la bénédiction du ciel. »

De fait, deux hôpitaux maritimes ont été créés, l'un au château royal d'Outão, destiné aux petites filles, l'autre à Carcavelos pour les garçons. Des centaines d'enfants en sont sortis guéris. Notre association a aussi créé le sanatorium de Souza Martins, près de Guarda, dans la montagne. Un institut de recherche doté des appareils les plus perfectionnés fonctionne à Lisbonne, et des établissements pour phtisiques incurables ont été fondés à Lisbonne, à Porto, à Faro, à Bragance et à Branna.

Pour ne prendre qu'un seul exemple, et une seule année, le sanatorium antituberculeux de Lisbonne a procédé en 1902-1903 à l'inscription de 6 521 personnes et donné 71 799 consultations. La propagande antituberculeuse a publié 16 348 brochures et désinfecté 815 domiciles.

Et je ne saurais oublier, parmi mes autres œuvres, l'hôpital pour enfants du Rego, les Cuisines économiques, l'Institut d'outre-mer, les Secours aux naufragés et le dispensaire d'Alcantara... Je suis particulièrement fière de l'Institut bactériologique, qui est le résultat de la lutte que j'ai menée pour vaincre les résistances considérables qui m'étaient opposées. D'abord celle de « scientifiques » qui tenaient Pasteur pour un charlatan alors que l'efficacité du sérum antirabique était depuis longtemps reconnue. Puis celle des bureaucrates, qui faisaient à leur habitude peser une véritable chape sur les décisions prises par les autorités politiques et qui multipliaient les empêchements de toutes sortes pour retarder leur mise en œuvre. C'est ainsi qu'on m'informa un jour qu'il n'y avait pas de chevaux pour cultiver les souches du vaccin antirabique, qu'il n'y avait pas de cobayes pour les expérimentations, ni le moindre bâtiment pour accueillir un institut de recherche. « Eh bien ! leur dis-je, vous n'avez qu'à prendre des chevaux dans mes écuries, mettre des cobayes dans ma Quinta do Alfeite et installer l'Institut dans le couvent Santa Ana. » Comme ces messieurs de la bureaucratie ne trouvaient plus rien à dire, puisque tout leur était servi sur un plateau, ils furent contraints de s'exécuter dans les meilleurs délais. C'est ainsi que naquit l'Institut bactériologique, qui fournit maintenant au pays les sérums antirabiques et antidiphtériques dont il a besoin... De tout cela, nul ne pipait mot dans la presse, alors que la moindre piécette donnée par ma belle-mère suscitait un torrent de commentaires admiratifs. Toujours pire que la critique populaire, la *cambada*[1] des hautes sphères répandait ses moqueries contre moi : on me jugeait « trop simple » parce que je distribuais moi-même des secours aux indigents, ou « trop grande pour une femme » alors que ma particularité physique était étrangère à ma fonction politique et à mes entreprises charitables. Peu importent ces méchancetés. On me voit tellement dans les hôpitaux qu'une aimable légende assure que j'ai passé mes examens de médecine et que je soigne moi-même les poitrinaires. Si cela pouvait être vrai ! Je n'ai que la force et le courage de sentir que je peux mériter la confiance et l'estime de ceux que je respecte tant. Je n'ai pas d'autre mérite sinon ma bonne volonté et mon ardent désir de pouvoir faire le bien pour ce pays auquel je suis toute dévouée, cœur et âme.

Quem dê aos pobres empresta a Deus...[2].

En 1892, nous nous sommes installés aux Necessidades, non par choix délibéré mais parce que c'est en ce palais que résident traditionnellement les rois de Portugal. Oh ! ce n'est pas sans un serrement de cœur que j'ai quitté Belém, qui

1. La coterie, la bande.
2. Qui donne aux pauvres prête à Dieu.

évoque les joies secrètes des premiers mois de mon mariage et, jusqu'à présent, les plus belles années de mon existence portugaise.

Ce temps-là n'est plus. La jeune duchesse émerveillée par sa nouvelle vie était déjà devenue, six ans plus tard, une reine toujours jeune par l'âge, mais rendue plus adulte, plus avertie et plus réservée que la plupart des femmes de vingt-sept ans en raison des soucis familiaux, des déceptions intimes qui commençaient de poindre, et des charges écrasantes qui pesaient sur elle. En s'installant aux Necessidades, la reine disait pour toujours adieu à la duchesse de Bragance, et plus encore à la jeune princesse aimant à croire, malgré tout ce qu'elle a vu et entendu, que les palais sont le cadre des contes.

Cependant j'étais encore trop jeune pour la nostalgie, et surtout pour l'amertume. J'apprécie le dessin italien du palais[1], la façade à un étage, qui ne s'impose pas alentour, et un grand beau bâtiment tout simple s'il n'y avait de magnifiques jardins, riches de plantes exotiques, de fontaines et de cascades fraîches. J'aime – j'aimais – me promener dans le calme de la *tapada* et me retirer dans l'atelier que Carlos a eu la gentillesse de me faire aménager, pour dessiner et peindre, pour lire et parfois laisser courir mon esprit vers quelque rêve, ou rattraper deux ou trois illusions qui me sont chères – la bonté de l'homme, même de l'homme de cour, et la fin heureuse des histoires, même des histoires d'amour.

Mais bien vite il me fallait retourner au palais, à ses salons et à ses salles, assurément nobles

1. Construit par l'architecte italien Giovanni Servandoni.

et belles, mais refroidies par l'humidité – et par la glace de l'étiquette. Carlos décida de procéder à d'importants travaux et à de nouvelles décorations, avec mon aide. Nous fîmes construire une nouvelle galerie qui ouvre sur les pièces de réception, et la nouvelle salle des banquets vient d'être achevée, grâce à la célérité de l'excellent Francisco Villaça[1]. Mais il y a tant à faire, et si peu d'argent ! J'ai pour ma part arrangé ma chambre et mon bureau d'une manière qui me convient et, quand les réceptions sont particulièrement ennuyeuses, je laisser parfois mon regard se poser subrepticement sur une peinture de Fonseca ou sur les magnifiques Cinatti du salon Renaissance.

Grâce aux jardins, à mon atelier, aux amies qui me rejoignent dans la *tapada*, je n'ai pas eu trop l'impression d'être enfermée dans les Necessidades. Hormis les heures que je passais avec mes enfants, les meilleurs moments des jours ordinaires se situaient toujours de bon matin, lorsque je quittais le palais pour aller en ville. J'aime le mouvement des rues et les fortes voix des *varinas*[2] qui s'en vont, allègres, jambes nues, fines de taille et si souvent jolies de visage, proposer leur marchandise au chaland. *Carapau fresco ! Sardinha a saltar viva !* Beaucoup me reconnaissent et me saluent, certaines me montrent mon portrait encerclé dans une broche qui tient croisé sur leur poitrine un fichu aux couleurs vives.

Mais il y eut aussi des départs angoissés et de dures matinées, passées à réconforter des blessés et des mourants et à assister, avec un ter-

---

1. Le plus grand architecte portugais de l'époque.
2. Marchandes de poisson.

rible sentiment d'impuissance, à ce qu'il y a de plus insupportable au monde – la souffrance d'un enfant. Quand la vérole noire s'abattit sur la ville, frappant le peuple et s'acharnant sur les pauvres travailleurs du port, j'ai multiplié les visites au domicile des malades et dans les hôpitaux. Un jour comme tant d'autres, comme je passais de lit en lit, prodiguant des paroles d'encouragement, un mourant retira sa main de sous la couverture et me la tendit en disant : « Prenez-moi la main pour m'aider à passer. » J'ai pris la main brûlante et je l'ai gardée – une heure durant m'a-t-on dit –, parlant à voix douce puis faisant silence pour prier tandis que je sentais venir la froideur des derniers instants. L'homme eut une ultime crispation, à laquelle je répondis en serrant sa main devenue glacée, comme si j'avais le pouvoir de la réchauffer et de le retenir sur le chemin de la mort. Mais il était déjà parti dans l'autre monde, hors de la peine et de la souffrance, avec la douce paix du Seigneur sur son visage apaisé.

Hélas ! Je ne pus tenir la main de mon père à l'heure de sa mort, si douloureusement prévisible.

C'est à la fin du mois d'août 1894 que je partis en toute hâte pour Stowe House. En juillet, maman m'avait prévenue que l'état de santé de papa, qui me préoccupait depuis longtemps, ne cessait de se détériorer. Puis une dépêche du docteur Récamier[1] m'avait quelque peu rassurée. Ce ne fut hélas qu'un court répit. Le 17 août, je reçus du docteur un télégramme me conseillant de partir au plus tôt pour l'Angleterre. Les préparatifs

_____
1. Médecin personnel du comte de Paris.

se firent dans une affreuse tristesse, à laquelle Maria Pia ajouta une pointe d'exaspération en contestant pour des motifs futiles ma décision de laisser les enfants à Pena. Après une terrible journée passée dans la confusion des malles à faire et des ordres à donner, je fis mes adieux à mes petits, le cœur meurtri par cette séparation, et pris le train à la gare de Sintra le 22 août en compagnie de Mariquita et de Sabugosa. Le vendredi 24, j'étais à San Sebastián où l'on m'apporta une lettre de tante Christa qui me fut douce au cœur. Le passage de la frontière franco-espagnole fut pour moi une nouvelle et très forte émotion. Je n'étais pas retournée en France depuis huit ans ! Entre Bayonne et Paris, je pus revoir des paysages qui m'étaient chers et égrener mille souvenirs assombris par la pensée de mon père souffrant. À mon arrivée à la gare du Nord, à 8 heures du soir, je trouvai tantes Joinville et Chartres, Antoine, Yolande, les Lasteyrie, les d'Haussonville et toute la colonie portugaise. Cet accueil apaisa mon angoisse et ma peine – le temps que je prenne le train pour Calais. De là, un bateau spécial me débarqua à Douvres, et un train me conduisit à Charing Cross où m'attendaient Philippe et Hélène. Il était 6 heures du matin, et la fatigue de ce long voyage ajoutait à mon infinie tristesse. À 8 heures et demie, j'étais à Buckingham, où je retrouvais maman et oncle Chartres.

Enfin j'arrivai à Stowe House, sur laquelle flottait le drapeau français. Toute la famille était réunie au château. Nous savions que papa vivait ses derniers jours. Pourtant, en père toujours très affectueux, il tint à me recevoir sans attendre et je courus le rejoindre dans la chambre où il se reposait. D'un air aussi enjoué que possible, je me précipitai pour l'embrasser, alors qu'il faisait mine de s'arracher du lit. Pauvre cher papa. Le tendre regard qu'il portait son moi était empreint d'une lassitude infinie et le léger sourire qu'il parvenait à faire flotter sur ses lèvres ne pouvait m'empêcher de voir que son visage épuisé portait le masque de la mort. Nous causâmes cependant, comme si de rien n'était, jusqu'à ce que son médecin vienne lui prodiguer quelques soins.

Je sortis de la pièce en hâte et me précipitai dans ma chambre pour y fondre en larmes. Quand sonna l'heure du déjeuner, papa vint à table dans sa chaise roulante et ce fut à nouveau une terrible impression, qui me fut confirmée le lendemain de mon arrivée par une conversation avec le docteur Récamier.

Commença la sinistre attente. Nous formions autour du chef de notre Maison comme une garde immobile et muette, prête à l'accompagner sur le dernier chemin et jusqu'à l'ultime rivage de son existence terrestre. Papa le savait, et nous en était sans doute secrètement reconnaissant, mais il continuait de suivre les usages familiaux comme si nous étions tous rassemblés pour quelque fête intime, ou à la veille de partir pour une grande chasse. Tous les matins, nous nous réunissions dans la salle à manger. Il y pénétrait à l'heure habituelle après avoir lentement traversé plusieurs salons, s'efforçant de chasser de son visage rasé de frais les souffrances de la nuit. Puis il s'asseyait à la grande table et présidait à notre breakfast en buvant quelques gorgées de lait. Il retournait ensuite s'allonger, et nous attendions tout au long du jour que maman appelle l'un ou l'autre pour lui tenir compagnie lorsqu'il en manifestait le désir. Je pus causer avec papa le dimanche 26, et je fus bouleversée de le voir si bon et si tendre avec moi. Le 29, un mercredi, il lui fut presque impossible de s'alimenter. Il se confessa au père Cafferata et reçut le viatique. Ensuite…

Je n'ai pas la force d'écrire ce que fut l'agonie. Chaque jour, à Stowe House, je jetai quelques mots ou quelques phrases sur mon carnet, que j'ai relus aujourd'hui :

Jeudi 30 août 1894
État s'aggrave. Faiblesse augmente.

Vendredi 31 août 1894
Vu Récamier le matin. Parlé d'extrême-onction. Quoique péril se rapproche ne trouve pas un danger imminent. Affreuse angoisse. 3 heures, mon père administré sur sa demande. Parlé à tous disant que c'était une consolation pour lui de se voir entouré de tous.

Samedi 1er septembre 1894
Même état. Arrivée tante Chartres et Puss. Soir oncles Nemours, Aumale et Gaston. Été chez papa par le souterrain et chambre où se tiennent Récamier, Adrien et Armand.

Dimanche 2 septembre 1894
Même état si faible. Toujours présence esprit admirable. Détresse atroce. Nous relayons chez papa. Marie Waldemar arrivée pour déj. pas vue depuis son mariage. Honoré de Luynes ici.

Divisé la nuit auprès de papa. Hélène de 22 h 1/2 à 24 h 1/2. Moi reprenant jusqu'à 2 h 1/2 Philippe jusqu'à 4 1/2 après l'oncle Chartres. Maman venant constamment et dormant habillée.

Lundi 3 septembre 1894

Attente sans espoir. Affreuse lutte. Midi arrivée oncle et tante Joinville, oncle Pierre. Papa, ce matin, m'a demandé si je partais aujourd'hui comme j'en avais l'intention. Ai dit non à cause de l'arrivée de cousins. Papa alors répondit inutile prendre périphrases, que je restais pour être avec lui jusqu'à la fin, qu'il m'en remerciait, qu'il m'avait dit la vérité et que je la lui devais aussi, devant Hélène et Philippe. Après seul avec Hélène et moi demandé d'être toujours unies.

Mardi 4 septembre 1894

Arrivée oncle Alençon et Emmanuel. Antoine arrivé.

Mercredi 5 septembre 1894

Toujours pareil. Seuls abandon et résignation à la volonté de Dieu peuvent aider. Admirable exemple donné par mon père. Sérénité, foi admirable. Lu le Credo. Mgr d'Hulst lui dit tous les jours les litanies de la Sainte Vierge. Duc d'Aoste venu me voir, reçu aussi Philippe et oncle Chartres. À 9 heures arrivée de Bonne Maman, Eulalie, Mme Velasco et Lerdo. B.M. venant droit de Zurich.

Jeudi 6 septembre 1894

Passé journée chez papa. Angoisse de plus en plus grande. Pouls très bas.

Vendredi 7 septembre 1894

Descendue chez papa. Il nous a embrassés. Médecin n'espérait pas si longue résistance, agonie prolongée depuis 48 heures – se plaint. Gémissements continuels aussi la nuit. Si terrible à entendre. Nuit moi restée presque tout le temps avec sa main dans la mienne.

Dimanche 8 septembre 1894

4 heures et demie décidé réveiller la maison. Tous récité les prières des agonisants, litanies de la Sainte Vierge. Papa si calme. Maman dit « Nous sommes tous là, mon ami, adieu. » Papa entendu. Tous autour de son lit. Moments si affreux. Dieu ait pitié de nous. Dieu l'a rappelé à Lui. Descendue dans sa chambre après. Si beau, si calme dans son lit. Drapeau français (du *Victoria*) couvrant son lit. Relayés toute la journée.

Les obsèques eurent lieu le 12, dans une très grande simplicité, en présence de toute la famille et de plus de mille Français.

Cet indicible chagrin a laissé en moi une blessure si vive et si profonde que je sais qu'elle ne se refermera jamais. Il fallait que la volonté de Dieu soit faite, mais je ressens chaque jour l'absence d'un père auquel je vouais sans le dire un véritable culte, et qui avait été pour moi, tout au long de ma jeunesse et lorsque l'âge des responsabilités fut venu, un soutien, une consolation, un guide incomparables. L'exil l'avait tué et il était parti sans revoir sa patrie avec, au fond du cœur, l'angoisse de ne plus pouvoir en discerner les lignes d'horizon.

6

La montée des périls

Sonna l'heure du nouveau siècle.

Mil neuf cent ! Il sembla qu'on échangeait des défroques usées jusqu'au jour contre un vêtement neuf, à l'aube des nouvelles aventures qu'il faudrait courir à travers le temps. La naissance du siècle était propice aux vastes réflexions. Autour de moi, on disputait ferme au cours des promenades dans la *tapada,* et chaque « parti » sollicitait mon approbation. Les uns regrettaient déjà le siècle passé et l'embellissaient des plus belles couleurs, sur la palette des nostalgies. D'autres célébraient les mille et une prouesses de la science, des inventeurs, des ingénieurs. Ils me parlaient du métropolitain, des machines volantes, des automobiles et surtout, surtout de « ces admirables lampes électriques répandues sur la surface du globe » qu'évoquait Villiers de L'Isle-Adam dans *L'Ève future.* L'électricité ! La fée électricité ! Les villes-lumière ! Tel était le symbole du progrès. Et le camp des optimistes me disait que l'âge moderne serait celui de la paix entre les nations. Certes, l'homme n'avait pas renoncé au mal, mais la puissance de destruction des armes était telle que les peuples reculeraient d'effroi devant l'horreur absolue de la guerre.

J'aimais ce bel enthousiasme, cette confiance en l'avenir, et j'aurais volontiers pris le parti des progressistes si je n'avais gardé, au milieu de ce tourbillon d'inventions nouvelles et de superbes prédictions, une vive conscience des crises de l'époque et du malheur toujours possible. Au propre et au figuré, je ne dormais que d'un œil. Depuis que les flammes avaient embrasé le berceau de mon petit Louis, je ne pouvais oublier que la mort guettait, comme un horrible monstre caché dans un somptueux jardin. Depuis que j'étais reine, je savais que la gloire se payait au prix fort, et que le cortège des honneurs pouvait conduire tout souverain, si humble soit-il et même le plus puissant, vers l'épreuve sanglante dont il ne sortirait pas vivant.

Contre l'avis de ceux qui croyaient vivre un immense tournant, sur la foi d'une date bien ronde comme on aime à en trouver dans les livres d'histoire, je voyais le XXᵉ siècle se développer sans résoudre les anciennes crises, et sans promettre qu'il n'y en aurait pas de nouvelles – malgré ou à cause de la puissance de ses prodigieuses inventions scientifiques. Hélas ! Je constatais la destruction rapide des croyances religieuses et la ruine des fidélités politiques, qui conduisaient à l'individualisme, à l'égoïsme, à la jouissance avide des biens de ce monde. À la cour comme à la ville, à Paris comme à Lisbonne, tel était le penchant. Comme Gustave Le Bon[1], j'estimais et je

1. Sociologue, auteur d'ouvrages très prisés à la fin du siècle dernier.

pense toujours que « l'âge moderne représente une période de transition et d'anarchie ».

Sans pour autant ignorer les misères de l'âme, et surtout la misère de l'âme privée de Dieu, mon expérience de reine acharnée à soigner les corps m'amenait à des réflexions qui dépassaient la querelle rituelle entre les optimistes et les pessimistes, entre les traditionalistes et les progressistes. Je voyais chaque matin dans nos hôpitaux des êtres souffrants, et j'étais la première à exiger qu'on utilise les nouvelles médications, qu'on applique les théories nouvelles, même les plus audacieuses. Contre la rage, j'ai défendu le vaccin de Pasteur et il a fallu que je me batte contre d'illustres médecins dont je peux dire aujourd'hui qu'ils me débitaient sur un ton sentencieux de pures et simples sornettes. J'ai dû affronter les mêmes, et d'autres qui leur ressemblaient, pour qu'on adopte dans les établissements portugais les techniques modernes de lutte contre la tuberculose. Et je n'ai cessé, jour après jour, de mendier de l'argent pour l'institut de recherche médicale que j'ai fait construire et dont des personnes charitables assurent le fonctionnement. Mais je vois aussi qu'en une soirée de fête, certains dépensent l'équivalent de ce que les dames de l'ordre de Sainte-Isabelle recueillent en un mois. Et je suis obligée, à la cour, d'être polie avec ces jouisseurs, de sourire à ces dispendieux, d'honorer de ma présence, comme on dit, ces fêtes que je réprouve tout au fond de mon cœur.

Passant presque chaque jour des palais aux faubourgs, je suis en mesure de constater la profondeur du fossé qui sépare les puissants et le menu peuple. Il ne s'agit pas seulement d'argent, mais d'une méconnaissance mutuelle. À l'exception des personnes charitables qui se dévouent dans les quartiers misérables, les hôpitaux et les orphelinats, la haute société ignore absolument le peuple. Et le peuple, qui se sait oublié et se sent humilié, en vient à détester tous les membres des classes supérieures. Je le sais, car j'entends les sifflets et les insultes quand j'emprunte une voiture appartenant à quelque grandesse. Et je vois bien que, même si on quadruplait les ressources, toutes les œuvres charitables du pays ne pourraient venir à bout de la détresse dans laquelle le peuple paraît irrémédiablement plongé. Pour donner aux Portugais un minimum de bien-être, il faudrait que le gouvernement agisse, donc fasse de nouveaux choix afin que la guerre soit déclarée à la misère. Mais les gouvernements qui se succèdent ont horreur de décider – surtout lorsqu'ils ont l'impression de dépenser à fonds perdus. Je redoute qu'à force de ne pas dépenser pour le peuple, la haute société ne paie très cher cette mauvaise économie, le jour où les gens simples viendront lui demander des comptes.

Et pourtant, que mon pays est beau ! Portugaise d'adoption, mais Portugaise par amour, je suis peut-être plus capable de l'apprécier que ceux qui, nés sur la terre portugaise, trouvent tout naturel qu'elle recèle tant de beautés. On dit que les villes sont construites sur le ciel : en Portugal, c'est un ciel d'Orient qui donne son unité à l'ensemble du pays et à chacune de ses huit provinces leur relief particulier. J'aime la luxuriance de la Haute et de la Basse-Beira, leurs lacs et leurs fleuves – le Païva et la Vouga, mais surtout le Mondego que Camõens nomme la rivière des Muses, dans laquelle se reflètent les orangers et les chênes-lièges. J'aime les vallons et les jardins de roses de l'Estrémadure, qui garde tant de mes souvenirs heureux, et les tristesses de mon âme s'accordent à l'austérité des plateaux de l'Alentejo, là où veillent des bergers silencieux contemplant par-delà leurs troupeaux la ligne de l'horizon. Espèrent-ils quelque chose ? Ou bien sont-ils à jamais perdus dans leurs rêves ? Mais j'aime aussi songer à l'Afrique lorsque je me rends en Algarve, vieille terre mauresque riche de ses vignes écrasées de soleil qui nous donnent un vin chaleureux. J'ai de mauvais souvenirs de Porto, dont je ne méconnais pas la grandeur, mais qui évoque toujours pour moi l'agitation et le complot contre la couronne. J'ai déjà exprimé mon amour de Lisbonne. Sa légende dorée dit que la ville fut fondée par Ulysse, qui voulait s'y établir pour filer le parfait amour avec Calypso – fille du roi Gargaris. Ulysse affronta le roi, son beau-père en quelque sorte, et la ville fut fondée. Quand Ulysse repartit, Calypso voulut périr avec les deux enfants que le roi d'Ithaque lui avait donnés. Mais les dieux compatissants changèrent la mère éplorée et ses enfants en trois rochers qui depuis lors défendent Lisbonne.

Des esprits légers trouvent un grand charme à cette légende. J'y vois au contraire une histoire de mort. La ville est fondée sur le sang du roi Gargaris, et c'est le sacrifice de la princesse et de ses enfants qui protège la ville. Une princesse n'échappe pas à son destin, qui est de côtoyer à tout instant la violence, et de mettre sa vie en jeu pour que le monde soit préservé. Mon Dieu, comme je souhaite à mon pays une existence sans sacrifice ! Et comme je donnerais volontiers ma vie pour sauver le peuple qui m'a été confié.

Le début du siècle fut aussi celui de la déception intime et le commencement de la solitude affective. Sans doute le savais-je avant le tournant du siècle. Mais je refusais de m'avouer la vérité dont on faisait dans mon dos des gorges chaudes. On me croyait dupe. On oubliait que l'épouse est la première informée de l'éloignement de son mari, dès lors qu'elle l'aime, ou si elle se contente d'être attentive parce qu'elle redoute pour elle-même les humiliations dues aux infidélités publiques. Je l'ai dit, et je veux encore l'écrire avant d'accompagner le cercueil du roi de Portugal et celui de notre enfant, la chair de notre chair : j'aimais dom Carlos, j'ai continué de l'aimer d'une certaine manière, et je l'aime à nouveau complètement et désespérément depuis que la mort a donné un tout autre sens à sa vie.

J'aimais dom Carlos, bien que ses hâbleries me parussent souvent insupportables, et j'ai souffert de le voir s'éloigner de moi, rompre peu à peu notre intimité. Au fil du temps, les gestes de la tendresse et de l'amour furent remplacés par des paroles affectueuses et des excuses banales. La fatigue, disait-il, les charges écrasantes de l'État... Nous n'avions plus besoin de ruser avec le protocole, d'arracher aux ministres et aux conseillers la permission d'une escapade. En privé comme en public, dom Carlos manifestait à mon endroit une affectueuse bienveillance, une courtoisie qui résumait minutieusement toutes les marques du respect dû à la reine de Portugal et à la mère de ses enfants. Mais ces signes extérieurs étaient d'autant plus cruels qu'ils s'adressaient à la reine, alors que c'était la femme que dom Carlos délaissait, qu'il livrait à la solitude et qu'il bafouait.

Nous fîmes chambre à part, puis ce fut « palais à part ». Cela faisait de tristes anniversaires – celui de notre anniversaire de mariage, que je notais toujours amèrement dans mon *diary*, celui des fêtes des enfants car leur père inventait n'importe quel prétexte pour courir de nouvelles aventures, y compris ces jours-là.

Humiliée, je le fus jusqu'aux derniers jours de toutes les manières, par toutes les formes que peut prendre l'infidélité d'un mari. Dans les romans et au théâtre, il suffit que le mari ait une maîtresse pour que cela fasse, comme on dit, « toute une histoire ». Carlos additionnait les aventures, les liaisons, les débauches, avec une gourmandise insatiable. Lorsqu'il était à la chasse, il prenait les petites paysannes d'Estrémadure et de l'Alentejo comme on cueille des fleurs. En voyage officiel, la dernière des soubrettes était exposée à ses assauts – et certaines les devançaient car le roi savait se montrer généreux.

Hélas, ces coups de sang ne suffisaient pas à mon mari. Comme Édouard d'Angleterre, dom Carlos courtisait les actrices. Édouard avait une liaison avec Jane Granier, Carlos séduisit Réjane et déploya pour elle toutes les munificences dont le roi de Portugal était capable : à Paris, tout le monde savait que les quatre mules blanches qui tiraient le coupé de l'actrice venaient des haras portugais. À Paris encore, les princes russes et leurs compagnons de débauche célébraient les exploits de mon mari au Chabanais[1], établissement

1. Célèbre maison close de l'époque, fréquentée par les grands noms de l'aristocratie européenne, par des princes et des chefs d'État.

que fréquentait également Édouard lorsqu'il venait à Paris. Notre ambassadeur à Londres, Luis de Soveral, qu'on appelait le Singe bleu, était le confident des deux rois pour des affaires qui ne concernaient pas la diplomatie.

Quand j'appris cela, je décidai de me refuser désormais à lui. Par dégoût intime et par peur de la maladie : la syphilis n'épargnait pas les grands de ce monde. Et comme ces excès ne suffisaient pas, Carlos eut le front d'installer à Lisbonne même une Américaine qu'il avait rencontrée à Paris et dont il eut une fille. Ce fut pour moi le comble de l'humiliation : cette femme, dans la même ville que moi, à qui il rendait visite sans même se cacher ! Et cette enfant, alors que ma propre fille était morte en naissant ! Carlos ne respectait rien. Ni son épouse, ni son peuple, ni la mort. Le roi de Portugal se comportait tantôt comme un prince déchu, tantôt comme un bourgeois saisi sur le tard par les tourments de la chair. Mais finalement, il se comportait selon sa nature et sa situation : un petit roi dont les dépenses étaient chichement comptées par le ministre des Finances, et qui voulait pourtant imiter le très riche et très puissant Windsor. Je me rendis compte de cette désastreuse attitude lorsque Édouard vint nous rendre visite en 1903. Son yacht avait accosté devant la place du Cheval-Noir et le roi d'Angleterre avait reçu Carlos à son bord : Édouard avait revêtu un uniforme portugais de colonel de cavalerie qui lui seyait à ravir alors que mon royal époux, dans sa tenue de général, faisait terriblement cousin de province – cousin pauvre de surcroît, malgré les canots et les carrosses dorés dans lesquels nous eûmes l'avantage de promener notre hôte.

Ne pouvant rivaliser par la puissance, ni par la fortune, ni par l'élégance, Carlos tentait de gagner une supériorité par la conquête des femmes, par ses qualités de chasseur (je pense au gibier à poil et à plume) et par un courage personnel qui le fit un jour affronter dans l'arène un taureau aux cornes acérées. Ce n'était pas pour la pure gloire, ni pour me plaire mais, comme un épistolier anonyme s'était empressé de me le faire savoir, pour séduire je ne sais quelle dame de la cour.

Car je savais tout. Il y avait les billets qu'on glissait sous mon oreiller, et les lettres anonymes qui me donnaient les noms, parfois les adresses, des conquêtes du roi : au début, elles m'indignaient, me révoltaient, et je faisais de longues marches solitaires pour épuiser ma fureur. Puis je me suis habituée, dans le dégoût. Il y avait les « chères amies », indignées, qui venaient toutes affaires cessantes me mettre en garde contre telle ou telle dame de la cour qui se laissait serrer d'un peu près. Celles-là éprouvaient trois plaisirs à la fois : celui de la confidence graveleuse, celui de me faire souffrir, celui d'agir en toute impunité car la reine ne pouvait rien dire. Il y avait les fausses gaffeuses, qui affectaient de croire que j'étais au courant de quelque escapade du roi et, faisant mine de s'apercevoir que je ne connaissais que la vérité officielle sur son absence, prenaient des airs navrés. Certaines, qui eussent pu être comédiennes, parvenaient même à rougir de confusion. La cour est un théâtre, où je jouais un des rôles principaux en compagnie de Carlos et de sa mère. Mais la vie à la cour de Portugal tournait parfois à la farce, et j'étais bien forcée de faire le dindon, ou plus exactement la dinde aveugle ou complaisante.

Je garde vivace le souvenir des cérémonies officielles qui se déroulaient chaque année pour le Jour de l'an au palais de Ajuda, dans la salle du trône, après la messe. Les courtisans zélés se pressaient dans les salons pour accomplir le rituel du *beijo as mãos* – baise-main – en signe d'allégeance. Ce défilé d'uniformes chamarrés et de toilettes scintillantes se renouvelait le 28 septembre afin que chacun pût offrir à Carlos et à moi les vœux traditionnels en cette journée d'anniversaires communs.

Je finissais par avoir en sainte horreur ce cérémonial de cour quand, hiératique dans mon manteau d'apparat de Blanche et le front ceint d'un diadème, je subissais l'hommage éreintant de ceux qui nous baisaient la main qu'ils rêvaient de mordre ou de couper. Que d'hypocrisie sous ces nuques courbées et ces révérences protocolaires ! Il fallait sourire pourtant, prodiguer des amabilités à chacun et taire les douleurs intérieures que provoquaient inévitablement en moi le flot de ragots, de vilenies et de médisances si promptement colportés. J'ai cherché à faire miennes les paroles si justes de Mme de Sévigné : « Il serait vain que je cherche réparation de ce tort, car on envenime une calomnie pour peu qu'on cherche à la nier. Le monde est plus prompt à croire le mensonge que la vérité dès lors qu'il s'agit de salir quelqu'un, tout simplement parce que le vice fait un meilleur sujet de conversation que la vertu. Il est plus riche en péripéties et rebondissements. Les gens vertueux n'ont pas d'histoire, ils n'ont justement que de la vertu. »

D'ailleurs, Carlos ne s'en sortait pas mieux que moi. Devant lui, des têtes inclinées, des genoux en terre et de profondes révérences qui permettaient aux mieux faites de ces dames de placer sous le regard de Sa Majesté la splendeur de leurs attraits. Mais, sitôt qu'il avait le dos tourné, on raillait la grossièreté de ses débauches et la joie vaniteuse qu'il retirait de liaisons avec des demimondaines d'ordinaire vouées à la satisfaction des bourgeois parvenus. À Paris, c'était pire. Les journaux de commérages se gaussaient ouvertement de lui, et publiaient que les soupeurs de chez Maxim's appelaient le roi de Portugal « Sa Lotion[1] ». Une caricature du *Rire* montrait même dom Carlos se rendant chez le roi d'Angleterre avec cette légende : « Sa Lotion cherche une caution. » Quelle pitié !

Le comble, c'est que j'étais obligée d'accepter les invitations des représentants les plus dispendieux et les plus frivoles de la société parisienne, de patauger dans leur luxe insolent et d'assister à leurs fêtes – qui n'étaient rien d'autre qu'une manière somptueuse de glorifier l'hypocrisie, la vaine dépense, l'adultère et la luxure. Les plus grandioses de ces fêtes se déroulaient à Paris. Carlos s'y ruait avec une gourmandise indécente – qui ne pouvait qu'accentuer son embonpoint –, laissant dans son sillage les fumées âcres de ses énormes *charutos*[2]. Il fallait que parfois je l'accompagne dans ce que le protocole appelait des « visites privées ». L'une d'elles fut consacrée à l'inauguration du château du Marais que Boni de Castellane avait fait restaurer. La pierre de ce

_____

1. Par référence à l'eau de Portugal, alors très réputée pour ses pouvoirs capillaires.
2. Cigares.

magnifique bâtiment Louis XVI avait été nettoyée et soigneusement poncée afin de faire apparaître la finesse de la sculpture. L'intérieur était dans les tons bleu-gris et la livrée des domestiques, dessinée par Boni lui-même, s'harmonisait parfaitement avec la discrétion du décor : veste blanche à brandebourgs, culotte chamois, bas bleu Nattier. La salle de bains royale, toute de bronze doré et de marbre rouge, était inspirée des bassins du Grand Trianon. Avant de nous inviter à admirer ces merveilles, Boni nous avait conviés à une chasse où nous retrouvâmes Mme Eugène Schneider[1], les Luynes, les Noailles ; l'éminent Alfred Capus représentait le monde des idées et Béraud, dont j'admire le délicat talent, la peinture. Quant au tableau de Carlos, il fut comme toujours impressionnant, car ses excès charnels et sa corpulence n'avaient pas diminué la précision de son coup de fusil. Je dois dire que j'étais en mesure, sur ce plan, de rivaliser avec lui et je reçus ma part de compliments qui, pour une fois, n'étaient pas de pure forme. Puis nous revînmes au Marais, nous en compagnie de Boni dans un attelage à la d'Aumont, et les autres invités répartis dans des breaks. Après le thé, notre hôte nous régala d'une opérette de Flers et Caillavet, *Chonchette*. Le roi y prit grand plaisir, sans que je puisse savoir ce qu'il goûtait le plus – l'intrigue, la musique de Claude Terrasse, ou le frais minois de Chonchette. J'entendis pouffer et toussoter lorsque Carlos parut en costume de velours rouge vif pour le dîner, alors que les toilettes s'harmonisaient avec les demi-teintes du palais. Après le feu d'artifice, j'eus à cœur d'établir

---

1. Femme du célèbre maître de forges.

un climat de paix méditative en demandant à Herminie[1] de nous dire ses plus beaux poèmes. Ceux qui évoquaient ses chères landes bretonnes nous entraînèrent loin du clinquant parisien, et je ne m'étonne pas d'avoir surpris quelques invités s'esquiver après le dixième poème, et Carlos s'endormir tout de bon, avant que tout le monde se retrouve autour d'un buffet froid.

Cher Boni ! Je n'ai pas oublié, non plus, qu'il conduisit dom Carlos jusqu'au palier de Réjane, un jour qu'elle recevait mon mari pour un déjeuner intime. On racontait qu'elle était vêtue ce jour-là d'une robe vert bouteille qui allait à merveille avec sa chevelure rousse et ne laissait rien ignorer des charmes de son décolleté.

Il y eut ainsi bien d'autres fêtes. À Boisbourdan chez les Greffulhe, qui avaient organisé une séance de cinématographe ; à Ferrières chez les Rothschild, à Chantilly chez oncle Chartres. Tout en réprouvant le luxe répandu à profusion, car le souvenir des pauvres portugais ne me quittait pas, j'avoue que je prenais parfois plaisir à ces divertissements, surtout aux chasses, ce dont je me confessais régulièrement sans jamais réussir à faire exactement le partage entre les devoirs de ma charge et les plaisirs qui, parfois, s'y rattachaient. Je dois avouer, par exemple, que je n'étais pas tout à fait insensible aux compliments qui venaient compenser les chagrins intimes que nul ne pouvait deviner. Ainsi, Ernest Daudet écrivait dans *Le Gaulois* à la date du 20 octobre 1898 :

« La reine Amélie a tenu toutes les promesses de sa radieuse adolescence. Au physique, elle est

---

1. La duchesse de Rohan.

la plus belle souveraine de l'Europe. Ses traits si purs, sa haute taille, son regard enjoué et si doux, à peine assombri par les peines et les deuils de sa famille et par ces soucis de l'existence qui n'épargnent personne, se sont embellis avec les années, de cette poésie et de ce charme qui, chez la femme et alors qu'elle est jeune encore, précèdent la maturité et l'épanouissement. Au moral, elle est digne de figurer parmi ce petit groupe d'impératrices et de reines qui, de nos jours, donnent au monde, sur le trône où elles sont montées, les plus nobles exemples. La jeune souveraine est une femme accomplie, que dis-je, elle est l'idéal même de la femme. »

Les apparences étaient sauves.

Sans cesse confrontée aux mensonges et aux turpitudes, dans l'ordinaire des jours comme dans les mondanités, je trouvais mon premier réconfort dans l'amitié.

J'avais la chance d'avoir conservé mes amies de jeunesse, auxquelles je pouvais tout dire en confiance. De Yolande, de Pauline, de Marguerite, je savais que je n'avais pas à redouter la moindre indiscrétion et je ne fus jamais déçue. Pour une reine, toujours menacée par la solitude, c'était là un immense avantage. Aussi quelle joie lorsque l'une d'entre elles venait me voir à la cour et que je parvenais à rencontrer telle autre à Paris, lors d'une réception mondaine ou en dérobant une heure ou deux à l'agenda des obligations.

La cour formait un milieu platement intéressé par les faveurs ou délibérément hostile. Il était donc particulièrement difficile de choisir ses amitiés. Mais je savais que je pouvais absolument compter sur Pepita[1]. Dès qu'elle m'a été présentée, en 1890, j'ai su intuitivement qu'elle serait une véritable amie. Très vite, elle est devenue la première, la plus aimante et la plus sûre. Nous nous voyons chaque jour ou presque. Son affection sincère me réchauffe le cœur, sa gaieté m'aide à surmonter mes soucis politiques et mes tourments très intimes. Elle adore mes deux enfants, et son intelligence des êtres et des situations m'a aidée à déjouer plusieurs pièges. Ai-je besoin de souligner que Pepita est enviée, jalousée, détestée par toutes les cohortes des intrigants, qui lui attribuent gracieusement des ambitions inavouables, des complots dont je serais la victime, et une infinité de vices cachés dont on dit posséder les preuves. Mais Pepita affronte en souriant tous les assauts de la médisance et toutes les insinuations de la calomnie. Parmi mes autres amies, toujours proches et remarquablement fidèles, je veux inscrire Marianna[2], Mariquita[3], Izabel[4]. Avec elles, dès que mes obligations me laissaient quelques loisirs, nous courrions les musées, nous faisions de longues promenades à cheval (j'avais mes préférés, surtout Never Mind et Flirt), ou dans un tiré à quatre[5] ou encore dans une Charron[6] qui tombait souvent en panne. Le théâtre est resté pour moi un bonheur, d'autant plus que de nombreuses troupes françaises viennent à Lisbonne et

1. Josepha de Vasconcelos, première dame d'honneur de la reine.
2. Sabugosa, voir plus haut.
3. Seisal.
4. De Galvéas.
5. Voiture tirée par quatre chevaux.
6. Véhicule à moteur.

que j'eus la joie d'y accueillir Sarah Bernhardt. Et puis il y avait le dessin, sous la houlette du talentueux Enrique Casanova, ou seule, dans quelque jardin ou à l'abri dans mon atelier. L'esprit se concentre sur le trait, se tend vers la pointe du crayon, et en même temps s'apaise tandis que le corps s'allège au point qu'il se fait oublier. Me voici hors du monde, chair et esprit, sentiments et pensées reportés vers la feuille où je tente de reproduire une infime partie de l'univers. Que de belles journées ai-je passées ainsi ! Toujours sur le conseil de Casanova, qui m'avait indiqué l'intérêt du dessin historique au regard de la richesse des palais et des châteaux portugais, je me mis à faire des voyages d'études afin de réunir par le dessin tout ce qui me paraissait remarquable. En peu de temps, je parvins à rassembler une série de tableaux sur les principales richesses architecturales du pays, avec pour ambition de dessiner l'ensemble des monuments portugais. En mai 1903, je me décidai même à publier un ouvrage intitulé *Le Palais de Sintra, dessins de S.M. la reine doña Amélia* – annotations historiques et archéologiques du comte de Sabugosa – collaboration artistique de E. Casanova et R. Lino. On voulut bien me complimenter. Sous les formules convenues, je crus parfois discerner que certains trouvaient à cet ouvrage un réel intérêt et quelque agrément.

Mais mon véritable réconfort vient de la religion. À l'aube du nouveau siècle, j'avais fait depuis bien des années mon examen de conscience. Les flammes qui avaient menacé mon petit Louis, puis la mort de ma petite Marie-Anne qui vécut juste le temps d'être baptisée, m'avaient montré que nous étions dans la main de Dieu, entièrement soumis à Sa volonté. Ces épreuves me furent salutaires et me permirent de renouer cœur et âme avec notre sainte religion.

Le peuple portugais avait accueilli une princesse qu'il croyait résolument catholique, parce que je venais d'un pays de tradition catholique. Il ne pouvait pas savoir qu'à cette époque j'accomplissais mes devoirs religieux comme tant d'autres obligations. Je croyais certes en Dieu, j'adhérais au dogme catholique tel qu'on me l'avait enseigné lorsque j'étais enfant, mais j'avais la foi des tièdes. Je manifestais envers l'Église le respect extérieur auquel elle avait droit, mais j'éprouvais à l'endroit des ecclésiastiques une méfiance aussi discrète que résolue. Certes, cette attitude ne pouvait être comparée à l'anticléricalisme des radicaux et de nombreux républicains, qui voulaient pour leur part détruire l'Église et faire disparaître la religion comme ils en font jour après jour la démonstration. Mais oncle Aumale, « tricolore » jusqu'au bout des ongles, pestait contre les prêtres et voyait dans l'Église une puissance qui n'avait cessé de menacer la liberté des monarques et de peser sur les décisions des puissants. Quant à papa, il avait éprouvé une vive amertume lorsque le Vatican avait ordonné à l'Église de France de se rallier à la République[1], ce que notre famille avait ressenti comme une véritable trahison. Je dois ajouter que la manière dont on pratiquait la religion dans notre famille (quand on la pratiquait, car elle comptait des indifférents et des agnostiques) n'était pas faite pour séduire la jeune fille exigeante que j'étais :

---

1. Le ralliement date de 1891.

à la distance polie s'opposaient des pratiques qui relevaient plus de la bigoterie que d'une foi effectivement comprise et vécue. Ainsi, Grand-Maman Montpensier profitait de chacune de ses visites au Vatican pour apporter une grande quantité de médailles pieuses, afin que le pape en bénisse certaines et que les autres soient au contact de sa robe blanche. Malgré les protestations de son mari, qui était ennemi de la superstition, elle présentait au Saint Père un sac rempli de médailles, de scapulaires, de chapelets et d'images en priant Léon XIII de bénir ces objets. « Gardez simplement le sac ouvert, répondait le pape en souriant, je bénirai le tout en même temps ! » Au retour, chaque objet ainsi sanctifié était distribué aux parents et aux amis...

À mon arrivée au Portugal, j'estimais bien suffisant de faire les gestes prescrits pour glorifier un dieu lointain. Et la distance intime que j'avais gardée ne pouvait être réduite par ma belle-mère qui, comme je l'ai déjà dit, observait le rite catholique de façon ostentatoire tout en se livrant sans retenue aux plaisirs de la chair. Peu à peu, je compris qu'il ne fallait pas confondre la bigoterie et la foi chrétienne, ni les manifestations plus ou moins hypocrites de la piété avec la pratique de la religion catholique. Ce ne sont pas les théologiens qui m'ont convaincue (encore que la lecture de Bossuet me fût d'un grand secours) mais, j'y insiste, la protection divine accordée à mon petit Louis et aussi la foi simple et intense du peuple portugais. C'est au cours des grandes processions populaires que je me suis sentie comme emportée par le souffle religieux, par l'élan catholique de la foule qui se pressait derrière moi, alors que je suivais avec toujours le même respect un peu distant le cortège des prêtres. Il n'y avait plus de bigoterie, de tartufferie et d'ostentation. Il n'y avait plus d'hypocrisie ni de ruse mais une croyance vraie, généreuse, toute remplie de joie. Voilà pourquoi j'aime me joindre aux processions : celle de la Fête-Dieu, celle du Cœur de Jésus, et surtout, au mois de décembre, la procession du Lansperenne qui termine la fête des Escravas[1] de Notre Seigneur. J'aime aussi aller aux Cirios[2] des quartiers populaires qui me permettent de me mêler à la foule pieuse qui suit la statue du saint, les prêtres, les jeunes filles tout de blanc vêtues, les robes blanches ou noires des pénitents, et les enfants qui portent des cierges, avec leurs ailes d'ange et leur couronne de fleurs. Quand ma voiture est arrêtée par une de ces processions populaires, je ne manque jamais d'en descendre et d'aller m'agenouiller parmi les femmes de Lisbonne, de Coimbra ou de Porto, lorsque passe la Croix du Christ et les Saintes Reliques.

C'est la foi du peuple portugais qui m'a permis de conserver et de fortifier ma foi toute neuve lorsque j'ai perdu ma petite Marie-Anne. En ces jours de détresse, j'aurais pu me dire que le Dieu qui m'avait laissé sauver mon premier enfant et qui permettait que je perde le second était un Dieu absent, ou du moins indifférent à la peine des hommes. Mais je voyais, je vois tous les jours, le petit peuple vivre dans l'immédiate proximité de la souffrance et de la mort, offrir ses tourments

---

1. Les plaies du Christ.
2. Procession paroissiale pour la commémoration d'un saint.

à Dieu, s'en remettre à la divine Providence, et puiser à la source chrétienne son courage et son espérance. Ce peuple ne peut se tromper : il faut remettre son âme à Dieu, accepter la souffrance comme la sanction terrestre de nos fautes, et croire que tout nous sera compté à l'heure du Jugement dernier : nos joies et nos peines, nos péchés et nos bienfaits.

Pour une reine, la religion n'est pas seulement une relation intime avec Dieu, mais aussi une question de politique. Or, de ce point de vue, j'eus la joie de constater que les relations entre le Portugal et le Saint-Siège s'amélioraient, et il me fut donné de contribuer discrètement à l'apaisement des tensions. Quelques années avant mon mariage, en 1881 précisément, le roi dom Luis avait accepté de mettre de l'eau bénite dans son vin anticlérical. Sous la bonne influence de ma belle-mère, le roi qui avait chassé les lazaristes et les petites sœurs françaises s'était finalement résolu à engager des pourparlers avec Léon XIII. Après de longues négociations, un concordat fut signé et les hommes de Dieu reprirent leur place dans la société : tous les ordres religieux furent à nouveau acceptés dans le royaume, et les expulsés rentrèrent au pays ; les collèges ecclésiastiques furent rouverts et les hôpitaux furent à nouveau dirigés par des sœurs de charité. Par ailleurs, l'autorité diocésaine retrouvait son rôle principal dans la désignation des prêtres. Je fus heureuse de constater que dom Carlos, en dépit de sa vie dissolue, respectait la politique religieuse de son père et ne cessait de manifester tous les signes extérieurs de la piété. Comme moi, il prenait part aux grandes processions, en qualité de souverain, et les ministres, les chefs de l'armée, les présidents du Sénat et de la Chambre des députés, ainsi que les hauts fonctionnaires, étaient tenus de participer au défilé.

Prix de cette reconnaissance, le Saint Père voulut m'honorer en me décernant la Rose d'or, distinction réservée aux souveraines catholiques. Elle me fut remise le 4 juillet 1892 par le nonce apostolique dans la chapelle du palais des Necessidades. J'avais revêtu pour l'occasion un manteau de cour rose et portais le fleuron de l'écrin royal – le diadème aux étoiles de diamants – pour retenir ma mantille. À la fin de la messe basse, agenouillée devant le nonce, je la reçus saintement tandis que retentissait l'hymne des Cloches.

Aux consolations de la religion s'ajoutaient les joies que me donnaient mes enfants, surtout mon petit Louis qui, comme dans les contes de fées, avait grandi en sagesse et en beauté. Je les voulais droits et forts. Je souhaitais que mes enfants soient aimés plus tard pour leur valeur personnelle, non pour leur naissance, et je tenais absolument à ce que le prince royal[1] soit préservé de toute espèce de flatterie.

Grâce à Mlle d'Apunte, sa première éducatrice, mon cher petit prince sut lire et écrire dès l'âge de cinq ans. Confié selon l'étiquette à un gouverneur, en l'occurrence le comte d'Asseka, Louis eut un nouveau précepteur, M. Kerautsch, un Autrichien très ferme et très instruit qui astreignit notre fils aîné à un programme sévère : dix heures de travail par jour, et des cours ou des conversations dans

----

1. Louis.

trois langues différentes – l'anglais avec Carlos, le français avec moi et l'allemand avec son précepteur. Louis excellait en mathématiques et en géographie, et c'était de surcroît un sportif accompli : il montait chaque matin et j'assistais aussi souvent que possible aux leçons ; comme son père, il était bon nageur et maniait finement l'épée. Plus tard, il donna toute satisfaction à ses instructeurs militaires, et j'aimais à le voir défiler dans son uniforme de lancier. Dans le privé comme à la cour, mon petit Louis était charmant. J'aurais voulu que son frère cadet lui ressemblât, mais Manuel était moins travailleur, et d'un tempérament artiste. Comme moi, Carlos adorait les enfants. J'eus le bonheur de les emmener sur mon yacht pendant l'hiver 1903 pour un long périple en Méditerranée. En compagnie de leur précepteur, nous avons visité les ruines de Carthage, Athènes, l'Égypte, Constantinople, la Terre sainte, Naples d'où ils se rendirent ensuite à Rome. Pour ne pas avoir à affronter une situation diplomatique délicate[1], je m'en fus les attendre à Palerme, au palais d'Orléans.

Hélas, les douceurs que me prodiguaient la pratique religieuse et les joies familiales étaient toujours troublées par les soucis diplomatiques, par les crises qui secouaient l'Europe, par les violences qui en étaient les inquiétants symptômes.

Démentant les prophéties optimistes, la première année du siècle fut marquée, pour les souverains européens, par l'assassinat du roi d'Italie. Pauvre Umberto ! Il avait échappé à deux tenta-

---

1. En raison de l'hostilité manifestée par le Vatican à l'égard du roi d'Italie.

tives d'assassinat, mais les anarchistes ne ratèrent pas la troisième. C'était en juillet. Le roi était dans sa résidence d'été de Monza et il avait assisté à la remise des prix, à l'issue d'un concours de gymnastique. Alors qu'il remontait dans sa voiture, un homme se précipita sur lui et tira trois coups de revolver. L'un frappa Umberto à l'épaule gauche, mais les deux autres lui transpercèrent le cœur. Pauvre roi, si menacé, et pourtant si peu et si mal protégé ! C'est à croire que les officiers qui se bousculent dans toutes les cours d'Europe pour accompagner les souverains dans le moindre de leurs déplacements sont incapables de faire face à l'imprévu, de sentir la menace, de prévenir le geste du meurtrier et de le maîtriser promptement. J'en ai fait la terrible expérience... Pauvre Marguerite[1] ! Pauvre Victor-Emmanuel[2] qui est désormais exposé à la bombe, au revolver ou au poignard des comploteurs de l'ombre...

Il y eut bien d'autres horreurs. À Moscou, en février 1905, le grand-duc Serge fut tué dans la rue par l'explosion d'une bombe. En Serbie, le roi Alexandre et la reine Draga furent sauvagement assassinés. En Espagne, lors du mariage d'Alphonse XIII avec Victoria-Eugénie de Battemberg en mai 1906, une bombe fut lancée sur le carrosse royal au retour de la bénédiction nuptiale qui avait été donnée en l'église San Jéronimo. Par miracle, les jeunes mariés échappèrent à la mort : gardant leur sang-froid au milieu des cris de terreur de la

1. Marguerite de Savoie, fille de Ferdinand duc de Gênes.
2. Victor-Emmanuel III, qui avait épousé Hélène, fille de Nicolas Ier, prince régnant du Monténégro, devint roi d'Italie le 11 août 1900.

foule et des hurlements des blessés, ils quittèrent dignement leur carrosse et purent rejoindre sans encombre le palais royal. Hélas, l'attentat fit vingt-huit morts – des valets de pied, des officiers et des soldats, des spectateurs – et une quarantaine de blessés. Arrêté quelques jours plus tard, l'auteur de ces crimes odieux se brûla la cervelle.

En février 1905, l'empereur d'Allemagne annonça sa visite pour le mois de mars, Lisbonne étant une escale sur la route de Tanger où Guillaume II était attendu à la fin du mois. Cette manière abrupte de s'inviter n'était pas sans nous causer quelque embarras, d'autant que nous recevions la reine Alex d'Angleterre.

Il ne faisait pas de doute que sous des apparences de retrouvailles familiales, le Kaiser cherchait à préserver les intérêts allemands au Maroc mais surtout à briser son isolement diplomatique, tel qu'il résultait de l'Entente cordiale franco-britannique (toute récente, puisqu'elle datait de 1904), de l'alliance franco-russe et de l'alliance franco-espagnole. Les défaites russes en Mandchourie avaient en quelque sorte neutralisé l'alliance russe. Les Allemands cherchaient manifestement à briser l'Entente cordiale afin d'entraîner la France dans une grande union continentale entre Français, Allemands et Russes qui aurait isolé l'Angleterre. Le Portugal n'était qu'un petit pion dans la partie d'échecs européenne, mais le Kaiser ne voulait pas le négliger car il était jaloux de la puissance britannique et de l'amitié traditionnelle entre l'Angleterre et le Portugal. L'escale lisboète s'inscrivait donc dans une période de tension croissante, dont le point culminant fut le fameux discours que Guillaume II prononça à Tanger le 31 mars[1].

Nous marchions donc sur des œufs. Mais la visite impériale se passa dans les meilleures conditions possibles, malgré la chaleur d'étuve dont nous étions accablés.

Le *Homburg* annonça son entrée sur le Tage le lundi 27 mars peu après midi. Je me revois lisant la dépêche annonçant la nouvelle, et je me souviens de la robe verte créée par Mme Blanche, ma couturière, toujours neuve, que je portais ce jour-là. J'étais à Belém avec Pepita, Mariquita et plusieurs dames de ma suite, et je me souviens d'une belle matinée ensoleillée, joyeuse malgré la légère inquiétude que j'éprouvais à l'idée de recevoir un aussi puissant monarque. À ce moment-là, ce n'était pas la partie diplomatique qui me préoccupait, mais les soucis d'une simple maîtresse de maison qui met son point d'honneur à ce que son hôte soit parfaitement bien accueilli. La seule différence entre mes préoccupations et celles d'une brave bourgeoise de Lisbonne ou de Paris tenait, si je puis dire, aux dimensions de l'affaire. Ma maison était un vaste palais et, malgré toutes les hiérarchies, j'avais en définitive la responsabilité d'une armée de serviteurs et des personnes de mon entourage. C'est donc le cœur battant et l'œil scrutateur que je me rendis en haut du grand escalier pour accueillir notre invité – qu'accompagnaient Carlos et les deux petits – et lui présenter une dizaine de personnes de ma suite. Kaiser

---

1. En encourageant le sultan du Maroc à repousser le semi-protectorat que la France lui proposait, l'empereur d'Allemagne provoquait ouvertement Paris.

Wilhelm était très grand – ce qui ne pouvait pas m'impressionner –, assurément fort aimable, mais il émanait de sa personne une sorte de dureté qui me donna, malgré la chaleur, un léger frisson. Cette violence contenue était peut-être due au climat de l'époque, à des difficultés en Allemagne ou à des dissensions familiales. À moins que ce ne fût la faim ! Le Kaiser, en tout cas, fit honneur au repas officiel qui réunissait nos maisons civiles et militaires respectives, nos ministres et conseillers d'État ainsi que les membres de la légation d'Allemagne. Tout se passa bien.

Le lendemain mardi, je fis découvrir à l'empereur les jardins et les plus beaux salons du palais puis nous partîmes après le déjeuner à la Société de géographie, où l'empereur prononça un aimable discours en français. De plus en plus détendu, il prit un plaisir manifeste à une promenade aux Avenidas puis à la soirée de gala où il me fit grand compliment : il est vrai que je n'étais pas sans allure avec ma belle robe Pompadour et mon diadème de diamants et de perles. *Cavalleria rusticana* ajouta à l'excellente ambiance et je fus vraiment satisfaite de cette deuxième journée qui se termina par de longues ovations. Une visite était organisée à Pena le mercredi, avec un déjeuner offert par la reine Maria Pia. Malgré la lourde chaleur d'étuve, le Kaiser était très en train et nous avons longuement causé, notamment au sujet de Pepita qu'il appréciait beaucoup – ce qui me fit plaisir. Il fut enthousiasmé par Pena et je le menai jusqu'à Bella Vista tandis qu'il multipliait les exclamations admiratives. J'étais heureuse de le voir ainsi, malgré un violent mal de tête qui me saisit en fin de journée. Heureusement, le Kaiser dînait à la légation d'Allemagne et ce fut pour moi une soirée de repos.

L'essentiel était fait. Le jeudi, la visite au conseil municipal de Lisbonne se déroula comme prévu. L'empereur y prononça un excellent discours en français, puis s'entretint longuement avec Soveral[1]. De mon côté, je l'accompagnai au brigantin, où il s'embarqua en compagnie de Carlos et des deux petits sous les vivats de la foule à nouveau rassemblée. En prenant congé, Guillaume voulut bien me dire combien il avait été enchanté de sa visite. Dans l'après-midi, Soveral vint me rapporter les paroles de l'empereur, qui lui avait dit sa bonne volonté, son désir d'harmonie entre les puissances et son espoir pour le futur. Je l'écoutai, éreintée, mais satisfaite de ce point d'orgue diplomatique. Hélas, à Tanger, le Kaiser devait tenir un tout autre langage, qui mit le monde en émoi.

En France, la politique de M. Delcassé, ministre d'un talent diplomatique remarqué, avait conduit ma première patrie à nouer avec l'Angleterre l'Entente cordiale, puis à se rapprocher de l'Italie et de l'Espagne. Édouard VII souhaita que cette alliance européenne soit élargie au royaume de Portugal et invita M. Loubet à profiter de son voyage en Espagne pour nous faire officiellement visite, avant qu'il ne regagne la France par la voie maritime. Informé de cette intention, Carlos me l'avait fait connaître, puis avait laissé passer le temps, par indécision plus que par prudence,

---

1. Ami d'Édouard VII, Luis de Soveral était l'ambassadeur de Portugal à Londres.

avant d'adresser au président français une invitation officielle.

Le président de la République française fut évidemment accueilli[1] avec tous les honneurs que l'on doit au représentant d'une grande puissance amie, mais le gouvernement portugais voulut que la chaleur et la munificence des cérémonies dépassent ce que le président français avait connu en Espagne... Ineffaçable rivalité entre les deux nations de la péninsule Ibérique !

À sa descente du train de Cascais, le président Loubet traversa notre capitale drapée aux couleurs françaises et portugaises, et entièrement fleurie. De la gare au château de Belém, dix mille hommes de troupe composaient une longue haie d'honneur pour le cortège de sept carrosses dorés qui emportaient le roi, le président, le prince royal et son frère ainsi que les hauts personnages de notre cour. Ces carrosses ne sont pas des véhicules ordinaires. Ce sont des pièces historiques qui sont habituellement exposées au musée que j'ai organisé à Belém dans l'ancien manège. Chaque carrosse a un nom : *Marie-de-Savoie* a servi pour le mariage de cette princesse ; *José-I*er a été construit selon le modèle donné par ce prince ; *Anna-Victoria* a été utilisé pour les fiançailles de celle-ci ; *Clément-XI* a été offert par ce pape au roi de Portugal. Le plus beau, réservé aux chefs d'État, date du règne de João V, et ses magnifiques panneaux décorés dans le style de Watteau sont dus au peintre français François Guillaud. Huit chevaux conduits par douze valets de pied

---

1. La visite du président Loubet eut lieu du 27 au 29 octobre 1905.

et quatre cavaliers tirent ce carrosse, et c'est dans ce superbe appareil que je vis arriver le président Loubet, tout petit à côté de mon corpulent mari, et quelque peu perdu au milieu de ces dorures et ces velours cramoisis, mais manifestement ravi d'avoir traversé Lisbonne au milieu d'une foule enthousiaste. On criait à n'en plus finir « Vive la France », et aussi « Vive la République ». Sur le moment, je n'y vis pas malice, mais simplement une amabilité supplémentaire pour le président de la République française. J'aurais dû y voir le signe de l'impopularité croissante de Carlos et de la cour.

Le déjeuner officiel fut détendu. Notre visite à la Société de géographie fut l'occasion de nouvelles démonstrations amicales de la foule massée sur notre parcours. La séance solennelle de notre Société fut pour moi particulièrement émouvante car le président Loubet remit à Louis et à Manuel les insignes de grand-croix de la Légion d'honneur : au moment où le président de la République passa le grand cordon et donna l'accolade aux jeunes princes, je fus à nouveau une princesse française, une simple patriote émue jusqu'aux larmes. S'il avait pu vivre jusqu'à cet instant, papa aurait eu, malgré la rigueur de l'exil, le même sentiment que moi.

Le lendemain, l'excursion que nous fîmes à Sintra eut un caractère quasi familial. Après le déjeuner, je conviai tout le monde à une séance de photographie, à laquelle le président Loubet se prêta de bonne grâce. Il eut l'amabilité de me faire remettre une somme très importante pour mes hôpitaux, et ce don me fit infiniment plus plaisir que tous les tableaux et objets d'art que nos visiteurs officiels m'offraient selon la coutume. Pour le remercier, nous fîmes apprêter trois magnifiques galères du XVIIe siècle, véritables monuments historiques qui n'étaient mis à la mer que de manière très exceptionnelle. Cent rameurs revêtus de vareuses et de bonnets rouges tenaient bien droits leurs avirons à manche rouge et palette blanche : le soleil donnait à cette flottille un éclat particulier, et le bleu des flots se mariait à ravir aux ors des galères. Manifestement saisi, le président français nous déclara qu'il avait vécu en Portugal « un enchantement perpétuel » et je crois en effet que le compliment n'était pas protocolaire. Puis nous prîmes place dans une des embarcations, qui se dirigea en compagnie des deux autres vers le cuirassé *Léon-Gambetta* où un déjeuner nous fut servi. En me raccompagnant à l'échelle de coupée, M. Loubet me remercia avec une effusion qui n'était pas feinte et serra les deux mains du roi sans se soucier de l'étiquette.

Les voyages officiels et les réceptions d'hôtes étrangers constituaient une part essentielle de notre fonction, mais le plaisir avec lequel je jouais mon rôle dans l'accomplissement de nos devoirs d'État ne m'empêchait pas d'être épuisée lorsqu'une visite se terminait. Sans jamais abandonner mes tâches ordinaires, je m'efforçais de garder quelques jours pour me livrer à des activités qui effaçaient rapidement mes fatigues nerveuses. La chasse était mon principal délassement. Nous allions souvent en famille à Vila Viçosa, pour de grandes chasses dans la *tapada*[1], au soir

1. Forêt de 1 700 hectares, située en arrière du palais.

desquelles je rentrais, fourbue et délassée, dans notre vieux palais[1] qui est dans le goût italien que j'aime, et auquel les marbres de Montes Claros donnent une beauté certaine. Il m'arrivait de jeter un regard ironique sur le plafond de la salle des Vertus et j'aimais arpenter seule le cloître manuélin qui conduit à la chapelle que restaura João V. Souvent, j'allais prier au couvent de Chiagas, en compagnie des religieuses de Sainte-Claire.

Il m'arrivait d'aller chasser seule dans la *tapada* de Mafra. J'avais pris l'habitude de m'installer au troisième étage de l'aile sud et de suivre pendant deux ou trois jours un emploi du temps presque immuable. Levée à huit heures, je partais à la chasse au gros gibier tout de suite après avoir pris mon bain, dans une cuve remplie à l'aide de cruches et de cuvettes comme dans n'importe quelle maison, car personne n'a jamais pensé faire installer une salle de bains dans ce palais dépourvu de toute canalisation. Je rentrais déjeuner, puis repartais jusqu'à la tombée de la nuit, accompagnée d'un seul veneur, puis je dînais, seule, avant d'aller lire dans la salle de billard ou me promener dans la galerie. Délicieux moments de répit, que je passais avec une vieille robe d'amazone sur le dos, ou bien habillée à l'espagnole, avec des bottes et un joli chapeau rond.

Aux beaux jours, j'aimais aussi les bains et les longues promenades au bord de la mer – comme dans mes toutes premières années portugaises, mais je les faisais souvent seule désormais. Un jour que je marchais ainsi à Cascais[2], j'entendis

1. Il a été construit entre 1501 et 1602.
2. 30 octobre 1900.

des cris de détresse et je vis un homme manifestement tombé d'une barque, qui, à voir les mouvements désordonnés de ses bras, était en train de se noyer. Sans réfléchir plus avant, je me jetai à l'eau tout habillée et nageai avec d'autant plus de vigueur que ma robe me tirait vers le fond. Assez vite cependant, je pus empoigner l'homme et le pousser vers une barque à laquelle il eut le bon sens de s'agripper jusqu'à l'arrivée des secours. Mon noyé avait vu la mort de près, mais il fut encore plus impressionné quand il s'aperçut qu'il avait été tiré d'affaire par sa reine et je crus que, d'émotion, il allait s'évanouir pour de bon. Mes courtisans applaudirent bruyamment ce qu'ils appelèrent un geste héroïque et d'aucuns me comparèrent à je ne sais quelle dame romaine. Aux journalistes qui s'empressaient, je répondis que je remerciais le Ciel de m'avoir inspiré cette promenade au bord de la mer. Mais l'événement eut une telle répercussion dans toute l'Europe que l'empereur d'Allemagne et le roi de Suède m'envoyèrent une médaille de sauvetage de leur pays.

Ces distractions et ces menus incidents ne me tenaient jamais longtemps éloignée de mes responsabilités. À partir de 1905, ces responsabilités devinrent pesantes et l'aggravation de la crise politique portugaise ajouta à mes soucis. Carlos ne faisait rien pour les alléger. Au contraire, plus la situation empirait, plus il me paraissait inconstant et léger. Ainsi, une quinzaine de jours avant la visite du président Loubet, j'appris qu'il avait décidé de se rendre en voyage officiel à Paris pour payer immédiatement de retour le président de la République française. J'entrai alors dans une violente colère. Il ne s'agissait plus de foucades et d'inconstance. Là, le fantastique touchait à la démence. Le voyage officiel n'était qu'un prétexte pour aller à Paris, pour s'y divertir et s'y débaucher, en laissant mon petit Louis régent pour la première fois, dans des conditions politiques particulièrement difficiles. J'étais révoltée, suffoquée par une rage dont Sabugosa et quelques autres furent les témoins. Je savais que les cris ne servaient à rien, et que Carlos n'en ferait qu'à sa tête.

Il n'empêche que le projet de voyage officiel annoncé fut presque immédiatement démenti par un communiqué officiel. Ce n'était qu'un répit. Le jour de l'arrivée du président Loubet, j'appris que l'invitation française serait officiellement acceptée lors des toasts. À nouveau, j'eus une bouffée de colère et répétai à qui voulait l'entendre que, dans la période de tension internationale que nous connaissions, et qui pouvait mener l'Europe à la guerre, le départ du roi était insensé. Évidemment, rien n'y fit.

Malgré mon opposition à ce voyage, je ne pus manquer d'être profondément touchée par la chaleur de l'accueil que réserva la France à mon royal époux et, à travers lui, au Portugal tout entier. Carlos arriva à Paris par un pâle soleil de novembre, qui ne parvenait pas à faire fondre la neige précocement tombée sur la capitale et qui blanchissait le bois de Boulogne. Accueilli à la gare de l'avenue du Bois par le président Loubet selon le même protocole que pour le roi d'Espagne, le roi fut conduit au ministère des Affaires étrangères. Quel bonheur de lire dans *Le Figaro*[1] que « la place de la Concorde offre, comme toujours, le spectacle

1. 23 novembre 1905.

pittoresque de ses échelles dressées où se suspendent des grappes humaines, et de ses piédestaux où s'accrochent de hardis citoyens. Les degrés du Palais-Bourbon sont noirs de monde, et des mouchoirs blancs voltigent au-dessus des têtes en même temps que les acclamations surgissent des poitrines. C'est une vision charmante que celle de ce Paris frileux qui s'empresse à la rencontre de ce souverain ami et lui souhaite ainsi, dans toute l'ardeur de son cœur, une heureuse bienvenue. Ah ! quel regret que la reine Amélie n'ait point accompagné son royal époux ! Avec un sourire, elle eût conquis Paris ; avec un geste, elle eût soulevé l'enthousiasme, et la chaleur des cœurs eût fait honte au soleil parcimonieux ».

Accompagné de sa suite, Carlos se rendit ensuite à l'Élysée, et de nouvelles acclamations le saluèrent lorsque, quittant la présidence, il emprunta les Champs-Élysées. Le dîner[1], offert

---

1. Le menu était ainsi composé :
Huîtres de côtes rouges
Crème de chayottes
Velouté aux profiteroles
Truites argentées des lacs Albuféra
Carré de Béhague forestière
Blancs de poularde Sévigné
Cailles de vignes aux laitues braisées
Mousse au vin de Chypre
Granité au Rœderer
Faisans des bois truffés rôtis
Truffes d'Excideuil au marsala
Suprême de foie gras glacé toulousaine
Salade Francillon
Cardons à la moelle
Pointes d'asperge à l'ivoire
Glace Watteau
Petits gâteaux.

par le président de la République et Mme Loubet, fut à la hauteur de l'accueil et je fus très sensible à l'hommage que le chef de l'État m'adressa au cours d'un toast évoquant « Sa Majesté la reine Amélie qui, lors de son dernier séjour dans la capitale, y avait conquis tous les cœurs par sa grâce souveraine et son éminente bonté ».

Les jours suivants, Carlos fut reçu à l'Hôtel de Ville, invité à une chasse à Rambouillet, convié à l'Opéra, conduit au Creusot pour la visite des usines, et enfin accueilli par M. Charles Rouvier, président du Conseil. Soulagée de constater que la visite du roi n'avait pas eu de conséquences diplomatiques fâcheuses, et satisfaite d'avoir pu mesurer par divers témoignages la sympathie des Français pour le Portugal, je fus en revanche fort mécontente d'apprendre que Carlos prolongerait son séjour en France, et surtout à Paris, jusqu'aux fêtes de Noël. Tel qu'il était publié par les journaux français, le programme comportait des chasses chez le marquis de Beauvoir à Sandricourt, à Boisbourdan chez les Greffulhe, au château de Marchais chez le prince de Monaco et aux Vaux-de-Cernay chez les Henri de Rothschild[1], des soirées au théâtre, des réceptions amicales qui faisaient la joie des chroniqueurs mondains. Sa mère vint le rejoindre en décembre, pour se reposer, mais surtout pour se faire admirer dans les dîners et au spectacle. Belle occasion de dépenser

---

1. Cette chasse du 8 décembre 1905 reste un record mondial dans les annales de la chasse au faisan. Au cours de huit battues d'une demi-heure, quelque 4 802 pièces furent abattues, dont huit cents par le seul dom Carlos, qui avait la réputation de ne jamais manquer son coup.

en nouvelles toilettes des sommes que je n'ose imaginer. Et dire que ma belle-mère me reprochait il n'y a pas si longtemps de faire moi-même mes chapeaux ! Ils étaient moins seyants que les siens, mais ne pesaient pas sur les finances... À lire les comptes rendus du *Figaro*, j'observais surtout que, à la comédie comme sur la glace du Skating, mon mari était toujours entouré de jeunes femmes qui, à voir leurs noms, n'étaient pas du meilleur monde. Et le carnet mondain de Carlos laissait tant de journées et de soirées libres que je pouvais imaginer avec qui il les occupait, et dans quels bouges de luxe il passait ses nuits et dilapidait l'argent de la liste civile. Comment lire sans un sourire d'amertume ces vers composé par Louis Legendre et qui furent récités par une certaine « Mlle Sorel » lorsque le roi fut reçu dans les salons du *Figaro* :

> *Il vient pour se distraire, et non*
> *Pour ouïr quelque flatterie*
> *Ou qu'on lui tire le canon –*
> *Bien qu'il aime l'artillerie.*

Et encore :

> *L'incognito ! souple rideau*
> *Fiction combien salutaire,*
> *Seul allégement du fardeau*
> *Que portent les grands de la terre.*
> *...*
> *Notre mot d'ordre, le voici :*
> *Le cœur ouvert, la bouche close !*

On touchait là des sommets, et j'imaginais Carlos heureux d'entendre ces sornettes avant d'aller « incognito » à ses distractions, alors que le climat politique se dégradait dans son pays.

Malgré mon amertume, il me faut être aussi juste que possible. Dom Carlos était léger par bien des aspects, mais il ne manquait pas de qualités politiques. Malgré notre profond désaccord sur son voyage à Paris, je suis heureuse de souligner qu'il était un diplomate accompli, fort apprécié par les autres souverains européens et par le président français. L'Histoire retiendra, j'en suis sûre, que le traité secret de Windsor, signé en 1899 entre le Portugal et la Grande-Bretagne grâce aux excellentes relations qui existaient entre Carlos et la monarchie britannique, nous a permis d'éviter le dépeçage des colonies portugaises d'Afrique et leur partage entre les grandes puissances. Dans des circonstances normales, Carlos eût fait un chef d'État très acceptable. Mais il me semblait tout de même trop léger dans son mode de vie et par le poids que prenaient ses caprices et ses amusements dans ses décisions diplomatiques : quant à moi, je ne pouvais et je ne peux me déprendre de ce sentiment de course à l'abîme que je notais dans mon *diary* à la date du 3 novembre 1905 et qui ne cesse de me hanter.

Mais pour être équitable, je veux encore ajouter que, malgré ses faibles pouvoirs, Carlos ne cessa d'encourager les efforts de modernisation du pays – qu'il s'agisse de l'électrification, surtout sur la côte, du commerce ou de l'industrie. Malheureusement, la cour et la grande bourgeoisie étaient moins attentives aux efforts que faisait mon mari qu'aux initiatives amusantes ou fantasques que prenait sa mère : on la félicitait chaleureusement d'avoir fait du palais de Mafra la première résidence portugaise à bénéficier d'un ascenseur, et d'avoir introduit dans le pays les premiers patins à roulettes... Encore une fois, on préférait s'extasier devant ces enfantillages et on souriait avec condescendance quand je disais la nécessité d'aider les pauvres, de donner de l'argent pour les hôpitaux et pour les instituts scientifiques et, plus généralement, de multiplier les efforts pour accélérer la modernisation du pays.

Malgré les difficultés financières de la fin du siècle, cette modernisation favorisa la bourgeoisie et les classes moyennes, beaucoup plus que les ouvriers. Pourtant, au lieu de soutenir la monarchie, qui présidait aux destinées du pays de manière très libérale, les classes qui bénéficiaient des nouvelles richesses se tournèrent vers les républicains. Sous les règnes précédents, ceux-ci étaient demeurés fort discrets : il s'agissait d'intellectuels paisibles, qui s'en prenaient plus souvent à l'Église catholique, sous l'influence des anticléricaux français, qu'à la monarchie du bon roi Luis. En outre les républicains avaient peu à peu abandonné leur idéal social et s'étaient séparés des ouvriers révolutionnaires, comme en témoigne la création d'un parti socialiste portugais. Celui-ci faisait très peur à la noblesse et à la bourgeoisie. Je le jugeais fort peu dangereux à cause de son caractère utopique.

En revanche, je vis avec inquiétude augmenter en puissance et en influence les forces républicaines à partir de 1890. La cause immédiate de cet essor fut l'ultimatum anglais : beaucoup de

Portugais se sentirent humiliés, et le parti républicain détourna à son profit le sentiment patriotique alors que la monarchie n'avait certainement pas démérité. Hélas, comme me l'avait expliqué oncle Aumale, la tendance « nationaliste » qui était apparue en France se mariait avec n'importe quelle opposition (monarchiste en France, républicaine en Portugal) pour vaincre le libéralisme et, par conséquent, les monarchies constitutionnelles les plus libérales d'Europe. Mon pauvre papa et ses amis monarchistes, comme d'Haussonville que j'aime tant, ont été battus par ce « nationalisme » après avoir cherché à composer avec cette force nouvelle, qu'ils saisissaient mal, au moment du boulangisme.

Heureusement, à la fin du siècle dernier, le parti républicain ne présentait qu'un programme très peu positif : il se déclarait contre l'Église et les jésuites, il protestait contre le poids des impôts et contre les malversations financières, mais le régime républicain restait très vague : il était question de décentraliser, on agitait de grands mots pour paraître populaire, on clamait que la république résoudrait tous les problèmes du pays mais sans donner le moindre renseignement sur la manière d'accomplir ce miracle.

Hélas, cette générosité vague et ces promesses attiraient les braves gens, que les manières dispendieuses de la cour retenaient dans le parti républicain alors que, je l'ai déjà dit, je m'occupais chaque jour des conditions de vie et de la santé du peuple portugais. Mais les frasques de Carlos étaient connues et les journaux satiriques nous prenaient comme têtes de Turc. Preuve évidente de la liberté de la presse portugaise, les journalistes menèrent contre nous de véritables campagnes, longues et cruelles, par le moyen de la caricature (d'abord celles de Microbio, puis celles de Celso Herminio Carneiro dans *Berro*), et par le biais de la rumeur et de l'insulte. Il n'y avait pas seulement les histoires de femmes. On accusait le roi de ne pas peindre lui-même, et d'avoir confié la réalisation de son œuvre picturale à Casanova ! On racontait qu'il choisissait mal les précepteurs des enfants – ce qui était faux. En un mot comme en cent, à la différence de son père, Carlos n'était pas parvenu à se faire aimer de son peuple. Je n'ai pas non plus été épargnée, surtout ces dernières années. Il y eut des pamphlets, et on alla même jusqu'à dire que Carlos n'était pas le père de mes enfants ! « Pour qui monte sur le trône, il n'est pas nécessaire d'être fils de roi : il suffit d'être le fils de la reine. » Voilà ce qu'écrivait le docteur Manuel Brito Camacho, un esprit brillant mais pervers qui fit beaucoup pour discréditer la monarchie en publiant ces ragots dans un livre que, me dit-on, tout Lisbonne s'arracha.

Cette incompréhension provoqua les premières intrigues républicaines, d'abord la tentative de soulèvement de Porto en 1891, puis le complot qui consistait à enlever le roi et à l'expulser, ou encore, plus récemment, cet autre complot qui visait à remplacer Carlos par dom Afonso – qui n'y était bien entendu pour rien et qui se sentit personnellement blessé dans sa fidélité à son neveu et dans l'amitié qu'il me témoignait lorsqu'il fut mis au courant de cette intrigue misérable.

Mais surtout, les disputes entre les partis et l'anarchie parlementaire qui s'installa à partir de 1906 firent un tort considérable à la Couronne, et nous entraînèrent dans une politique qui ne pouvait manquer d'aboutir à une catastrophe.

Lorsque je suis arrivée en Portugal, le parti régénérateur dont j'ai déjà parlé avait connu une dissidence qu'on appela la « gauche dynastique » et qui fut très à la mode pendant quelques années. Puis les deux grands partis traditionnels éclatèrent en une demi-douzaine de tendances, dont les plus importantes sont le parti régénérateur libéral, fondé en 1901, et le parti progressiste créé en 1905. Ces deux partis étaient d'ailleurs d'accord sur l'essentiel : le renforcement de l'autorité royale dans le cadre de la monarchie constitutionnelle libérale, et le développement du rôle de l'État afin d'accélérer la modernisation du pays. De fait, le ministère dirigé par Dias Ferreira[1] avait réussi à maîtriser la crise financière et à rétablir le calme dans les rues. Au début du siècle, les faillites bancaires et le ralentissement des activités n'étaient plus que de lointains souvenirs, la petite et la moyenne bourgeoisie continuaient de prospérer sur la misère du peuple et dans la jalousie des grands, et le régime parlementaire fonctionnait normalement, selon les règles de notre vieux « rotativisme » : nous eûmes un gouvernement « régénérateur » jusqu'en 1904 sous la direction de Hintze Ribeiro, puis un gouvernement « progressiste » jusqu'en 1906 avec José Luciano à la présidence du Conseil.

Malgré ces apparences rassurantes, j'observais une dégradation rapide de la situation politique. Mois après mois, je notais dans mon carnet le succès des réunions républicaines, j'observais

---

1. 1892-1893.

que Carlos n'était jamais acclamé, et que beaucoup d'hommes ne me saluaient pas lorsqu'ils
me croisaient dans la rue, même si je sortais
manifestement d'un hôpital ou d'un orphelinat.
En 1903, le ralliement à l'idée républicaine de
Bernardino Machado, brillant ministre « régénérateur », constitua un grave avertissement. À partir de 1905, je fus même obligée de m'inquiéter
des manifestations qui pouvaient être orientées
contre le Petit et contre moi, au théâtre ou dans
quelque autre lieu public. Souvent, j'étais soulagée
de voir que les rues étaient presque vides lorsque
nous passions en cortège officiel : cela écartait le
risque de manifestations, mais creusait autour de
la Couronne un vide que je ressentais avec une
angoisse croissante.

Parallèlement, la vie parlementaire se dégradait
de manière inacceptable. Déjà fort compliquée et
agitée dans les premières années du siècle en raison des scissions à l'intérieur des partis et des
disputes picrocholines entre les partis, ou entre
les ministres et les députés, la politique devint
une scène violente et anarchique. J'ai encore
en mémoire l'inadmissible tumulte qui saisit la
Chambre en février 1906 et le chahut honteux
qui déshonora la Chambre des pairs au même
moment. Les alliances se faisaient et se défaisaient
sans raison, les insultes avaient remplacé les arguments, et les politiciens ne songeaient plus qu'à
s'entre-dévorer. Le pays était de plus en plus livré
à l'agitation et aux troubles. La grande grève des
étudiants de Coimbra, soutenue par l'opposition
républicaine, constitua un avertissement supplémentaire dont il ne fut pas assez tenu compte : il
suffisait que le calme revienne pour que le gouver-

nement estime que les difficultés étaient résolues. C'est à croire que personne n'avait jamais vu ou entendu parler du feu couvant sous la cendre !

Face à cette folie collective, Carlos, tout libéral qu'il était, se voyait contraint d'envisager des actes d'autorité afin que la vie parlementaire retrouve son équilibre. Après y avoir longuement réfléchi, il se résolut à congédier le très digne Hintze Ribeiro (mais maladroitement, par une simple lettre) et à nommer à la présidence du Conseil João Franco. Pauvre cher Hintze, qui ne se remit jamais de cette brutale révocation. Il mourut le 1er août 1907, au cimetière São João, lors des obsèques de Casal Ribeiro. Ce n'était pas la maladie qui l'avait tué, mais les injustices et l'ingratitude, alors qu'il était d'une grande intelligence, d'une profonde rigueur et d'une parfaite loyauté envers la monarchie.

Dans la situation d'anarchie parlementaire qui menaçait de conduire à la ruine du pays, le choix de Franco était raisonnable. Partisan d'un renforcement de l'autorité royale, João Franco avait montré son esprit de décision et son caractère volontaire lorsqu'il devint ministre de l'Intérieur en 1895, dans un gouvernement dirigé par Hintze Ribeiro. Puis il fonda son propre parti « régénérateur-libéral » afin de développer ses propres conceptions : non seulement le renforcement de la monarchie, mais aussi l'intervention de l'État pour résoudre la question sociale – proposition qui ne pouvait manquer de me séduire.

Homme à poigne, Franco parvint à gouverner avec les Chambres pendant quelques mois – car le roi, partisan du régime parlementaire, voulait éviter une dictature. Mais la vie parlementaire eut tôt fait de redevenir intenable, tandis que l'agitation

républicaine continuait dans le pays : on accla-
mait les chefs du parti républicain aux arènes, des
comices républicains se tenaient à la campagne,
et la presse dénonçait toujours plus violemment
les dépenses de la monarchie, les scandales vrais
ou supposés des personnages de la cour et la vie
privée du roi. Carlos et João Franco décidèrent de
dissoudre le Parlement sans annoncer de nouvelles
élections, ce qui plaçait le pays dans une situation de dictature provisoire. J'étais opposée à cette
fausse solution, au répit trompeur qu'elle procure-
rait, aux problèmes fondamentaux qu'elle laissait
en suspens. Mais on ne m'écouta pas.

Puis on s'aperçut que ces mesures étaient inef-
ficaces, ce que j'avais dit dès le premier jour.
L'opposition républicaine multipliait les manifestations et lançait des défis de plus en plus vio-
lents. Le gouvernement y répondit en prenant des
décrets contre les abus de presse[1], mais l'exaltation politique ne cessa pas et les partis monarchistes prirent à leur tour des attitudes de plus
en plus passionnelles tout en réclamant le retour
à la vie parlementaire normale. Bien entendu, je
rencontrais régulièrement les chefs des partis et
je m'efforçais de les ramener à la raison. Mais
rien n'y faisait. Les républicains clamaient partout
que la famille royale dépensait sans compter, ce
qui n'était pas exact car les gouvernements mesu-
raient chichement les sommes qui nous étaient
allouées. João Franco avait voulu que la question
des « avances » soit posée par ses propres soins
devant le Parlement afin de crever l'abcès et d'en
finir avec ce mauvais procès. Mais il était déjà trop

_____

1. Juin 1907.

tard. L'incendie gagnait, et le feu se nourrissait de toutes les brindilles. Dans ce climat délétère, les bonnes nouvelles n'étaient même plus entendues, ou alors elles n'étaient plus portées au crédit de la monarchie ou du gouvernement. Le voyage officiel que fit le Petit en Afrique, l'excellent accueil qu'il reçut et la très bonne impression qu'il donna passèrent largement inaperçus à Lisbonne. Et les victoires remportées par nos soldats en Afrique furent attribuées à l'état-major, comme si le roi était devenu étranger aux heureuses circonstances qui marquaient la vie du pays.

La tension montait. Elle aurait été insoutenable s'il n'y avait eu les moments de répit. Ceux que me procuraient les amis et les amies sûrs de mon entourage étaient les plus précieux. Ma chère Pepita ne me quittait guère, et je pouvais lui confier mes angoisses, mes tristesses et mes sombres pressentiments : elle m'écoutait, elle les partageait au sens vrai, c'est-à-dire qu'elle en prenait sa part et m'en déchargeait à demi, tout en sachant m'en distraire. Tous et toutes, Mariquita, Izabel, Marianna, s'efforçaient de me distraire afin que j'aie l'impression d'une vie normale dans un monde qui ne l'était pas et par rapport à une famille qui ne l'était plus. Ma belle-mère commençait à perdre la tête, et déversait chaque matin le contenu d'un arrosoir sur les fleurs de ses tapis. Mon mari inventait des mensonges dérisoires pour cacher des coucheries de commis-voyageur. La paresse et les faiblesses du caractère de Manuel m'inquiétaient. Seul mon petit Louis me donnait toutes les satisfactions que peut espérer une mère et une reine. En ce qui concerne les divertissements qu'on reprochait à la famille royale et à la cour, ils étaient devenus pour moi des épreuves politiques sans cesse recommencées. J'aimais les corridas, mais j'y assistais avec angoisse tant je redoutais qu'elles ne soient le prétexte d'une manifestation d'hostilité à la Couronne. J'adorais le théâtre, mais je réduisais les représentations à mon entrée, car j'avais peur d'être sifflée, et à la chute du rideau car je tentais de mesurer l'intensité des vivats que le public nous adressait. Nous étions devenus les personnages de plusieurs pièces qui se jouaient en même temps : il y avait la comédie du mari, des maîtresses et de l'épouse trahie ; il y avait la tragédie d'une famille royale en marche vers son destin, dont le public pressent qu'il sera sans doute sombre et peut-être sanglant.

La corrida et le théâtre me parlaient trop de mort et de sacrifice pour que je puisse m'y distraire, comme tant d'autres, de mes soucis quotidiens. Alors je lisais des romans français et portugais, je recopiais des vers, je dessinais et peignais tout en continuant de choisir avec soin les toilettes et les bijoux des jours ordinaires, des audiences privées et des manifestations officielles.

À m'entendre discuter avec Pepita de gants et de chapeaux, ou rire avec des amis au retour d'une chasse, les graves messieurs de l'opposition républicaine auraient sans doute condamné ma légèreté féminine et mon insouciance pour mes devoirs d'État. Mais je crois savoir que ces âmes austères fréquentaient les cafés, jouaient aux cartes et ne dédaignaient point les jolies femmes. Je sais surtout que les menus divertissements quotidiens rétablissent les équilibres sans cesse compromis, et que le strict respect du rythme ordinaire des travaux et des jours évite l'activité désordonnée et les initiatives proliférantes qui font perdre le sens des réalités et, de surcroît, affolent l'entourage. Pour que la situation ait une chance de redevenir paisible, il fallait d'abord que ma vie et mes activités paraissent normales. Le dur courage qu'il me fallait, certains jours, pour « paraître » heureuse et détendue…

Il y eut aussi des moments de véritable bonheur. Comment oublierais-je celui que le Ciel m'accorda avec le mariage de Phil, où j'assistais au bras de l'empereur d'Autriche ? Philippe d'Orléans, chef de la Maison de France, épousa Marie-Dorothée de Habsbourg à Vienne le 5 novembre 1896. Le dernier de ces bonheurs familiaux nous réunit tous à Woodnorton le 16 novembre 1907 pour les noces de Louise avec l'infant dom Carlos, prince de Bourbon-Siciles et veuf de la princesse des Asturies, Maria de Las Mercedes d'Espagne, fille d'Alfonso, morte en couches. Bonheur de revoir maman, Hélène, Isa… Bonheur de me promener dans la vieille et délicieuse Angleterre – de découvrir Stratford-upon-Avon et la maison de Shakespeare, la merveilleuse cathédrale de Worcester, le tombeau de Jean sans Terre, puis de faire des courses à Londres avec maman et de retrouver Tia Isabel, Alfonso, Eulalie, les Chartres, Phil, Ferdy. Bonheur, surtout, d'assister au mariage de Carlos et de Louise dans l'église ensoleillée et encore embellie par l'admirable musique interprétée par la maîtrise de Paris. Qu'ils soient, tous deux, plus heureux que moi dans le ménage, que Dieu leur permette de ne connaître ni la douleur sourde de l'indifférence, ni la violence de la séparation de fait masquée sous des apparences à demi sauvées !

Au milieu de toute cette joyeuse agitation, des bavardages de famille, des visites de musées, des promenades dans Hyde Park, des matinées de shopping chez Vichery, Collingwood et Mappin, les soucis politiques ne me quittaient pas. Pour parler comme les diplomates, j'eus des échanges de vues avec le souverain britannique, avec le Kaiser qui séjournait à Windsor, avec Tia Isabel. Chaque jour, les dépêches de Lisbonne me tenaient informée des tractations politiques. Relativement calme au début de mon séjour londonien, la situation se dégrada dans la deuxième quinzaine de novembre : des bombes explosèrent à Lisbonne, et une très violente campagne de presse se déclencha contre Carlos, si violente en effet que le gouvernement décida de suspendre le *Correio da Noite* – sans parvenir à calmer l'excitation des esprits.

Comme le peuple aurait mal interprété un retour précipité, je décidai de rester quelques jours encore. J'eus à nouveau le plaisir de me promener avec la reine, toujours si affectueuse, d'aller à l'Opéra (oh ! *La Traviata* à Covent Garden...) et au théâtre (sans craindre les manifestations !), de prendre le thé avec le duc d'Albe, d'aller chez les Pierpont Morgan admirer les Gainsborough, les Fragonard et de superbes meubles Louis XVI, de parcourir à cheval les bois autour de Londres, humides à souhait – bref, de vivre une vie normale.

La parenthèse londonienne se referma le 28 novembre. Elle fut suivie, ultime sursis, par un séjour à Paris qui dura jusqu'au 6 décembre. Ce fut pour moi l'occasion de revoir beaucoup d'amis – les d'Haussonville, les d'Harcourt, les Schneider, de faire quelques courses rue de la

Paix, mais aussi de visiter le Salon de l'automobile, en songeant à notre chère vieille Charron qui tombe si souvent en panne – et de rendre visite aux dames de la Croix-Rouge qui me firent visiter leur dispensaire. J'eus aussi la joie d'être reçue par le président Fallières et son épouse, tous deux si aimables et empressés, et l'émotion d'entendre *La Marseillaise* jouée par la garde d'honneur. Puis, après avoir entendu la messe à Notre-Dame-des-Victoires le 6 décembre de bonne heure, je repris le Sud-Express de 12 h 16, un peu triste de quitter Paris, mais tout de même pressée de retrouver les enfants, Pepita, les Sabugosa, enfin tout mon petit monde qui m'attendait à la gare aux côtés de Carlos.

La vie ordinaire reprit : visites matinales aux hôpitaux et dispensaires, réceptions, promenades à cheval, souvent avec Never Mind et Flirt. Noël fut gai, mais mon inquiétude demeurait ; dans la sainte nuit et au Te Deum du 31 décembre, je demandai silencieusement mais plus que jamais à Dieu de nous accorder Sa protection.

Ensuite… ensuite notre séjour à Vila Viçosa au cours duquel tout s'est dégradé. Ce nouveau livre d'insanités sur la famille royale. Ce complot républicain déjoué et les arrestations qui s'ensuivirent. Les émeutes dans plusieurs quartiers de Lisbonne, rapidement maîtrisées par la seule police, mais qui firent tout de même un mort. Puis la signature par Carlos du décret qui autorisait les dégradations sans jugement.

Carlos signait son arrêt de mort.

Et celui du Petit.

7

L'enterrement

Il y a deux jours, jeudi dans la nuit, à la lueur des torches, le corps de mon mari et celui de mon fils ont été descendus de la chambre où ils reposaient, pour être transportés à la chapelle du palais. La cérémonie a eu quelque chose d'étrange. Sans doute l'heure tardive et la fatigue accumulée au cours de longues nuits sans sommeil ont-elles modifié ma perception des choses.

Ma présence n'était pas nécessaire pour ce simple transport, mais il me semblait encore qu'il était de mon devoir d'assister aux déplacements du roi, même si cela avait aujourd'hui quelque chose d'absurde et de dérisoire. La chapelle était un endroit discret, d'une simplicité qui imposait au visiteur le respect de cet étroit sanctuaire. Cependant, cette nuit-là, la flamme dansante des torches semblait animer ce lieu de façon surnaturelle, comme si les murs retrouvaient la vie que leurs deux nouveaux hôtes avaient à jamais perdue. Les cercueils, dont le couvercle était formé d'une vitre, laissaient voir les corps, immobiles, impassibles.

Les visages de mon fils et de mon époux, d'une infinie tranquillité, les yeux clos sur un rêve d'éter-

nité, ne gardaient aucune trace de la tragédie.
Comme c'est absurde ! Les victimes sont délivrées
de la souffrance par ceux qui les ont tuées, alors
que les survivants, eux, doivent supporter le chagrin causé par le départ de ceux qu'ils ont aimés.
La mort est cruelle pour ceux qu'elle épargne.

Le petit temple avait été transformé en chapelle
ardente, les tapissiers du palais y avaient œuvré
pendant deux jours, revêtant les murs de tentures
noir et or. Le chœur étincelait de cierges. Les deux
cercueils, drapés de l'étendard royal, écussonnés
des tours de Bragance, furent déposés sur des
catafalques bas. Mon mari à gauche, mon fils à
droite, côte à côte, tous deux, les mains croisées
sur le ventre, semblaient attendre paisiblement de
rejoindre leur dernière demeure. Sur deux cous-
sins de velours noir, on avait déposé devant eux
les casques et les épées du cinquième chasseur
pour le roi, et du régiment de lanciers pour le duc
de Bragance. Dans les deux prochains jours, une
garde d'honneur composée par les hauts dignitaires du palais veillera, debout, de part et d'autre
des cercueils. Les chefs de l'armée et de la marine
se relaieront ainsi nuit et jour, en un dernier hommage solennel.

Dès le lendemain, après une nuit très agitée,
peuplée d'affreux cauchemars, je me suis rendue
de nouveau dans la chapelle ardente. Celle-ci était
baignée de la clarté blafarde du jour tout juste
naissant. La lueur des cierges paraissait bien
faible maintenant, alors que la veille au soir elle
illuminait d'une lumière dorée l'ensemble du sanctuaire. Mais ce matin-là, l'atmosphère avait perdu
toute magie, les choses se montraient sous leur
véritable jour, la mort dans toute son horreur. Les

visages étaient plus pâles que jamais, comme si toute trace de vie avait fini par quitter ces deux corps que je ne reconnaissais plus, que je ne voulais plus reconnaître. Les cercueils étaient entourés de fleurs multicolores, éclatantes, qui faisaient plus encore ressortir la froide pâleur des visages et la sinistre raideur des corps. Juste devant, des prêtres en ornements de deuil psalmodiaient à voix basse des prières tout en aspergeant de temps à autre les cercueils d'eau bénite. Je suis restée longtemps à regarder sans vraiment voir les gestes des prêtres, avant de rejoindre la tribune royale, drapée de brocart, située au-dessus du porche d'entrée. L'heure avançant, la reine Maria Pia, le duc d'Oporto, mon second et maintenant unique fils, m'avaient rejointe, dans un même calme pesant, à peine troublé par nos oraisons. J'avais passé la majeure partie du temps précédant les funérailles à veiller les corps dans ce triste sanctuaire, et pourtant je n'en garde pas de souvenir précis. Il y a des choses que l'esprit s'empresse d'oublier. Ou peut-être est-ce le malheur qui fait perdre toute notion du temps, vous emportant dans un songe, à la fois rêve, à la fois réalité qui ne laisse aucune trace de son passage.

Un roulement de tambour me tire de mes pensées. À quoi bon essayer de se souvenir de tels moments ? Le présent a ses obligations, mon devoir de reine m'impose d'être là, digne, malgré la souffrance qui me ronge. Attendre que le cortège démarre pour emporter avec lui les corps, vers l'église São Vicente, où ils seront exposés aux yeux du peuple. Un deuxième roulement de tambours se fait entendre, sourd, étouffé par le drap noir qui les recouvre. Le cortège va se mettre en route. Il va falloir affronter cela. Affronter les regards qui chercheront à déceler la profondeur de ma douleur, affronter les regards compatissants. Je préférerais que l'on ne me voie pas, que ces princes, ces hauts dignitaires venus de toute l'Europe aient la pudeur d'être indifférents à mon égard. Mais c'est demander l'impossible, c'est la tragédie qui frappe notre pays que l'on met en spectacle aujourd'hui : ma douleur en est le symbole et y tient le premier rôle. Je ne dois pas faillir à mon devoir, si dérisoire soit-il. Je dois être Amélia, reine de Portugal.

Enfin le cortège se met en marche, la pompe des grandes cérémonies se déroule de nouveau dans Lisbonne. Cependant l'air est lourd, la tension est à peine perceptible mais bien réelle. Il paraît même que l'empereur d'Allemagne, qui a envoyé pour le représenter son fils le prince Ethel-Frédéric de Prusse, a exigé, contre tous les usages, qu'il soit accompagné d'une garde. Un peloton de soldats prussiens l'escortera durant la cérémonie.

Peu importent les convenances. La foule aussi est agitée. Dès six heures du matin, lorsque les cloches ont sonné, elle s'est précipitée sur le chemin que doit suivre le cortège, la sortie du palais, le lieu de l'attentat et devant l'église de São Vicente. Sous le porche du palais où je me trouve, je ne verrai que le départ du cortège, c'est bien assez. Les carrosses de gala, la foule chamarrée des princes, des hauts dignitaires de la cour, des diplomates se mettent en marche. On a sorti pour la circonstance, du musée des Voitures royales, les vieux carrosses dorés, riches à l'excès. C'est d'ailleurs un bien étrange contraste que de voir sur ces berlines de fête une décoration de pourpre nuptiale ou de sacre défilant aux accents des marches funèbres. Puis, traînés par huit chevaux caparaçonnés de noir de la tête aux pieds, viennent les trois chars de deuil recouverts eux aussi d'un drap de velours noir. Le premier est vide, réserve en cas d'accident survenu à l'un des deux autres. Le second porte le corps de mon fils et le dernier celui de mon époux. À leur suite, les chevaux d'armes des deux princes tenus en mains par des écuyers porteurs de longues houssines. Les pénitents qui suivent le cortège paraissent étranges, anachroniques, évoquant je ne sais quel souvenir du passé en souquenilles noires brodées de palmettes et de feuillages. À l'exception de celui qui les conduit, le « juge », ils ont tous cette inquiétante cagoule rabattue sur le visage. Seuls leurs yeux sont visibles, vides, comme s'ils ne voyaient pas le monde environnant, comme si une mystérieuse souffrance les avait rendus aveugles. L'un porte une sorte de panneau de bois sculpté et peint, l'autre une croix, un troisième une sonnette. C'est la confrérie de la Miséricorde qui, jadis, assistait les condamnés de la Très Sainte Inquisition. Depuis le XIIIe siècle, cette confrérie est investie du privilège de recueillir, après les obsèques royales, le catafalque qui a porté le corps du souverain ou du prince et le drap mortuaire qui l'a recouvert.

Voyant passer ces hommes au regard vide, je me souvins de ces jours de veille dans la chapelle ardente. À travers les paupières à demi ouvertes de mon mari, j'avais pu deviner le même regard, la même absence totale d'expression. Comme si ces moines avaient eux aussi détourné les yeux d'une vie qui ne peut plus rien apporter. Peut-être ai-je moi aussi ce même regard. Peut-être vais-je moi aussi tout abandonner, sombrer dans le monde clos de la folie... Ce serait tellement plus simple, tellement moins douloureux. Fuir, m'écarter de mon rang, de mes responsabilités qui, jusqu'à la fin de mon existence, m'obligeront à me souvenir de ce moment. Oublier qui je suis pour ne plus avoir à jouer ce rôle qui fait de moi une veuve et une mère malheureuse à jamais. Tel est sans doute mon destin, tel est le sort cruel réservé à ceux qui font l'Histoire. Tout cela n'a plus de sens, et n'en aura plus jamais, mais pour ce fils qui me reste, pour ce pays dont je suis la reine, je dois agir comme une princesse de France qui n'a pas droit à la faiblesse. Je fais ce sacrifice à Dieu, à mon peuple et à mon sang, même si cela ne me paraît pas humain, même si je ne m'en sens pas capable.

Le cortège est presque tout entier passé, quelques valets de pied défilent encore et déjà la foule se fait plus présente, plus pressante. Tout le monde veut voir, se rassasier de ces deux corps rigides et froids dans leur uniforme. Ces gens ne semblent pas sensibles à la douleur, à la tragédie que nous vivons. La plupart, n'ayant pu avoir de place le long du défilé, suivent le cortège en se bousculant, s'injuriant même sans se soucier de quelque convenance que ce soit. Quelle honte ! Quel mépris ! Je ne veux pas en voir plus. Au loin résonnent encore les tambours, mais je ne les entends même plus. Je n'arrive plus à savoir ce qui est réel et ce qui ne l'est pas... Il y a tout juste huit jours je débarquais à Lisbonne entre mon cher fils et mon mari. Huit jours ! Ce souvenir est si présent, la blessure qu'il m'a laissée si douloureuse que j'ai l'impression que c'était hier, les coups de feu résonnent encore à mes oreilles. Le présent, le passé et le futur se mélangent sans ordre, sans raison. Peut-être est-ce pour me faire souffrir plus encore. Toute cette foule, tout ce bruit. Devant mes yeux il y a cette fête, cette explosion de joie, tout le bonheur d'un mariage. Comme de coutume on a sorti les plus belles voitures de gala, des rubans colorés y sont accrochés comme à toutes les fenêtres qui bordent le parcours jusqu'à l'église São Vicente. C'est un jour de liesse aujourd'hui, même le soleil éclaire une foule déjà radieuse qui se manifeste par des vivats. Tout le monde veut voir, tout le monde veut s'approcher au plus près des mariés. Je voudrais participer à cette liesse, voir moi aussi le jeune couple mais je n'y arrive pas. Je n'arrive pas à voir, je ne peux qu'entendre. Entendre les roulements de tambours, entendre la marche funèbre qui s'éloigne... Il y a vingt-deux ans sur les mêmes lieux, suivant le même parcours et dans la même église, je me mariais. Comme un poignard qui se tourne et se retourne encore et encore dans une large plaie, ces images d'un bonheur enfoui pour l'éternité viennent me narguer.

La suite, je la connais. J'ai assisté bien souvent à des funérailles officielles, mais le duc de Luynes, mon compagnon d'enfance, me la raconte. Il semble si soucieux de ma personne, prenant mille précautions pour me raconter la fin de la cérémonie. Je me rappelle nos jeux d'enfants insouciants. Je verrai toujours en lui, malgré ses tempes grisonnantes, le petit garçon à qui je faisais le récit de mes premières peines de petite fille. Il n'a pas changé, il a toujours le même éclat dans les yeux. Ou peut-être est-ce la complicité qui nous unit qui fait briller son regard ? Les trois chars, me dit-il, sont arrivés au bas des marches de l'église.

Péniblement les valets de pied rouge et or, sans doute peu habitués à ce genre de besogne, ont descendu le corps du duc de Bragance puis celui du roi. Immédiatement le juge de la Miséricorde s'est jeté sur les deux pavillons armoriés, il les a arrachés, puis les a emportés en les serrant tout contre son cœur, comme une proie. Mon si cher ami me raconte cela si doucement, peut-être a-t-il peur de me choquer. Il ne sait pas si je l'écoute, mais il sait que sa présence me réconforte, tout comme lorsqu'il venait prier à mes côtés dans la chapelle du palais. Il continue son récit de la même voix tendre et chaleureuse : le comte de Sabugosa, Grand Maréchal de la cour, s'est ensuite approché, avec le chapitre de São Vicente, gardien du panthéon royal, et a convié d'humbles serviteurs du roi à se pencher sur les corps. C'était un hommage autant qu'un honneur pour eux, un dernier salut avant que les corps de Carlos Ier et de Louis-Philippe duc de Bragance ne soient confiés à la crypte de l'église. Le Grand Maréchal a ensuite remis les lourdes clés d'argent qui ferment les cercueils au custode afin que celui-ci les dépose dans les archives nationales, à la Torre do Tombo. Puis les porteurs, d'une marche alourdie, sont entrés avec les cercueils dans le temple où allait avoir lieu un imposant service funèbre.

Luynes marque un temps d'arrêt, il s'est bien gardé de me raconter comment la foule s'est comportée, comment les hauts dignitaires ont réagi. À quoi cela sert-il en effet ? Je ne lui demanderai donc pas plus de détails, les journaux m'en apprendront beaucoup plus, mais plus tard, beaucoup plus tard.

Dans deux jours, après l'exposition publique, par de larges couloir d'azulejos bleus on descendra les deux cercueils dans le panthéon. Encore une épreuve, une nouvelle cérémonie dans ce sinistre caveau voûté, où depuis João IV, le premier des Bragance, reposent tous les rois de Portugal et des Algarves, les Majestés Très Fidèles, les infants, les infantes. Tous confondus dans de hideux coffres de velours, de draps noirs lamés d'argent ou d'or. On a dû déjà préparer une place pour les corps du roi Carlos et de son fils, mais ce soir, bien peu s'en soucient. Des fenêtres du palais on perçoit en effet une sourde rumeur de la ville qui semble renaître à l'approche de la nuit. L'excitation de la fin de la matinée a été remplacée par une fébrile agitation, si commune, si habituelle que cela me fait peur. Devant les boutiques et les cafés, les trottoirs sont encombrés et l'on y circule avec peine. Ce sont les petites causeries de chaque soir, les plaisanteries, les rires étouffés. La ville vit comme elle a vécu hier et comme elle vivra demain. On n'arrête pas le cours des choses. Bien souvent, aujourd'hui, j'ai cru devenir folle, mais pourtant ce soir je sens un profond apaisement envahir mon âme. Bien sûr ma vie ne sera plus jamais la même, je sais très bien que demain sera fait de découragements et de désespoirs, mais cela ne durera, comme tout, qu'un temps. Même après le plus grand des drames, la vie finit toujours par reprendre ses droits. Sur la terre aride et dévastée de mon âme, l'espoir, la joie, pousseront-ils encore. Je sens germer en moi d'autres fleurs, elles seront moins belles, elles manqueront d'éclat mais elles seront bien là, vivantes de toute leur force, de tout leur être. Mon devoir de reine, le souve-

nir de mes ancêtres et le respect que je leur dois,
nourriront mon âme et lui ordonneront de vivre.
Vivre pour mon pays, pour ce fils qui me reste,
dans le sacrifice que j'ai fait à Dieu.

8

Au bord du gouffre

Comment ne suis-je point devenue folle ? Il m'a semblé un moment que j'allais perdre la raison, mais j'ai eu la vision de mon pays, de mon sang, de mon père ! Une princesse de France ne peut jamais faiblir. C'est cette pensée qui m'a envahie tout entière depuis le premier moment de la tragédie, qui m'a permis de faire en quelques instants mon sacrifice à Dieu, c'est ce sentiment qui m'a soutenue et qui me porte depuis cette affreuse minute où la mort a saisi mon mari et mon fils. Soumise à la volonté de Dieu, pleine de confiance en Sa justice et Sa miséricorde, je sais que le Seigneur qui m'a donné force et courage pendant le deuil m'aidera à remplir le dur mais noble devoir si tragiquement tracé.

Chaque jour, le vide se creuse plus profondément, plus tragiquement dans mon cœur. Mais grâce à Dieu l'effroyable douleur ne m'empêche pas de réagir et d'agir. Il faut faire vite, si nous voulons éviter une autre catastrophe qui, cette fois, emporterait la Couronne et exposerait le Portugal à la guerre civile et à la ruine.

Faire vite, c'est se fixer une règle de conduite et s'y tenir, coûte que coûte, sans un moment de relâche. Ou plutôt, trouver aussi dans chaque moment de relâche – apparente – l'occasion de poursuivre l'action politique et dynastique qui doit être menée à bien.

Quelle règle de conduite ? La mienne tient en trois points.

D'abord rétablir le calme dans le royaume, apaiser les esprits, ne plus offrir le moindre prétexte à la malveillance, à la révolte armée, à l'attentat. João Franco a été désastreux. Il s'est comporté comme un architecte brutal et maladroit qui, voyant des fissures dans une maison, y met la pioche pour la consolider et fait tout crouler. Bien entendu, il faut le renvoyer sans attendre, et prendre appui sur le grand mouvement populaire de fidélité monarchique qui a été provoqué par la mort du roi et du prince royal.

Ensuite, renforcer la Couronne. Non par respect aveugle de la tradition ou par intérêt personnel : les richesses ne sont rien pour moi, et les manières de cour me sont insupportables. Je n'ai jamais eu plaisir à être reine, mais simplement plaisir à faire mon dur devoir de reine. Et je veux maintenir et conforter la Couronne de Portugal parce que je crois en la vertu efficace de la monarchie héréditaire dont l'essence est de concilier les partis et les forces vives de l'État au lieu de les opposer les uns aux autres comme veulent le faire les politiciens. Oh ! ce n'est pas que les monarques soient moins égoïstes que les chefs de partis. Mais l'égoïsme des rois fait qu'ils tendent au bien du peuple. C'est ce que doit comprendre Manuel : par devoir comme je le souhaite, par intérêt bien compris s'il ne peut aller plus loin et plus haut que lui-même, le roi doit se faire l'initiateur et le guide des réformes profondes qu'exige le salut du Portugal. « L'âme des morts éclaire la résolution des vivants »... Je tiens de mon père la foi dans le principe monarchique où je puise énergie et ténacité. Je veux transmettre à mon fils survivant cette même foi et lui permettre d'y puiser comme à une source toujours vive.

Enfin, je tiens absolument à poursuivre mon action charitable, et consacrer au service des pauvres autant de force et de temps que naguère, malgré les lourdes charges politiques qui vont peser sur mes épaules jusqu'à ce que Manuel acquière l'expérience nécessaire. Hélas, ce sera long. Le pauvre enfant n'a pas été préparé à sa tâche, et son caractère ne le prédispose pas aux soudaines métamorphoses, ni aux actions d'éclat qui permettent de retourner les situations les plus compromises. Il me faudra jouer le rôle du tuteur, sans jamais faiblir.

Pour l'accomplissement de cette triple tâche, je vais être seule dans l'exercice des responsabilités, mais pas tout à fait solitaire. Bien entendu, je ne compte nullement sur l'assistance des monarques étrangers. Le public croit souvent qu'il existe une sorte d'internationale des rois, et le souvenir de la Sainte-Alliance ne s'est pas perdu. Il est vrai que j'ai de l'affection ou de l'amitié pour beaucoup de rois et de reines, dont plusieurs qui sont des parents et des alliés – par exemple Alfonso d'Espagne, Édouard d'Angleterre, qui me témoignent en retour la même affection. Ils me soutiennent moralement dans l'épreuve et me plaignent de tout leur cœur, mais jamais ils ne m'apporteront une aide qui ne sera pas décidée par leurs ministres et leurs diplomates, jamais ils ne sacrifieront les intérêts de leur peuple. Chaque roi, chaque reine a le devoir de veiller sur les siens, et je serais la première à m'étonner qu'il puisse en être autrement. Chacun le sachant, il n'y a pas d'attente, et pas de déception.

En revanche, l'intérêt public voudrait que je sois appuyée par l'ensemble des politiciens et des partis qui, en Portugal, se réclament de la monarchie. Tel n'a pas été le cas jusqu'à présent, puisque ces partis « monarchistes » et leurs chefs ont donné le désolant spectacle de la division et de l'irresponsabilité. Je veux croire qu'il en sera désormais autrement : ce n'est pas seulement l'existence des monarques qui est en cause, mais celle du régime monarchique lui-même. Dans leur propre intérêt, les partis monarchistes devraient en convenir, et mettre un terme à leurs divisions pour se consacrer au redressement du pays.

Restent, comme toujours, mes vieux et chers amis, celles et ceux qui m'entourent depuis tant d'années et qui, toutes questions de hiérarchie et d'étiquette mises à part, n'ont cessé de me soutenir et de m'encourager dans les épreuves que j'ai connues et dans le malheur qui me frappe. Pepita, Chiquita, Antonio... Tous sont là, avec leur immense affection et leur prodigieux dévouement. Ils m'apportent chaque jour douceur et consolation.

Et puis il y a le peuple portugais, qui peut être apparemment indifférent et parfois frondeur, mais qui est merveilleux de fidélité simple, magnifique dans ses enthousiasmes comme il peut aussi être terrible dans ses colères. Je ne le crains pas. Il respecte le pouvoir à proportion qu'il en est respecté. Il aime quand il se sent aimé. Nul ne le forcera à éprouver des sentiments de fidélité et d'amour. Il s'agit de ne plus le décevoir.

15 septembre 1910

Relisant ces lignes rédigées pour mémoire au lendemain de l'enterrement de Carlos et de Louis, je peux dire sans orgueil que j'ai suivi le chemin que j'avais tracé. Hélas, je suis encore loin des grandes allées calmes et ombragées où l'on peut galoper joyeusement sans éprouver de la fatigue et sans craindre le danger. La voie que je continue de suivre pour accompagner Manuel aussi loin que possible est semée d'énormes obstacles, de pièges innombrables, et mon instinct me dit que les spadassins rôdent et que leurs armes sont braquées sur moi et sur Manuel comme elles le furent sur Carlos et sur le Petit. « Pour moi, les armes sont toujours chargées », disait le roi mon époux à ses officiers. C'est la vengeance de Dieu, contre ceux qui aiment trop la chasse, que d'éprouver jour et nuit ce que ressent l'animal guetté, traqué, livré à la meute. Pour tenter d'apaiser la colère du Seigneur, je veux faire mon examen de conscience et le coucher par écrit.

Pour ce qui dépend de ma seule volonté, dans l'accomplissement de mon devoir d'État tel que je l'ai compris, il me semble n'avoir pas démérité.

Après l'enterrement, j'ai immédiatement repris mes visites aux hospices et aux dispensaires, aux hôpitaux et aux instituts de recherche médicale. Je suis toujours bouleversée par la maladie et la misère, ce couple infernal trop bien assorti, toujours scandalisée par la mort, surtout celle des enfants et des humbles, qui s'éteignent souvent dans la solitude d'un hospice, avec pour tout accompagnement la gentillesse du médecin (s'il n'est pas trop pressé) et la compassion des petites sœurs – qui ont la charge de trop de corps et de trop nombreuses âmes. J'aide chacun comme je peux – à vivre ou à mourir. J'aime autant que je le peux. Mais j'ai compris, par mon propre malheur, qu'on ne prend jamais part à la souffrance des autres, qu'il n'est pas possible de la prendre sur soi, ou même d'en prendre une moitié ou un tout petit peu, pour décharger son prochain de sa peine. Notre souffrance nous pèse et nous appartient, et seul Dieu nous en délivre à la fin des fins. Mais nous pouvons tenter de distraire notre prochain de la sienne, et faire en sorte qu'il n'ait pas à en supporter de supplémentaire : que le pauvre, par exemple, échappe à la maladie ; que le malade ne tombe pas dans la misère.

Je visite donc régulièrement, méthodiquement, tous les établissements qui se consacrent à la santé publique, et j'ai recommencé ma « tournée », en novembre 1908, par l'hôpital São Antonio, puis l'hôpital da Lapa, un asile pour vieilles femmes et un dispensaire de tuberculeux. Elle ne s'est pas arrêtée depuis : j'inspecte les infirmeries et les cuisines, je veille à la propreté méticuleuse, à la qualité des soins et à la nourriture des malades, j'écoute les doléances de chacun, je draine inlassablement de l'argent, je morigène les bureaucrates, je houspille les paresseux sans me soucier du qu'en-dira-t-on.

Je n'oublie pas l'industrie et le commerce. Je visite des fabriques, des filatures, des grands magasins (j'aime beaucoup « Au Bon Ménage », rua Cedofeita), je parcours les vignobles, je visite les fermes. Je n'ignore rien des traités de commerce signés (par exemple avec l'Allemagne en 1908) ou en cours de négociation. Je connais les chiffres, mais surtout je parle avec les capitaines d'industrie, les négociants, les ouvriers, les paysans, à la fois heureuse qu'on s'adresse à moi en toute liberté et angoissée lorsque j'énumère toutes les réformes qu'il faudrait accomplir alors que les gouvernements se disputent pour des queues de cerises.

Malgré la tension qui monte dans le pays, et cette impression de marcher sans cesse au bord du gouffre, je remplis scrupuleusement mes devoirs diplomatiques pour montrer à nos adversaires que je ne suis pas inquiète et que mon fils n'a pas besoin de sa mère pour remplir ses devoirs de souverain portugais. Il y a bien sûr des obligations plus agréables que d'autres. Par exemple j'ai été heureuse de faire un séjour en France en février dernier, à Biarritz, malgré les inquiétudes provoquées par l'état de santé de Ferdy[1] et son refus de se faire soigner par des spécialistes de l'entérite. Puis je suis allée au château de Pau et, surtout, au sanctuaire de Lourdes, pour prier de toute mon âme, de toute ma ferveur, la Sainte Vierge.

Bonheur, aussi, de séjourner à Madrid en mars, de voir le roi et la reine, tante Christa et Tia Isabel, toujours la même, que j'ai accompagnée au Lavement des pieds avant de servir avec elle le repas aux pauvres. L'Espagne tragique et fervente n'est jamais plus belle et plus grande que pour les cérémonies de la semaine pascale, où, peuple et Grands, reines et rois, elle vit comme si l'agonie du Christ, la mise au tombeau et la résurrection

---

1. Ferdinand, frère de la reine Amélie.

du Fils de Dieu étaient des événements présents. Après Madrid, j'ai eu la joie de retrouver Phil à Séville et maman à Villamanrique – maman en bonne santé, très active, mais qui est courbée lorsqu'elle marche dans le jardin. Elle, la Diane chasseresse ! Hélas, voici l'âge qui vient. La regardant marcher ainsi, mon cœur s'est serré. Ce n'est pas tant l'âge que la mort de papa qui est tôt venue recourber son destin. *Saudade, saudade.* Puis Phil est arrivé, la guitare et les chants ont chassé un temps les tristes pensées.

Et Manuel ? Le pauvre enfant a accumulé tous les handicaps. D'abord le choc de l'attentat et de la mort, sous ses yeux, de son père et de son frère. Ensuite, la nécessité immédiate d'exercer une fonction pour laquelle il n'a pas été préparé, et de remplir jour après jour des tâches écrasantes. Le mot n'est pas choisi à la légère : j'ai ma propre expérience, celle de mon époux. La fonction royale est une des plus éminentes qui soient, aux yeux des peuples mais aussi pour nous autres qui l'incarnons peu ou prou. Malgré le confort, le luxe parfois, l'armée des serviteurs, les amis qui forment l'entourage et qui allègent nos charges, nous agissons seul, sous le regard de Dieu et sous les regards du peuple : c'est là une terrible angoisse, et il faut des nerfs d'acier pour vivre toute une vie avec ce nœud dans la poitrine et cet accaparement de l'esprit. Or Manuel m'a toujours paru un peu faible de caractère et j'ai toujours craint, sans oser me l'avouer, qu'il ne soit obligé d'accomplir de trop rudes devoirs.

À la dépense nerveuse, il faut ajouter l'énorme fatigue physique de cette vie passée pour une grande part en représentation. Fêtes, cérémonies, réceptions, défilés, audiences, inspections : autant de nuits écourtées à la manière des chandelles qu'on brûle par les deux bouts, d'heures passées sous un soleil de plomb, sous des pluies glaciales ou dans une bise à vous couper le souffle. Maux de pieds, maux de tête, repas indigestes, trajets interminables dans des véhicules qui ne sont pas toujours confortables, cela avec un corset étouffant, pour ce qui me concerne, ou sanglé dans un uniforme qui ne l'est pas moins...

Il faut être bâti à chaux et à sable pour supporter cette activité incessante ! Parfois, quand je peine sur quelque chemin détrempé pour visiter une exploitation agricole perdue au fin fond d'une lointaine campagne, je me dis que les monarques sont comparables à des chevaux de trait. Carlos avait cette force sanguine, cette vitalité inépuisable, ce goût de vivre qui auraient pu le faire follement aimer s'il n'avait pas rappelé au peuple l'humiliation nationale de 1890. Manuel, quant à lui, est de santé fragile : trop d'embarras gastriques, trop de petites fièvres pour ce métier de roi. De plus, son mépris de la vie hygiénique me met en colère : il travaille jusqu'à deux heures du matin, il se lève trop tard, il ne pratique aucun sport. Je lui ai dit cent fois qu'un galop de bonne heure et la suée qui s'ensuit épargnaient bien des rhumes et débarrassaient d'une pinte de mauvaise humeur. Mais il n'écoute rien. Pire : il se vexe, il me boude des journées entières, puis vient s'excuser car il a bon cœur. Et puis, même si cela ne suffit pas, je vois bien qu'il s'applique. Il préside ses commissions, inspecte les troupes partout dans le royaume, remplit exactement son rôle constitutionnel, et il a été tout de suite présent lors des grandes catastrophes qui ont touché le pays : d'abord le tremblement de terre du 23 avril 1909 qui grâce à Dieu épargna Lisbonne mais qui sema la destruction et la mort à Ribatejo, Benavente, Valvaterra, Samora ; puis, le 24 décembre 1909, l'effrayante crue du Douro qui fut un épouvantable désastre pour la population de Porto tant il y eut de navires détruits et de dépôts ruinés par le passage des eaux.

Aux soucis que me donne Manuel s'ajoute la difficulté que j'éprouve à le marier. Au début de l'été 1909, après avoir songé à Alexandra de Fife et Patricia de Connaught, mon choix s'était porté sur Louise de Battenberg[1], et la reine Alexandra, malgré la mort toute récente du pauvre cher roi Édouard VII, avait dit à Sabugosa qu'elle se chargeait de toutes les négociations pour réaliser le mariage et qu'elle arrangerait un dîner avec Manuel et la famille Battenberg. C'était, je m'en souviens, le 22 mai dernier[2] car le soir, tout heureuse, je suis allée à l'observatoire de Lisbonne voir la comète. Le lendemain, une nouvelle dépêche de Sabugosa m'informa que Manuel avait fait une « très bonne impression » au dîner. Hélas, en août, j'appris que le dévouement du roi d'Angleterre et de la reine Alexandra n'avaient servi à rien, en raison de l'obstacle absolu et insurmontable que dressait la différence de religion. Au total, treize mois d'attente, pour rien ! Il fallait pourtant faire vite. Par doña Rotina[3] j'apprends que Manuel est

---

1. Toutes trois descendantes de la reine Victoria.
2. 1910.
3. Les mauvaises langues.

encore entiché de cette divette du music-hall parisien, Gaby Deslys, d'origine marseillaise, Gabrielle Caire de son vrai nom. La rumeur publique prétend qu'il marcherait dans les pas de son père et ses efforts politiques en sont aussitôt annihilés. Les républicains font leurs choux gras de cette amourette et colportent de fausses informations selon lesquelles Manuel la couvrirait des bijoux de la Couronne. Ridicule et grossier !

Hélas, ces préoccupations sont secondaires au regard de la dégradation constante de la vie politique – que dis-je, de la conscience politique depuis la mort de Carlos et de Louis. Il est effrayant de constater que les indiscutables manifestations de fidélité et d'affection populaires pour la monarchie ont été considérées avec une totale indifférence par les partis monarchistes.

Certes, je n'oublie pas que le premier ministère formé après la mort de Carlos et l'éviction de João Franco allait dans la bonne direction : celle de l'apaisement et de l'unité nationale. Sous la présidence de l'amiral Ferreira do Amaral, le ministère de concentration décida sans tarder le rétablissement des libertés publiques, l'amnistie pour les cas de désertion militaire, et l'organisation d'élections législatives. Ces élections du 5 avril[1] permirent la désignation de huit députés républicains, mais les partis monarchistes demeuraient très largement majoritaires et le voyage du jeune roi à Coimbra avait montré la vivacité du sentiment monarchiste.

Malheureusement, cette belle et nécessaire unité ne dura pas. En décembre 1908, Julio de Vilhena écrivit à Manuel pour lui dire qu'en tant que chef

---

1. 1908.

du Parti régénérateur, il retirait son appui au gouvernement d'Amaral en raison du résultat des élections municipales de Lisbonne et pour cause de désaccords sur les questions financières. Ce fut le début d'une série de tractations, d'alliances confuses et de polémiques qui ont plongé le pays dans une crise aiguë, dont les républicains profitent largement. Cette crise n'est pas provoquée par de hautes considérations politiques, par des questions d'honneur et par des débats approfondis sur les réformes à mener. Si tel était le cas, elle serait la bienvenue : ce serait une manifestation de vitalité dont le pays tirerait parti. Au contraire, cette interminable crise s'alimente comme un incendie aux sinistres combustibles que constituent les ambitions personnelles, les rivalités de groupes, les mesquineries des vieux politiciens, l'appât du gain et des honneurs, la vengeance et la haine.

Bien sûr, comme tout autre pays, le Portugal compte de magnifiques serviteurs de la patrie et de l'État, qui sont parfois en dehors du système des partis mais qui se trouvent aussi à l'intérieur de ceux-ci. Je n'ai jamais caché la haute estime que je porte à Wanceslau de Lima et à Sebastião Teles, mais il y en a tant d'autres que j'ai reçus lors des six crises ministérielles que nous avons connues, et qui se conduisent de manière abjecte. Cent fois j'ai invoqué l'intérêt supérieur de la patrie. Cent fois j'ai dit que les divisions des partis monarchistes faisaient le lit de la république, mille fois j'ai appelé aux réformes et au dépassement des guerres intestines. Et mon fils le roi n'a pas tenu d'autre langage. On nous a répondu avec des paroles courtoises, des considérations navrées, des gestes d'impuissance, des promesses de bien faire. Mais je lisais dans les yeux le mensonge, la voracité, l'égoïsme. Chaque jour, je vois sur les visages et dans les sourires mielleux l'ombre des vices et la trace des infamies.

Il y eut bien quelques sursauts, notamment avec le gouvernement Wanceslau formé en mai 1909 après un mois de négociations. Mais cet homme intègre, dont j'apprécie la sereine énergie, fut obligé de gouverner sous l'œil de Luciano[1], qui ne songe qu'à faire tomber le ministère, tout en étant confronté aux manifestations des républicains. Ceux-ci profitent de toutes les discordes, de toutes les faiblesses, de toutes les crises. Leurs démonstrations de force dans les rues de Lisbonne – par exemple celle du 2 août 1909 qui a rassemblé cinquante mille personnes dans une discipline impressionnante – font écho aux tumultes organisés à l'Assemblée par des députés républicains. C'est au soir de ce 2 août que j'ai compris que la Couronne était en jeu : quand le roi est à tort ou à raison contesté ou récusé par une partie de l'opinion, il lui devient impossible d'accomplir son rôle de rassembleur. Et même si Manuel continuait d'être acclamé lors de ses voyages en province et lorsqu'il revenait à Lisbonne après un séjour à l'étranger, l'apparition d'une nette division entre monarchistes et républicains me parut constituer notre première grande défaite politique.

Pourtant, Manuel reste un roi populaire. Je me souviens par exemple de ce 4 décembre 1909 où, de retour d'Angleterre, il fit une entrée triomphale

_____

1. Chef « historique » du Parti progressiste, qui fut le *deus ex machina* de la politique portugaise entre 1908 et 1910.

à Lisbonne dans notre chère vieille Daumont roulant au pas. Et le roi est d'autant plus apprécié qu'il refuse toute idée de dictature et respecte scrupuleusement son rôle constitutionnel qui le voue à arbitrer les querelles entre les factions monarchistes. Mais les chefs de ces factions n'écoutent rien. Ils se battent entre eux comme des chiens, et leur courage ne va jamais au-delà de ce qui convient pour satisfaire leurs appétits de pouvoir. Pour tout le reste, lâcheté et trahison. Ils n'ont pas le courage de dire aux députés républicains leur vérité, à savoir qu'ils sont des bourgeois égoïstes, qui se moquent du peuple dont ils se réclament et qu'ils manipulent. Mais eux-mêmes, les chefs progressistes et régénérateurs, et les sous-chefs des factions de ces partis monarchistes, se moquent bien de la fidélité du peuple portugais à son roi, et sont trop lâches pour répliquer aux campagnes de calomnie lancées contre la Couronne et pour faire taire les calomniateurs.

Car on nous accuse d'une chose et de son contraire. Si je vais à la messe, on crie que je suis dans la main des jésuites. Si on ne m'y voit pas, on s'indigne de mon peu de foi. Des journaux publient des lettres privées de Serpa, qui lui ont été volées, et nul ne s'en étonne : on s'amuse de surprendre quelques secrets, et on feint de se scandaliser. On clame que la cour est vendue aux Anglais, et l'on affirme sans la moindre preuve que des personnalités politiques et des gens du palais ont été achetés par Hinton[1]. On colporte des

_____
1. Commerçant anglais, Harry Hinton avait obtenu en 1895 le monopole de la fabrication du sucre et de l'alcool à Madère.

anecdotes grossières et viles sur moi, sur mes relations, sur celles de mon entourage, sur ce pauvre Wanceslau, sur les sentiments que nous aurions l'un pour l'autre.

Et maintenant ce ministère Texeira de Souza, formé il y a si peu de temps[1], qui m'a fait une bonne impression et qui préside avec rigueur et loyauté le Conseil des ministres. Mais il gouverne contre Luciano et les factions monarchistes s'acharnent contre lui, mais aussi les journaux portugais, qui trouvent des relais complaisants à l'étranger. Climat délétère. Rumeurs de complots. Annonce de mouvements insurrectionnels : le 29 août nous avons dû éloigner tous les navires de guerre, et j'ai télégraphié à Manuel de revenir d'Angleterre aussi vite que possible. Puis ces élections gagnées à Lisbonne par les républicains à cause de la division des monarchistes qui auraient dû remporter facilement la victoire – comme presque partout dans le pays. Découragement de Souza, panique perceptible. Et Manuel qui se couche de plus en plus tard, qui s'épuise en discussions infinies, toujours plus pâle et bouffi. Pauvre enfant, qui lutte comme il peut dans ce torrent de boue, au milieu des intrigues les plus basses, tandis que je me sens de plus en plus impuissante à peser sur le cours funeste des événements. Est-il encore possible d'éviter le pire ?

Dieu protège. *Sursum corda !*

---

1. Le 26 juin 1910.

9

« Majesté, c'est la révolution ! »

Tout cela était prévisible. Encore qu'on ne puisse jamais prévoir le pire. On se l'imagine, bien sûr, mais on ne peut pas croire que cela arrivera effectivement. Pourtant, c'est arrivé. Que le complot ourdi dans l'ombre ait abouti si rapidement à la chute de la monarchie est bien difficile à admettre. Nous aurions certainement pu éviter cela. Nous aurions dû. Mais il est trop tard maintenant, les dés sont jetés. Il est inutile d'avoir des remords. Peut-être dans quelque temps, si grâce à Dieu nous nous en sortons, nous pourrons nous poser ce genre de questions. Mais ce n'est pas le moment, alors que la révolte gronde aux portes du palais, à quelques kilomètres d'ici.

Je ne pouvais pourtant pas tout prévoir. Comment savoir que les révolutionnaires décideraient d'agir pendant les quelques jours de repos que je m'étais accordés à Sintra ?

La nuit a été courte. J'avais, hier soir, profité un long moment de ma solitude pour flâner dans le parc du château, savourant les derniers rayons du soleil et la douceur assez inhabituelle pour la saison. J'aimais toujours autant me laisser aller à mes souvenirs lorsque j'étais à Pena. Ce château restait une sorte de monde à part dans ma vie, rien ne semblait pouvoir m'affecter lorsque j'étais ici. Du haut des tours dominant la vallée, j'avais vu Lisbonne illuminée, calme, bientôt endormie... J'avais alors soupé fort tard, obligeant ma femme de chambre, Mme Girard, à veiller plus que de raison. À peine endormie, je fus tirée de mon sommeil par les échos d'une galopade endiablée. Dans ces montagnes tout bruit résonne, et le moindre galop fait l'effet d'une chevauchée de fin du monde. Je me suis alors assise dans mon lit, dans l'attente d'une explication. Inquiète, le souffle court, j'étais à l'affût du moindre bruit. Peut-être que tout cela n'était rien. Un promeneur solitaire ? Je n'en croyais rien. Le cavalier se rapprochait effectivement du château, il était là, tout près. Il devait être dans la cour. Je l'imaginais, mort de fatigue, venant on ne sait d'où, apporter une nouvelle de la plus haute importance. La famille royale était disséminée tout autour de Lisbonne, la reine Maria Pia à Estoril, le roi au palais des Necessidades, Afonso à Cascais, car en ces temps difficiles il ne convenait pas que le roi et l'infant fussent au même endroit. Mais qu'avait-il pu se produire en pleine nuit ? Et notre téléphone, en panne depuis deux jours ! Peut-être était-il arrivé quelque chose de grave, et j'allais en être la dernière informée.

La garde avait laissé entrer le cavalier dans le château. J'entendais à présent toute la maison se réveiller. On marchait prestement dans les couloirs des étages inférieurs – pas de doute, il se passait quelque chose. Je n'osais pas bouger : se lever c'était aller au-devant d'une nouvelle que je redoutais d'apprendre. Les pas se faisaient entendre à mon étage maintenant, l'issue était toute proche, j'allais savoir ce qui se passait. Le parquet craqua. Je sentis alors qu'imperceptiblement le loquet de la porte de ma chambre se tournait. Un mince filet de lumière se glissa par la porte qui s'ouvrait. Une silhouette apparut, un chandelier à la main.

« Venez vite, Majesté, il se passe quelque chose ! »

C'est Mme Girard, ma femme de chambre, l'empressement lui a fait oublier de se vêtir décemment, un simple châle est jeté sur ses épaules, cachant à peine sa chemise de nuit. Sans en dire plus, elle est déjà repartie. Mon angoisse est encore plus forte : quelle nouvelle est venu annoncer ce mystérieux cavalier ? Ma robe de chambre à peine enfilée, je descends, me guidant au son des voix, des cris, suivant les dames de compagnie, anonyme. Curieusement, tous sont réunis dans le salon noble, pièce habituellement réservée aux fêtes. À mon arrivée, ils poussent de grands cris – la reine, voilà la reine ! Le petit groupe réuni au milieu de la pièce se scinde en deux, laissant apparaître Da Cunha, le chef de la maison militaire du roi. Me voyant, il court vers moi, me prend les mains, un rictus marque son visage habituellement si doux.

« Majesté, c'est la révolution ! »

Da Cunha me révèle le peu de chose qu'il a appris à Lisbonne, cette nuit.

« Ce que je vais vous dire m'a été rapporté par un colonel du 16e d'infanterie. Vers une heure du matin, un groupe d'hommes, des républicains, s'est rassemblé devant la caserne du 16e d'infanterie. Ils étaient, semble-t-il, assez nombreux, mais avaient l'air pacifiques. La foule amassée demandait, d'une seule voix, à voir le commandant de la caserne. L'épreuve de force avait commencé. La masse n'était apparemment pas encore armée, mais suffisamment menaçante pour qu'un officier se dérange pour essayer de comprendre le pourquoi de cette manifestation nocturne. Tout s'est ensuite passé très confusément. D'après les dires du colonel, un petit groupe est entré pour parlementer avec le commandant, complètement dépassé par les événements. Mais ce n'était qu'une ruse, puisque la délégation républicaine, composée tout au plus d'une dizaine d'individus, a profité de la confusion pour ouvrir les portes au peuple qui attendait dehors. La foule a pénétré à grand bruit dans l'enceinte militaire, alertant du même coup les soldats qui sortaient, à peine habillés, l'arme à la main, prêts à faire feu sur d'éventuels agresseurs. Le massacre n'a alors été évité que grâce au talent oratoire des chefs républicains, qui sont parvenus à calmer les esprits.

« Il s'est ensuivi de longues négociations, les républicains voulant rallier à leur cause ces pauvres soldats ignorants des choses du pouvoir et qu'un beau discours peut faire basculer dans le camp adverse. Il ne fallut donc pas beaucoup de temps pour convaincre les soldats de suivre le mouvement. Même le commandant, un officier mou, suivait ses hommes... »

M. Da Cunha marque alors un temps d'arrêt dans son récit, bouillant de rage, mais certainement désemparé face à des événements qui le dépassent depuis longtemps. Le mouvement républicain ne s'était pas fait en un jour, on aurait pu prévoir ce qui allait se passer. Réflexion faite, c'était même inévitable. Da Cunha reprend, pathétique : « Nous fusillerons ce commandant une fois cette affaire terminée ! »

Je savais bien que cette « affaire » n'aurait pas de fin. Bien au contraire, nous assistions là à un commencement. Mais je devais garder pour moi ce type de réflexions, qu'un homme comme lui aurait jugées défaitistes. Je l'encourageai donc à poursuivre son récit, soucieuse, morte d'inquiétude même, quant au destin de notre famille et surtout de mon fils, seul au palais des Necessidades.

« La troupe ainsi constituée, forte de son premier succès, décide de se diriger vers d'autres casernes afin de grossir ses rangs. La plus proche se trouve à quelques rues de là, c'est la caserne du 1er régiment d'artillerie. Désordonnée, bruyante, la foule se met en marche. Pourtant, au sein de cette union naissent quelques discordances, silencieuses certes, mais bien réelles. Le colonel, de qui je tiens ce récit, et quelques autres soldats se sont rassemblés en fin de cortège. Ils ne veulent pas être solidaires d'un tel mouvement. Monarchistes avant tout, ils veulent avertir le roi de la révolte qui se prépare. Profitant du détour d'une ruelle sombre, le petit groupe se détache et, à toutes jambes, rejoint le palais des Necessidades. C'est vers trois heures du matin que nous avons été réveillés. Le roi, consterné par ce qui se passait en ville, n'a encore pris aucune décision. Il a réuni ses conseillers et m'a envoyé vous prévenir de la situation. »

Da Cunha s'assied, épuisé, dans un des confortables fauteuils beiges du salon. Il a derrière lui une longue soirée, qui avait commencé au palais de Belém, où le roi donnait une réception officielle en l'honneur des Brésiliens. Le bruit courait que la révolution éclaterait dans les jours à venir. Le président du Conseil avait demandé au général commandant de la division que tous les corps d'armée soient en alerte. Ce qui, au dire du colonel, n'avait pas été respecté. Le ministre de la Marine et le commandant de la garde municipale quittèrent tôt le dîner de gala ; le président du Conseil avait lui aussi voulu partir, mais le roi le lui avait interdit, pour ne pas inquiéter inutilement les invités. Après le dîner, on avait décidé du départ du roi pour le palais des Necessidades, gardé par environ mille hommes.

Mais Da Cunha n'eut pas le temps de se plonger dans de plus longues rêveries. Il ne devait pas rester ici à ne rien faire, il serait plus utile au côté du roi.

J'ai sans doute manqué de tact à ce moment-là, mais l'heure n'était pas aux politesses.

« Cher monsieur Da Cunha, songez à retourner dès que possible auprès du roi, qui a certainement grand besoin de votre aide. Envoyez-nous des nouvelles aussi régulièrement que possible, mais dépêchez plutôt un soldat, plutôt que de risquer votre précieuse vie ! »

C'était bien mal payer ce pauvre homme de ses efforts. Il quitta la pièce, probablement vexé, sans demander son reste.

Que faire ? Il règne maintenant dans le salon une atmosphère étrange. La quasi-totalité des domestiques est réunie là, tous parlent à mi-voix, aucun n'osant m'adresser la parole. Certains sont arrivés il y a quelques minutes à peine – leur sommeil doit être bien lourd ! – et se font raconter les derniers événements. Je demeure seule au milieu de mes gens. Indécise. Angoissée. Une chose est sûre, cependant, je ne peux rester ici à ne rien faire. Je me sens trop inutile à Sintra, seule, sans informations. Non, ma place n'est plus ici, je dois rejoindre Lisbonne dans les plus brefs délais ! J'appelle mon cocher pour qu'il prépare les chevaux et une voiture, je demande à ma femme de chambre, Mme Girard, de faire des paquets ne contenant que le strict minimum. Pedro, le cocher, envoie Luis, son aide, s'occuper de la voiture, et s'approche de moi.

« Que comptez-vous faire, Majesté ?

— Je pars pour Lisbonne, mon devoir m'y attend. Allez donc aider Luis, je dois partir dans les plus brefs délais. »

À ma grande surprise, Pedro ne bougea pas d'un pouce et me fixa d'un regard interrogateur.

« Avez-vous peur, Pedro ? »

J'avais posé cette question sans trop réfléchir. Peut-être était-ce moi qui avais peur ? Quoi qu'il en fût, il n'y avait aucune raison de se cacher ici, à Sintra.

« Pardonnez-moi, Majesté, mais je crois que ce n'est pas la meilleure solution, que de partir dès maintenant.

— Et pour quelle raison, je vous prie ?

— Si je peux me permettre, Majesté, ce départ me paraît précipité. »

Pedro avait ce même regard calme que j'avais toujours pris pour l'expression de sa timidité. Mais il affichait en fait une résignation qui me surprit beaucoup et qui, presque malgré moi, me fit écouter la fin de sa requête.

« À l'heure qu'il est la situation doit être très confuse à Lisbonne, je pense qu'il faudrait plus d'informations avant de décider quoi que ce soit.

Il serait plus sage, Majesté, d'aller prendre un peu de repos. Demain vous y verrez plus clair. »

C'est curieux comme les situations extrêmes révèlent les personnalités. Pedro venait à l'instant de m'éviter une belle erreur. Je l'en remerciai, un peu honteuse, et décidai de remettre mon départ.

La seconde partie de la nuit fut encore plus courte. Après quelques heures passées entre sommeil et veille, Mme Girard vint me tirer du lit vers sept heures et demie. Un messager venait d'arriver de Lisbonne. Celui-ci, très jeune, était installé dans les cuisines où on lui avait servi une collation. M'asseyant à ses côtés, je lui demandai de me raconter sans plus attendre ce qu'il savait. C'était un simple soldat, qui faisait partie de la troupe des mille hommes qui gardaient le palais des Necessidades, où le roi s'était réfugié.

« Après sa première victoire, commença-t-il, la troupe des révolutionnaires s'est dirigée vers la caserne du 1er d'artillerie. D'après ce que j'ai entendu dire, cela ne s'est pas fait sans heurts. On a même entendu des coups de feu vers quatre heures du matin. Des soldats, refusant de se laisser entraîner par les révolutionnaires, s'étaient retranchés dans les magasins de la caserne. L'endroit était extrêmement bien choisi car les républicains ne pouvaient continuer leur avancée sans se munir de davantage d'armes et de munitions – sinon ils se suicidaient ! La dizaine de soldats réfugiés dans le magasin n'avait que peu de chances de s'en sortir. Une dizaine de personnes ne suffit pas pour garder un bâtiment de cette taille, croyez-moi ! »

Le soldat s'interrompit quelques secondes, le temps de mordre dans un morceau de pain que la cuisinière lui avait apporté. Son regard brillait. Tout cela avait l'air de beaucoup l'exciter.

« Je ne sais pas ce que sont devenus les soldats retranchés, reprit-il, mais je pense que les révolutionnaires ont dû s'introduire dans le magasin par une entrée non surveillée – enfin, c'est ce que j'aurais fait ! Quoi qu'il en soit, la caserne du 1er d'artillerie fut bientôt aux mains des républicains. Plus rien, maintenant qu'ils étaient bien armés, ne pourrait les empêcher d'avancer.

« Vers cinq heures du matin, la troupe des révolutionnaires s'est remise en marche, elle a traversé le parc Édouard-VII pour prendre position en haut de l'Avenida da Liberdade, place du Marquis-de-Pombal. Du point de vue tactique, l'endroit était remarquablement bien choisi ! Les révolutionnaires ont alors dressé les premières barricades. Ce n'est qu'à ce moment-là que les soldats qui gardaient le palais des Necessidades ont été mis au courant de la situation. Le roi avait enfin décidé d'intervenir. Dans un premier temps, certains d'entre nous ont été chargés de réunir les troupes demeurées fidèles, c'est-à-dire les 2e et 5e chasseurs à pied, les 1er et 5e d'infanterie, et la garde municipale. Nos troupes se sont alors massées au bas de l'Avenida da Liberdade, attendant les ordres. Il nous fallait d'abord être parfaitement renseignés sur les positions de l'ennemi. Quelques gardes municipaux furent envoyés en éclaireurs. Le récit qu'ils nous firent à leur retour nous démoralisa tous. Nous avions pensé devoir combattre les quelques centaines de soldats des régiments insurgés, mais nous étions loin du compte. Nous croyions que le nombre de civils était négligeable. Nous nous trompions lourdement. De minute en minute, la foule des révolutionnaires augmentait, les civils affluant de toute part. Ils étaient accueillis à bras ouverts, on leur donnait des armes. Les barricades s'élevaient peu à peu, formées de matériaux les plus divers.

« Les forces restées fidèles écoutaient ces nouvelles, et les commentaires allaient bon train. Nous étions trop en retrait pour voir quoi que ce soit et devions nous en remettre à notre imagination. Le général Albuquerque, que le roi avait placé à notre tête, essaya de remettre un peu d'ordre. Il fit envoyer des messagers au palais pour informer le roi. Il demanda l'intervention en soutien de l'artillerie de Queluz, elle aussi restée fidèle, et me dépêcha ici pour vous résumer les événements. »

Le jeune soldat avait fini son récit, mais personne n'osait reprendre la parole. Je brisai le silence pesant pour le remercier de son dévouement. Il se retira, son devoir l'attendait ailleurs : il voulait en découdre avec les révolutionnaires.

La monarchie était en train de sombrer et nous étions les témoins impuissants de ce naufrage. L'attente recommençait.

La matinée débuta dans un silence de mort. Tous ici avaient très mal dormi. Chacun faisait mine de vaquer à ses occupations, mais l'angoisse se lisait sur tous les visages. Pepita et Chiquita m'avaient bien proposé une promenade dans le parc, mais sans entrain. Ma réponse négative les avait d'ailleurs soulagées.

Soudain, vers onze heures du matin, le tonnerre gronda au loin. Le temps avait dû se dégrader bien vite puisque, une heure auparavant, lorsque j'avais regardé l'horizon, un doux soleil se reflétait dans les eaux calmes du Tage. Pourtant le petit salon était toujours baigné de clarté.

Ce n'était pas le tonnerre. Les mêmes bruits sourds résonnaient à intervalles de plus en plus proches. Un bombardement avait commencé à Lisbonne. Qui tirait sur qui, il était bien difficile de le savoir. Du haut d'une des tours du château, où nous étions montés en catastrophe, on ne pouvait distinguer que quelques fumerolles.

Le téléphone sonna. À la fois soulagée que cet appareil fonctionne de nouveau, mais aussi cruellement inquiète, je décrochai le combiné. C'était Feitjo Texeira, le chef de la police spéciale du roi. Les nouvelles n'étaient guère encourageantes. Dans le même temps que s'engageait la bataille de rue, la marine, hostile au gouvernement, républicaine depuis la révolte du *Vasco-da-Gama*, commençait à jouer son rôle. Il me parlait d'un ton posé, le ton de l'homme d'envergure, que rien n'effraie et qui a toujours vu pire. Des deux croiseurs cuirassés *São-Rafael* et *Adamastor*, mouillés dans les eaux du Tage, ainsi que du *Dom-Carlos*, qui resta fidèle guère plus longtemps, un ultimatum parvenait au palais des Necessidades, enjoignant de se rendre et d'amener le pavillon royal azur et blanc. La réponse fut un dédaigneux refus. Alors, après trois coups à blanc de sommation, les deux navires lâchèrent leurs bordées sur le palais. Les tirs furent cependant assez peu efficaces. Texeira me dit ensuite que le roi allait aussi bien que possible. J'avais du mal à le croire. Il s'était installé, depuis le début du bombardement, dans une des petites maisons du palais. De là, il gardait constamment des liaisons téléphoniques avec les différents postes militaires.

Soudain, une forte détonation retentit dans le téléphone.

« On dirait qu'ils ajustent leurs tirs ! » me cria Texeira.

Un obus avait éclaté non loin de lui, détruisant une fenêtre et une bonne partie de la pièce où il se trouvait. Loin de se troubler, Texeira poursuivit son compte rendu. J'admirais cet homme si solide. Ah, si tous les nôtres pouvaient lui ressembler ! Mais c'était loin d'être le cas. Selon ses dires, la batterie de Queluz avait été demandée en renfort pour soutenir les combats qui duraient toujours au centre de la ville. Personne ne s'était entendu sur l'endroit où la batterie devait prendre place. Après maintes tergiversations, elle avait été installée dans la caserne du 5e d'infanterie. Ce n'était pas, à son avis, un bon choix stratégique. La position initiale de cette batterie, dans le parc Édouard-VII, était préférable car elle permettait de prendre les révolutionnaires à revers. Alors qu'une autre détonation se faisait entendre, plus lointaine celle-là, Texeira me dit qu'il devait raccrocher, me promettant de donner des nouvelles le plus tôt possible.

Le roi semblait en sécurité. Mais pour combien de temps encore ? Le chef de la police avait été plus qu'évasif sur la suite des opérations. Mon angoisse ne faisait que croître. Il fallait que je dorme un peu.

« Votre Majesté ? Votre Majesté, réveillez-vous ! »

À ma grande surprise, la fatigue avait réussi à prendre le pas sur mon angoisse et j'avais dormi. Combien de temps ? Je n'en avais aucune idée. En ouvrant les yeux, je vis Mme Girard qui agitait un morceau de papier.

« Un télégramme vient d'arriver, Majesté ! »

Les yeux encore embrumés, j'en pris connaissance. Le roi avait donné l'ordre qu'on lui prépare une automobile qui puisse le conduire à Mafra. Son départ était imminent. Cette solution me rassurait en tant que mère : je ne voulais pas que mon fils périsse sous les décombres. Cependant, d'un point de vue politique, c'était une fuite. Le roi démissionnait quasiment de sa fonction, ce qui ne contribuerait pas à galvaniser les troupes, bien au contraire… Mais peut-être était-ce la décision la plus sage. Peut-être n'y avait-il plus rien à sauver.

Il devait être quinze heures lorsque le téléphone sonna de nouveau. C'était Manuel, il était arrivé au palais de Belém. Il avait quitté les Necessidades pour permettre une action militaire plus efficace, mais il était furieux de l'incapacité et de la mollesse des brigades censées défendre le palais. Le roi était presque seul. Quatre hommes l'accompagnaient : le comte de Sabugosa, le marquis de Lavradio, le marquis de Fayal et le lieutenant Sepulveda. Ce dernier venait d'arriver et demandait à parler au roi. J'entendis Manuel s'enquérir des dernières nouvelles.

« Alors ?

— Les révolutionnaires avancent, répondit le lieutenant. C'est le résultat des gouvernements que nous avons eus depuis la mort de dom Carlos.

— Sans doute, mais que doit-on faire maintenant ?

— Il y a un seul remède.

— Lequel ? »

Sepulveda allait sans doute faire une proposition qui serait difficile à entendre.

« Un seul et tout de suite, ou tout est perdu.

— Lequel ? » La voix de Manuel laissait transparaître nervosité et angoisse.

« Il faut que Votre Majesté se porte, à cheval, à la tête des forces qui gardent le palais, et que nous marchions sur Lisbonne. »

J'aurais voulu crier, mais le son s'étrangla dans ma gorge. Impuissante, j'écoutais les réactions de surprise, là-bas à Belém, tandis que le maudit lieutenant continuait à exposer son point de vue.

« Je suis d'accord avec vous, c'est une pure folie, mais si le roi s'y refuse il n'aura plus qu'à s'enfuir et la monarchie sera perdue. Seul un acte de courage qui enflamme les soldats peut sauver le trône.

— Soit, je suis prêt, allons-y, sauvons la monarchie, même si je dois en payer le prix de ma vie ! » dit Manuel.

Je n'ai gardé qu'un souvenir très flou de ce qui suivit. Ce que j'en sais m'a été raconté par ceux qui m'entouraient à cet instant. Un cri aigu avait forcé Manuel à reprendre le combiné. Il m'avait entendue supplier le Ciel dans un soupir d'agonie. « Je ne veux pas ! Pitié, Seigneur ! Je veux mon fils, le dernier qui me reste ! »

Je m'étais évanouie. Entre la mort et le cauchemar de cette vie, mon esprit ne faisait plus de différence.

Les sels qu'on me fit respirer me réveillèrent. On m'avait apparemment transportée jusqu'au salon privé. Mes yeux se faisaient doucement à la lumière, et je redécouvrais la décoration chargée de la pièce. Mme Girard m'humectait le front d'un linge humide.

« Votre Majesté ! Vous nous avez fait une de ces peurs ! »

Les secondes précédant mon évanouissement me revinrent en mémoire.

« Où est Manuel ? »

Rien d'autre n'importait à mes yeux, maintenant.

La comtesse de Sabugosa s'approcha de moi et me murmura qu'il avait pris la décision de partir pour Mafra. Après mon évanouissement, il n'avait pu se résoudre à suivre les conseils du lieutenant. Il avait pensé à sa mère, plutôt qu'à une patrie en train de sombrer dans le chaos. Son choix, j'en étais convaincue, était le meilleur. Il était trop tard pour tenter quoi que ce fût. Un sacrifice n'aurait rien changé.

La soirée passa difficilement. L'issue de la révolution ne faisait plus aucun doute. L'angoisse avait laissé place à la résignation. Plus jamais je ne voulais revivre des heures telles que celles qui venaient de s'écouler.

Vers neuf heures, le général Albuquerque téléphona. En quelques mots il m'informa, comme Manuel le lui avait demandé, des derniers événements. Un obus avait mis à bas l'étendard rouge des Bragance, remplacé peu après par le drapeau vert et rouge des révolutionnaires. La garde municipale et les deux régiments de cavalerie établis aux abords du palais avaient résisté un moment au bombardement des croiseurs mouillés dans le Tage, puis s'étaient repliés. Alors les marins, les fusiliers restés à terre et les compagnies de débarquement des différents croiseurs étaient allés prêter main-forte aux combattants de la place du Marquis-de-Pombal. Enfin, ils avaient pris à revers les dernières forces loyalistes, les obligeant à la reddition. La république avait été proclamée à l'hôtel de ville. Peu après, un gouvernement provisoire était formé, sous la présidence de Théophile Braga. C'en était bien fini de la monarchie. Le temps de l'exil avait commencé.

Les trois automobiles, escortées par des soldats de cavalerie, dévalaient les rues de la petite ville portuaire d'Ericeira. Les pavés ajoutaient au désagrément du voyage, bringuebalant les passagers de tous côtés. Cependant personne ne semblait prêter attention à de tels détails.

La première voiture, celle du roi, était tombée en panne et le cortège avait perdu beaucoup de temps. L'attente avait été d'autant plus insupportable que tout le monde souhaitait en finir au plus vite.

Brusquement le convoi s'arrêta au sommet d'une pente. Un homme exténué, couvert de poussière, en sueur, leva le bras pour nous faire signe de nous arrêter. Il s'agissait de Serrão Franco. Les cavaliers auxquels le roi avait confié sa garde, qui galopaient très près des automobiles, s'arrêtèrent immédiatement dans de furieuses embardées. La révolte aurait-elle gagné le port d'Ericeira ? Les hommes de la mer s'opposeraient-ils à l'embarquement de la famille royale ? Ou bien, en contradiction avec les dernières nouvelles reçues à Mafra, les portes de Lisbonne se rouvriraient-elles au descendant de dom Pedro IV ?

« Que se passe-t-il ? demanda le roi.

— Rien, Sire, nous prenons une autre route », répondit Serrão Franco avant de monter dans la première voiture pour indiquer le chemin.

Le doute n'avait duré que quelques instants. Pourtant, en voyant certains cavaliers s'éponger le front en soufflant, j'eus l'impression qu'ils avaient vraiment eu peur. Pour ma part, j'avais gardé ma sérénité, je ne saurais expliquer pourquoi. Depuis que le roi avait décidé notre fuite et que la famille royale s'était réunie à Mafra, je vivais dans une sorte de songe désabusé qui me rappelait les voyages de retour de Normandie lorsque j'étais petite. Je vivais alors dans le souvenir des moments passés et j'essayais de fermer mon esprit à ce qui concernait l'avenir.

Enfin les voitures repartirent. On évita le centre de la ville pour s'arrêter devant l'église São Pedro. Un cortège s'organisa, formé du roi, de Franco suivi de la reine Maria Pia accompagnée de la marquise de Unhão. Derrière moi il y avait mes amies, Figueiro et dom Maria Francisca de Meneses. Venait ensuite Feijo Texeira.

Après être passés devant un petit fort, la vingtaine de personnes qui constituait notre cortège arriva au bord d'une falaise haute d'une cinquantaine de mètres. Nous surplombions une plage et deux embarcations de petite taille autour desquelles s'affairaient toute une foule d'individus. Notre groupe emprunta alors la sente qui descendait vers le rivage. Je ne l'avais pas remarqué jusqu'à présent, mais on nous regardait du haut de la falaise. Sans doute par respect, ces spectateurs inattendus ne descendaient pas sur la plage, mais peut-être était-ce aussi par crainte. En effet, ces paysans et ces pêcheurs devaient être fort impressionnés de voir leur roi. De l'esplanade du fort, d'où sont lancés les signaux aux bateaux qui reviennent de la haute mer, les femmes criaient : « Notre roi ! Notre roi ! »

« Votre Majesté, embrassez un enfant », dit Serrão Franco au roi en désignant des bambins qui se trouvaient sur la plage. Devant l'hésitation du roi, Franco le poussa vers l'un d'eux, et le roi s'exécuta. Les clameurs redoublèrent. À ce moment Franco empoigna le roi par les épaules et le fit monter dans la première barque. Il y avait en effet quelque danger à s'attarder plus longtemps car la foule se rapprochait et risquait de repousser la famille royale vers les flots. Ce fut ensuite le tour de Maria Pia, que Franco porta avec difficulté dans la seconde barque. Je restai alors seule sur la plage. D'un côté des mains tendues me pressant de monter dans la barque, de l'autre l'ancien royaume de Portugal. Mes yeux ne parvenaient à se détacher de ces gens si joyeux et chaleureux, de ce pays que j'aimais tant...

Ma vie était ici. Comment me résigner à partir ? Derrière moi, les voix m'appelaient avec plus de force encore – la mer était mauvaise, il fallait partir vite – mais je ne les entendais pas. Il me fallait pourtant rejoindre les miens, ce fils que j'aimais et qui m'aimait. Il fallait quitter ce pays où nous n'avions plus notre place. Ne pas penser à demain. Ne plus penser à rien...

Je pris la main que Franco me tendait. D'un coup de rame ferme, la barque s'éloigna du bord, s'éloigna encore et encore. Je détournai les yeux, scrutant avec force l'horizon.

10

Pages d'exil et de guerre

Trop secouée par les événements pour rédiger ce récit de manière continue. Même après la mort de Carlos et du Petit, il y avait un prolongement, un avenir, donc un fil à suivre, des liens à tisser ou à retisser afin que l'histoire se poursuive. Celle de Portugal, du royaume de Portugal. Avec moi, pour transmettre, avec Manuel, pour construire.

Maintenant, *membra disjecta*. Nous sommes nous-mêmes défaits, éparpillés, morcelés, rompus. Pas le moindre sentiment de soulagement d'avoir pu échapper aux révolutionnaires. Ce départ, comme la mort : un arrachement. Nous sommes apparemment sains et saufs, tous en Angleterre : Manuel, Pepita, Soveral, Antonio, Sabugosa. Mais tous disloqués. Pas désespérés cependant : le retour est possible, tant cette révolution est misérable, absurde, si éloignée de la volonté populaire – un complot de carbonaristes, une émeute de petits-bourgeois encadrée par des officiers félons. Un vide creusé par les monarchistes et occupé par surprise, mais sans doute provisoirement.

31 octobre 1910

Les journaux de Lisbonne provoquent tous le même écœurement : c'est la pure ignominie de l'abandon lâche. Les journalistes qui nous témoignaient une servilité empressée se roulent aux pieds des révolutionnaires : il est vrai que maintenant ils risquent leur peau, alors que sous notre règne ils s'exposaient à de simples réprimandes, à quelques amendes.

Et puis ces officiers que nous avons couverts de médailles et qui donnent des soupers en l'honneur de la République – par exemple ceux du 5ᵉ chasseurs. Ils se vautrent dans la boue.

Tant de mensonges, de calomnies. Ils nous ont chassés. Il faut encore qu'ils nous salissent. La tristesse me ronge le cœur.

Je n'en peux plus. La vie a été bien cruelle pour moi. J'ai le cœur plein de douleur, d'indignation et d'amertume devant tant de lâcheté, d'ingratitude, de vilenies et de trahisons. Mais que la volonté de Dieu soit faite ! J'ai conscience d'avoir rempli le dur devoir. Maintenant il faut prier et espérer.

Heureusement, il y a l'affection de Georgie et May[1] qui ont déjeuné avec moi le 28. Tout de même, j'ai dit à Georgie que j'aurais apprécié un appui moral plus solide. Il m'a promis d'intervenir pour que je puisse récupérer mes biens personnels. Mais deux jours plus tard j'ai appris par Serpa que tous nos papiers personnels ont été saisis. Indicible révolte.

---

1. Le roi George V et la reine Mary.

31 décembre 1910

Moi si active, j'ai appris à tuer le temps. Comme tous les rescapés d'une catastrophe, nous avons couru les magasins de Londres pour acheter des manteaux, des gants, quelques chapeaux – l'indispensable pour ne pas aller de rhumes en bronchites dans l'humidité permanente de l'hiver anglais. Pepita et Kerausch m'ont déniché une jolie maison à Richmond, que j'ai louée pour nous tous. S'installer, mais dans le provisoire.

Et toujours la mort qui rôde : celle d'oncle Chartres, au début de ce mois, presque subite. Encore un grand vide, d'autant plus terrible qu'il avait compensé autant que possible la mort de papa. Grâce à Dieu, Phil est là, avec son immense bonté, et cette façon si chaleureuse de m'entourer. À lui, je peux tout dire. Mon cœur brisé. Et mon manque de courage pour encore souffrir.

Il y a deux jours, j'ai reçu mon *diary* renvoyé par Villers, et Soveral vient de m'apporter des souvenirs envoyés par tante Alex : un charmant pendentif moon-stone, un médaillon avec une tête de Christ, touchant. Mais que d'amertume ! J'ai prié Dieu, imploré Sa protection et Sa miséricorde.

26 février 1911

Je vis dans l'attente des nouvelles de Portugal – celles des journaux anglais, celles des amis de passage comme Pinheiro Chagas, Izabel Galvéas. Le pays est tombé dans l'anarchie complète. Il y a eu en janvier des grèves dans les chemins de fer.

Ce qui laisse espérer une réaction en notre faveur. Les républicains, qui la redoutent, se répandent en infamies sur nous et sur tous ceux qui ont servi la monarchie.

Le peuple portugais est bon et généreux. Il a gardé beaucoup de ses antiques vertus. Ce sont les politiciens qui l'exploitent ! Tous ceux qui l'adulent aujourd'hui, après s'être prosternés devant nous, pour nous frapper plus durement.

Grâce au gouvernement britannique, on va me renvoyer mes bijoux et quelques objets personnels, et aussi des biens appartenant en propre à Manuel.

Je cours les musées – National Gallery, British Museum, Wallace Collection.

Aujourd'hui, emplettes chez Harrod's et Burlington Arcade. Thé avec la colonie exilée. Promenade à Kew Gardens.

15 mai 1911

Les semaines passent et se ressemblent. Elles sont marquées par l'arrivée de mes affaires personnelles. D'abord mes bijoux en mars – et l'inventaire que j'en ai fait montre que pas une épingle ne manque. Puis 24 caisses en avril, dans lesquelles j'ai trouvé deux drapeaux et l'étendard, l'uniforme de Carlos, des costumes du Petit, ainsi que mes manteaux de cour. *Saudades*.

Hélas, notre Portugal s'enfonce dans l'anarchie et, pour ajouter à mes soucis, Manuel se gonfle d'importance et de vanité tant il est sollicité par les journalistes. Il n'écoute ni mes conseils ni mes critiques. Il confère, s'agite, parle beaucoup. Parfois, je me mets à partager son optimisme quant à une restauration prochaine. Et puis des visites échangées avec les Fife[1] me permettent de penser qu'il pourrait y avoir un jour ou l'autre des projets matrimoniaux.

Je cherche chaque matin des raisons d'espérer. Mais je reste inconsolable jusqu'à la torture. Seule Pepita, qui s'est installée avec son mari à Crow's Nest, parvient à me consoler.

19 mai 1911

Les souverains allemands sont à Londres depuis quelques jours, pour l'inauguration du monument à la reine Victoria qui a eu lieu le 16 à Hyde Park. J'ai vu aujourd'hui le Kaiser à Buckingham Palace. Il a été charmant et a dit à Manuel quelques vérités sévères sur le comportement de l'Angleterre face à la révolution qui nous a chassés de Portugal. L'impératrice aussi a été délicieuse, profondément touchée par nos malheurs et trouvant de bonnes et réconfortantes paroles.

27 juin 1911

La situation anarchique du Portugal renforce dans le peuple le regret de la stabilité monarchique. Les nouvelles qui nous parviennent de notre malheureux pays laissent entrevoir un espoir et Manuel multiplie les réunions avec ses conseillers. Il voit souvent les souverains britanniques et a dîné le 14 chez Winston Churchill[2]. L'opposition monarchiste en Portugal serait confortée si nous

1. Louise, fille d'Edouard VII, avait épousé en 1889 le duc de Fife, dont la fille Alexandra épousa en 1913 un autre petit-fils de Victoria, Arthur de Connaught.
2. À l'époque, Premier lord de l'Amirauté.

fournissions de l'argent. Hélas, il est presque impossible d'en trouver.

10 juillet 1910

Dans le train, qui me ramène de Paris à Londres. Ce matin, j'ai prié à la statue de Jeanne d'Arc, rue de Rivoli, puis à Notre-Dame-des-Victoires. Hier au soir, j'étais encore à Turin pour l'enterrement de la reine Maria Pia. Tout cela si soudain. Le 3, Alphonse apprend que sa mère est très malade – le foie – et qu'elle s'affaiblit. Je saute dans le train avec Alphonse et Antonio. Voyage des plus inconfortable dans des trains bondés et étouffants. Arrivée à Turin le 5 à 2 h 20. Course folle en auto jusqu'à Stupinigi pour voir la pauvre reine râlant sous les ballons d'oxygène et pour recevoir ses derniers soupirs. Vendredi (7 juillet), j'ai baisé une dernière fois la main de la reine Maria Pia, très belle sur ce lit très grand avec son chapelet entre les mains. Moi si triste tout au long de ces jours de deuil qui m'en rappellent d'autres. Mais la reine Marguerite parfaite, toute de charme et de bonté. J'ai vu aussi Hélène, arrivée de Randam, le prince royal de Bulgarie, très gentil. Manuel absent : il voulait venir, il attendait l'avis du roi d'Italie ; finalement pas venu. Mauvaise impression que ces visites annoncées et dénoncées.

30 août 1911

Au début du mois, installation dans une jolie maison à Hampton Court, prêtée par Georgie. Triste été. Manuel en cure à Harrogate, la grève des dockers de Londres et des chemins de fer. Les amis portugais qui manquent de ressources et qui nous préviennent qu'ils sont forcés de se disperser faute d'argent. J'aurais souhaité emprunter en mettant mes bijoux sous caution mais c'est impossible.

12 septembre 1911

Les journaux annoncent que les grandes puissances vont reconnaître la République portugaise. C'est la consécration du crime, de l'anarchie et du plus tyrannique désordre, de la sinistre farce des élections.

17 octobre 1911

Au début du mois, des bagarres ont éclaté à Porto entre monarchistes et républicains. Un peu partout dans le pays, la population a acclamé le roi et on a hissé le drapeau national dans plusieurs villes. Des dépêches nous confirmèrent l'ampleur du mouvement, qui semblait avoir gagné plusieurs régiments. Cela un an après la révolution ! À Chavas, à Bragança, ce fut un véritable soulèvement, et 10 000 hommes commandés par Couceiro, João d'Almeida et Homen Christo ont marché le 6 vers Braga. Tout le Nord suivait avec enthousiasme le mouvement – et d'abord les paysans.

Puis les mauvaises nouvelles sont arrivées : Lisbonne ne bougeait pas, aucune ville, aucun régiment ne se prononçait pour la monarchie. Tant de dévouements mal dirigés ! Tant d'efforts pour le moment perdus !

31 décembre 1911

Dernier jour de cette première année d'exil. Tristesse des dernières semaines après l'espoir fou d'octobre : des visites d'hôpitaux (West London

Hospital à Hammersmith, Paddington Dispensary, St. George's Hospital et son installation bactériologique), de *work houses*, ventes de charité, visites d'amis, expositions, promenades. Et toujours les souvenirs qui me reviennent et me submergent de tristesse. Notre Institut bactériologique... Nos petits tuberculeux... Et toutes ces familles pauvres de Porto, de Lisbonne... Qui va désormais s'occuper d'eux, chaque jour ? Le gouvernement ? Il ne suffit pas d'être ministre. La nouvelle administration ? Elle ne sera pas différente de l'ancienne puisque, à quelques-uns près, ce sont les mêmes qui la dirigent et qui s'occupent des dossiers. Les bureaucrates en manches de lustrine ? Qu'ils aillent à la messe ou à la loge[1], il n'y en a pas un sur mille qui versera une larme sur le malheur du peuple. Pas un sur dix mille qui aura le courage de hâter un dossier.

16 avril 1912

Triste hiver, dans une maison glaciale : 9 degrés dans ma chambre, 12 ou 13 dans le salon. Dans mon pauvre pays, l'anarchie politique se double d'une situation financière proche de la banqueroute. Ici, une grande grève du charbon, avec 760 000 mineurs en grève fin février ; des suffragettes ont cassé des vitrines de magasins londoniens. En mars, attentat contre le roi d'Italie, qui échappe aux coups de revolver tirés par un seul assassin. Je revis l'horreur.

Manuel me cause toujours du souci. Tant de légèreté ! Il n'écoute pas ce que je lui dis. Et puis son état de santé est toujours déplorable : sa peau

---

1. Maçonnique.

est en mauvais état, il manque absolument d'hygiène, d'exercice. Il a les nerfs fatigués, il mange n'importe quoi, il boit et il fume beaucoup trop. C'est désolant ! Sur le conseil du docteur Récamier, il vient de partir se reposer à Berne.

Quant à moi, j'arpente toujours les hôpitaux. Avec un curé catholique, j'ai visité des taudis : c'est la même misère noire qu'en Portugal, aggravée par l'ivrognerie et le climat.

Aujourd'hui, j'apprends l'effroyable catastrophe du *Titanic* qui a heurté un iceberg. Trois mille morts !

8 juin 1912

À Hendon, mon premier derby aérien ! Les routes étaient bloquées par une immense foule et il a fallu terminer le trajet à pied. Magnifiques évolutions de plusieurs aéroplanes qui s'enlevaient du sol et atterrissaient. L'un d'eux a volé avec une passagère. Ces oiseaux humains m'ont fait une saisissante impression et j'ai eu envie d'essayer.

19 juillet 1912

Encore de la fidélité gaspillée, de l'héroïsme inutile, des vies sacrifiées pour rien. Le 8 juillet, des groupes monarchistes passent la frontière portugaise. Des villages se soulèvent dans le Nord mais les premières attaques menées par Sepulveda et Valença sont repoussées. Pas la moindre défection dans les troupes régulières. La tentative d'insurrection paraît vouée à l'échec. Malgré l'impression d'ensemble, désolante, Couceiro décide de marcher sur Chavas. Le 13, la colonne s'avance à découvert, et se trouve prise sous le feu nourri des défenseurs de la ville, solidement retranchés derrière des murailles : les troupes régulières se défendent mollement, mais les volontaires républicains tirent avec frénésie. Jeunes ou vieux, beaucoup de monarchistes montent vers les retranchements pour l'honneur et meurent avec crânerie. L'échec militaire était inscrit dans la décision de donner l'assaut. Décision incompréhensible. Soulèvement mal préparé. Et maintenant, les carbonaristes arrêtent et fusillent les monarchistes. À Lisbonne, on assassine en pleine rue. Et le gouvernement, complice, ferme les yeux ! Folie des chefs monarchistes. Horreurs des carbonaristes. Mon pauvre pays, livré à la sanglante anarchie !

Août-septembre 1912

Voyage en Belgique avec Pepita et Antonio. Comme toujours, pour préserver mon incognito, je descends dans les hôtels sous le nom de marquise de Vila Viçosa. Seule Marie Girard, ma femme de chambre, m'accompagne pour mon service.

Bruxelles, Bruges, Namur. Puis Luxembourg et l'Allemagne : Mayence, Francfort-sur-le-Main, Hanau, Bamberg, Nuremberg. Ensuite Coppet, et les retrouvailles avec les amis tant aimés : les d'Haussonville, les d'Harcourt... Que de souvenirs : j'étais venue à Coppet, dans la propriété chère à Mme de Staël, pour la première fois il y a trente-deux ans avec papa et Phil. Puis l'Italie par le Simplon. D'abord Milan, puis Stresa : l'hôtel Regina, qui occupe une position enchanteresse ; à la réflexion, c'est plus joli et langoureux que grandiose. Bal le soir : on danse des tangos-agarrados indécents mais à la mode dans « le monde ». Le 14 septembre, à Lucerne, j'ai retrouvé tante Flandres[1] et Manuel. J'ai causé plusieurs jours de suite avec la tante du mariage de Manuel. Elle aimerait une alliance du côté Hohenzollern mais les difficultés financières paraissent insurmontables. Retour à Londres ce lundi 30 septembre.

2 octobre 1912

Été chez Coutts[2] vendre lettre crédit et quelques bijoux.

1er février 1913

Affreux jour. Le sinistre anniversaire ne peut pas augmenter ma douleur. Mais il fait tout revivre avec une atroce intensité. Église à onze heures. Deux messes.

17 février 1913

Le *Morning Post* relate d'infâmes manifestations des régicides, que le gouvernement fait plus que tolérer. C'est à mourir de révolte et de dégoût. Des hyènes et des chacals abjects.

19 mars 1913

Affreuse nouvelle de l'assassinat du roi de Grèce dans une rue de Salonique – par un fou, dit-on. Horreur !

---

1. Marie de Hohenzollern, épouse du prince de Belgique, comte de Flandres, et mère du roi Albert Ier et de la duchesse de Vendôme.
2. Banquier londonien de la reine.

31 mars 1913

Départ de Manuel pour Sigmaringen. J'espère que ce voyage sera heureux.

13 avril 1913

Attentat manqué contre le roi d'Espagne. L'assassin a tiré trois coups de pistolet sur le roi qui s'en revenait à cheval de la Jura à Alcalà. Son sang-froid, sa crânerie. Dieu l'a protégé ! Grâces lui soient rendues.

16 avril 1913

J'ai reçu une dépêche chiffrée de Manuel disant que tout était arrangé et demandant ma bénédiction. Je suis heureuse, émue profondément. Que Dieu le bénisse ! Je lui ai immédiatement télégraphié pour lui recommander une absolue réserve.

18 avril 1913

Reçu une lettre de Guillaume Hohenzollern : « C'est avec une grande émotion que je viens de participer aux fiançailles de Manuel et de ma fille[1]. Je ne puis te dire combien mon cœur ressent tout le bonheur de nos chers enfants. Ce que nous avions espéré est devenu réalité. »

19 avril 1913

Reçu une dépêche du Kaiser, très chaleureux pour les fiançailles de Manuel.

---

1. Augusta-Victoria, dite Mimi.

20 avril 1913

Les fiançailles de Manuel sont officielles. C'est pour moi une profonde consolation. Mais aussi tant de souvenirs personnels. *Saudades.*

Je suis inondée de dépêches de félicitations : Georgie, l'empereur d'Autriche, le roi d'Espagne, le roi d'Italie...

22 juin 1913

Arrivée de Guillaume de Hohenzollern et de sa fille Mimi qui me fait tout de suite une très bonne impression. Pour moi, c'est une grande émotion. Elle aussi est émue et très nerveuse, ce qui est bien naturel.

23 juin 1913

Après avoir visité une maison à Wimbledon, Manuel et sa fiancée nous retrouvent chez Soveral et je lui présente mon entourage. J'essaie de faire causer Mimi mais c'est très difficile pour elle car elle ne connaît personne. Tout s'est très bien passé cependant.

25 juin 1913

Déjeuner (excellent !) chez les Vendôme avec Guillaume et Mimi qui partent après-demain pour l'Allemagne via Douvres et Ostende.

16 août 1913

Manuel part demain pour Sigmaringen, et moi après-demain pour Paris. Maman m'attendra à la gare du Nord.

28 août 1913

Essayage chapeaux. Thé au Pré-Catelan. Puis l'île Saint-Louis : tant de vieux souvenirs que j'évoque avec Marguerite. Elle m'a emmenée au théâtre des Champs-Élysées, tout nouveau et assez laid. On donnait *Le Poulailler*, très indécent, et *La Gloire ambulancière*, pièce grossière, sale, stupide. Marguerite était désolée.

2 septembre 1913

Arrivée à Ulm à huit heures. Bref arrêt à l'hôtel de Russie puis nous partons pour Sigmaringen en compagnie du comte et de la comtesse Adelmann von Adelmansfelden qui ont été désignés pour mon service. Sigmaringen sur le coup de midi et demi. Accueillis par la Grande Maîtresse, la comtesse Matuscha, nous retrouvons Manuel, Mimi, Guillaume et ses fils, son frère Charles, tante Antoinette[1]. Le château est très beau : il me fait penser à Sintra-Pena.

3 septembre 1913

Ce matin, arrivée d'Afonso, d'Hélène, du prince de Galles, du prince August-Wilhelm, du duc de Gênes, du grand-duc et de la grande-duchesse de Bade, du duc de Cobourg, de Hans de Saxe. Tous et toutes ont belle apparence et sont d'une grande affabilité.

Mimi a l'air heureuse. Hier, Manuel lui a donné un superbe diadème de Leitão, et moi un collier qui me rappelle beaucoup de touchants souvenirs de là-bas. Même ici, pour ce mariage tant

---

1. Grand-mère de la fiancée, et tante du roi dom Carlos.

souhaité, je ne peux m'empêcher d'éprouver la nostalgie du pays.

Nous sommes reçus par les Bade et par la grande-duchesse Louise[1], qui a beaucoup connu papa. Pour le dîner, je porte diadème et robe blanche, Manuel est en habit, Afonso en uniforme allemand. Avec nous, les Vendôme, les Sabugosa, les Fayal, Isabel, Kerausch, Tarouca... Je suis très émue, épuisée, mais je me sens consolée et je ressens une immense espérance.

4 septembre 1913

Le grand jour. Je commence par une prière ardente. J'ai une robe grise, un chapeau gris, un collier de chien en saphirs et perles. Manuel, superbe dans son habit, porte l'ordre de la Jarretière et la grand cordon des trois ordres portugais.

Pendant la messe de communion, mon fils se tient debout sur un bac rempli de terre portugaise. À la sortie Manuel et Mimi sont venus m'embrasser. Que Dieu les protège et les bénisse !

À une heure, c'est le mariage civil, prononcé par le comte Eulenburg, en présence de Guillaume, des frères, d'Afonso et de moi-même. Puis se forme le cortège : les fiancés, Guillaume et moi qui passons sous la voûte qui me rappelle encore Pena. Église : la messe par le cardinal dom José Netto[2]. Tous mes souvenirs qui reviennent. Il y a vingt-sept ans, Carlos et moi, à Lisbonne... Oui, tous mes souvenirs. Tous

1. Née princesse Louise de Prusse, épouse du grand-duc Frédéric Ier, 1826-1907.
2. Ancien patriarche de Lisbonne, expulsé par les républicains à Séville.

présents ! Toujours aussi douloureux malgré le temps qui passe.

Sermon en allemand. Baise-main au salon, où chacun admire, parmi les innombrables cadeaux, un ensemble de pièces en argent envoyé par le roi et la reine d'Angleterre. Grand déjeuner puis photo sur la terrasse du château. Assisté au départ de Manuel et de Mimi pour Munich. Je pars demain pour Lausanne, puis à Evian pour ma cure.

29 septembre 1913

Des journaux allemands, français, anglais et portugais répandent des nouvelles calomnieuses : les jeunes mariés seraient déjà séparés, la jeune femme retrouvera sa famille. C'est toujours la même infamie.

Je pars dans deux jours pour Paris.

La vérité : Mimi souffre d'une gastrite, mais Manuel m'assure qu'il n'y a pas lieu de s'inquiéter.

22 octobre 1913

Hier, Manuel et Mimi sont partis pour Sigmaringen, afin qu'elle s'y repose.

Des dépêches Havas disent qu'il y a des troubles à Lisbonne, que des anarchistes et des syndicalistes se sont soulevés, mais aussi des monarchistes. Le gouvernement « estime » être maître de la situation. Pourtant, le régiment d'artillerie de Vianna se serait mutiné.

25 octobre 1913

Encore un fiasco. Encore un soulèvement monarchiste désespéré, avec des braves qui tiennent leur parole, qui font leur devoir, qui se font tuer ou qui sont ensuite persécutés.

Retour à Londres dans quelques jours, et nouveau déménagement en perspective.

12 décembre 1913

Mon dentiste, le docteur Forsythe, m'a arraché un chicot. Je n'ai rien senti grâce à une injection de cocaïne. Demain, nous serons à Charing Cross pour accueillir Manuel et Mimi.

24 décembre 1913

Été voir ma nouvelle auto, arrivée hier de Paris. C'est Louis d'Harcourt qui m'a trouvé cette occasion extraordinaire : une Renault 22 H5 landau-lit, charmante, élégante, confortable.

Après-midi chez les sœurs de charité. Tournée des pauvres. Fait du bien. Résignation, courage, foi exemplaire de tant d'entre eux. Messe de minuit. *Suudades* poignantes.

12 février 1914

Décolletée, bijoux. Arrivés Covent Garden 4 h 45 Royal box : reine Alex et Toria[1]. *Parsifal*[2]. Quelle merveille ! Plus je l'entends, plus je l'aime tant c'est pénétrant, tant il y a chez Wagner de sentiments élevés et de profondeur religieuse.

2 mars 1914

Toilette, décolletée. Manuel et Mimi venus nous prendre pour Covent Garden. *Walkyrie*. C'est la première fois que je la voyais. Admirables choses d'une telle puissance. Mais des longueurs terriblement ennuyeuses, surtout au deuxième acte.

---

1. Princesse Victoria.
2. Baryton Paul Bender, ténor J. Steinbach.

25 mars 1914

Ouvroir à Kensington Town Hall et bazar pour la Propagation de la foi. Présence d'un évêque d'Ouganda. Beaucoup de missionnaires jésuites et franciscains. Parlé avec la supérieure des Sœurs blanches, qui était à Lisbonne, des horreurs commises par les révolutionnaires.

17 avril 1914

Départ pour Paris. Hélas, c'est pour enterrer mon cher Bernard d'Harcourt, ami de toute ma vie.

15 mai 1914

Rentrée à Londres depuis le 27 avril, mais la fièvre m'a tenue couchée jusqu'au 13.

Arrivée à Fulwell Park de Guillaume de Hohenzollern et de son fils Friedrich. Nous avons parlé de projets matrimoniaux.

6 juin 1914

Dîner offert par Soveral au Savoy. Été à l'Opéra avec Manuel, Mimi, roi, reine, reine Alex : Caruso a merveilleusement chanté ; Chaliapine a dansé *Le Prince Igor*.

29 juin 1914

J'apprends par les journaux l'affreuse nouvelle de l'assassinat à Sarajevo (Bosnie) de l'archiduc héritier et de la duchesse d'Hohenberg. Horreur ! Le premier attentat, à la bombe, a été manqué. Tous deux sont allés à l'hôtel de ville, ont écouté les discours, et c'est en allant à l'hôpital voir les blessés de l'attentat qu'ils ont été tués à coups de browning par un étudiant de dix-neuf ans. L'affreuse évocation de mes propres souvenirs ajoute à ma révolte devant cette atrocité.

3 juillet 1914

Service catholique à Westminster pour l'archi-duc héritier et pour la duchesse de Hohenberg. Arthur Connaught représente le roi. Manuel et Mimi à côté de moi.

4 juillet 1914

Arrivée hier soir à Fulwell de la princesse Frédéric de Hohenzollern.

6 juillet 1914

Partie avec Mimi, Manuel, pour Malborough House : c'est la fête de Toria. Nous y retrouvons la reine Alex, l'impératrice de Russie, sa fille Xénia, les Youssoupoff, la reine Sophie de Grèce.

9 juillet 1914

Westcroft Farm à Crichlenwood. Garden party pour « The Home of Rest For Horses » – établis-sement pour chevaux blessés, malades ou fatigués. C'est pour eux une maison de retraite.

10 juillet 1914

Ma fête. Trop de *saudades*. Dîner avec Manuel, Mimi, Isabel, Kerausch, Vendôme, Soveral.

23 juillet 1914

Mimi subit une intervention chirurgicale sans gravité. Piqûre de morphine et d'atropine. Tout va bien.

25 juillet 1914

Nouvelles très graves de la situation en Europe. Ultimatum de l'Autriche à la Serbie exigeant une réponse aujourd'hui.

27 juillet 1914

Chez le photographe Stuart : décolleté, diadème. Mimi va le mieux possible. Fusillade à Dublin.

28 juillet 1914

Triste nouvelle de la mort de la vicomtesse d'Harcourt. Acquittement de Mme Caillaux : ignominie.

2 août 1914

L'*Observer* dit que l'Allemagne a adressé un ultimatum à la Russie. La France a demandé une explication à l'Allemagne et exige une réponse dans un bref délai. La catastrophe semble inévitable. J'en éprouve une poignante émotion et j'ai l'ardent désir de partir avec la Croix-Rouge. Sera-ce possible ? Serai-je utile ? Les Vendôme viennent me voir, très émus eux aussi. La France a décrété la mobilisation à partir d'aujourd'hui. Vendôme m'a montré la lettre qu'il a écrite au ministre de la Guerre, lui demandant de servir comme simple soldat. Très bien.

3 août 1914

Hier, violation du territoire luxembourgeois par l'Allemagne ; aujourd'hui c'est la Belgique et Bâle. Brutalité sans nom. Arrivée de tante Alex avec Toria et Marguerite, fille de Valdemar, et Marie.

Manuel est venu lui aussi, très tourmenté sur les conséquences possibles.

4 août 1914

L'Angleterre a envoyé un ultimatum à l'Allemagne à propos de la neutralité de la Belgique. Réponse attendue aujourd'hui.

L'Allemagne a déclaré la guerre à l'Angleterre.

5 août 1914

Emmanuel Vendôme n'a pas été accepté dans l'armée française ! Je l'ai vu ce soir. Il m'a raconté son voyage à Paris et ses impressions : patriotisme intense, ordre, calme extraordinaire. Mais le président de la République, par qui il a été reçu, a refusé qu'il serve dans l'armée.

Quant à moi, Soveral pense qu'il vaut mieux que je serve dans la Croix-Rouge à Londres plutôt qu'en France.

12 août 1914

Je travaille depuis le 10 au centre de la Croix-Rouge de Devonshire House en compagnie de lady Dudley et de lady Gifford. Nous classons dans des cartons les demandes de celles et ceux qui veulent servir ici.

13 août 1914

J'ai vu Phil qui désire évidemment s'engager. Je lui ai conseillé d'entrer dans l'armée britannique ou dans l'armée belge.

Mon cheval Buster a été réquisitionné. Cela me coûte de le voir partir. J'ai décidé de le garder et d'en acheter un autre pour l'armée.

Je classe toujours des papiers tandis que la Belgique se défend avec héroïsme. Bruxelles évacuée.

21 septembre 1914

Les journaux confirment le crime de vandales des Germains détruisant Reims. Révolte douloureuse ! Indignation monstrueuse ! Des chrétiens ! Se disant civilisés !

15 octobre 1914

Londres dans la nuit ou presque par crainte d'un raid ennemi. Tel est le charme du siècle, du progrès, de la civilisation.

Troubles graves au Portugal, tentative de soulèvement à Mafra et Bragança. Toujours les mêmes tourments pour mon malheureux pays.

24 octobre 1914

Départ de Charing Cross avec lady Gifford, Mr. Seymour et Marie, ma femme de chambre, par le train de 8 h 30 en direction de la France.

Sur le quai de Boulogne, débarquement d'un transport de blessés anglais : il y en aurait 1 500 à 2 000 par jour. Des officiers et des soldats français me reconnaissent et viennent me saluer.

Hôpital militaire anglais : 600 blessés. Dans leurs vêtements raides de sang et de boue, beaucoup attendent leur tour à la porte, alors que plusieurs sont gravement atteints. Pas un cri malgré des plaies qui sont affreuses à voir, et qui n'ont pas été pansées depuis plusieurs jours. Plusieurs sont mourants. Étant donné les conditions, l'hôpital est remarquable de propreté. Je donne des cigarettes aux blessés. Puis je vais prier à l'église Saint-Nicolas.

25 octobre 1914

Messe militaire par le curé-doyen. Puis défilé de moto-cars ambulances appartenant à la Croix-Rouge. Visite de l'hôpital Stationary n° 7 (600 blessés) puis de l'hôpital n° 11. Ensuite Vimereux, sur les hauteurs : visite de deux hôpitaux, qui sont sous l'autorité militaire. Compte tenu de l'accumulation des blessés et de leur incessante arrivée, le résultat obtenu est remarquable, pour les soins comme pour la propreté. Mais il y a le problème de la jalousie entre la Croix-Rouge et la R.M.C.

Visite de l'hôpital Stationary n° 14, qui venait à peine d'être installé. Ni draps ni taies d'orcillers. Personnel sur les dents. Nombre de lits insuffisant. Beaucoup de blessés dorment sur des civières. Et pas une infirmière ! Courage et résignation admirables des officiers et des soldats. J'ai parlé à presque tous et je les admire.

27 octobre 1914

La route vers Abbeville. Nous croisons des convois de munitions et de grosses pièces d'artillerie tractées par des automobiles. Des barricades gardées par des soldats souvent improvisés à l'entrée et à la sortie des villes et de nombreux villages. Puis arrivée à Rouen. Demain, j'irai prier Jeanne d'Arc.

30 octobre 1914

Paris depuis hier. Visite d'hôpitaux. Des rues tristes et noires. J'ai revu les d'Haussonville, très surpris de me voir arriver tout soudain. Hier, à Versailles, visite au Military Hospital installé à l'hôtel Trianon. Il y a un an, nous y avions déjeuné, Soveral, Pepita, Antonio et moi. Étrange impression que de retrouver ces salles transformées en infirmerie. Cela dit, l'installation est remarquable. J'ai parlé à tous les blessés, y compris aux quelques soldats allemands qui sont là et à qui j'ai donné des cigarettes. Leurs voisins anglais ont planté de petits drapeaux au pied de leur lit pour ne pas être confondus avec eux. Pour la même raison, un Écossais blessé ne quitte son béret ni de jour ni de nuit.

Aujourd'hui, visite au dépôt de la Croix-Rouge installé rue du Faubourg-Saint-Honoré dans l'hôtel d'un grand décorateur. Des monceaux de gaze, de béquilles, de couvertures au milieu des plus belles boiseries anciennes – et dans une chambre le lit authentique de la Du Barry ! Puis visite école de la Croix-Rouge place d'Italie, et un hôpital à Conflans.

31 octobre 1914

Chantilly. En compagnie du docteur Price, je vais à Saint-Firmin pour rendre visite à tante Chartres, toujours très affectueuse. Elle m'a raconté l'arrivée des Allemands. Quelques traits de grossièreté mais ils n'ont rien détruit à Chantilly. Ils sont toujours proches : hier, on entendait le canon.

Senlis. La cathédrale est debout mais la ville a été éventrée par les bombardements. Des rues entières ont été incendiées et détruites. La population est calme. Dans la campagne (*saudades* de tant de choses...) des femmes, des enfants et des hommes âgés travaillent dans les champs. Des villages sont barricadés et gardés avec bonhomie.

Près de Meaux, des tranchées, des barrières de troncs d'arbres.

En fin d'après-midi, thé chez Rumpelmayer presque désert. Tristesse poignante de Paris.

Impressions recueillies :

Le service de santé était déplorable au commencement de la guerre. Rien n'était organisé et les malheureux blessés étaient entassés dans des wagons à bestiaux et gisaient sur de la paille sale. Pour la plupart bons et dévoués, les chirurgiens et les médecins étaient absolument débordés, sans personnels et sans ressources. Trimbalés de jour en jour, presque sans secours, les plaies de nombreux blessés s'infectaient et beaucoup mouraient du tétanos.

Quant à l'armée, elle manquait de munitions dans les premiers jours – notamment le merveilleux 75 qui n'avait pas de projectiles. Les forts du Nord étaient en état sur le papier, mais la plupart dataient de 1873, de même que leur artillerie. Rien n'était préparé à Paris, on ne prévoyait pas d'en faire un camp retranché car le gouvernement avait décidé de ne pas défendre la capitale. Gallieni a déclaré que Paris serait défendu et, avec Joffre et Millerand, ils ont tout remis en marche. L'armée a été approvisionnée en munitions. On ne faisait rien contre les Taubes parce qu'il y avait eu des vols honteux dans les parcs d'aviation : nos avions ont été remis en ordre de marche et les Taubes ne reviennent plus.

Les politiciens sont effarés par le mouvement religieux, superbe et irrésistible, qui gagne la France, et ils sont affreusement inquiets de la prépondérance des militaires. C'est pourquoi ils rognent le nom des généraux sur les bulletins, ce qui est odieux et grotesque.

Caillaux et sa moitié sont hués de nouveau sur les boulevards.

Tous, officiers et soldats, disent que la France était perdue sans la Belgique et l'Angleterre. Tous croient en la victoire finale, tout en sachant que ce sera très dur et très long.

L'atmosphère générale est toute de cordialité et d'épanchement. Tout le monde se parle.

3 novembre 1914

Retour à Londres aujourd'hui après avoir visité nombreux autres hôpitaux, l'Institut Pasteur, puis Beauvais, Abbeville et Boulogne. Excellente traversée jusqu'à Folkestone malgré la présence dans les parages d'un sous-marin allemand et de croiseurs ennemis signalés près de Yarmouth.

7 décembre 1914

Dépêche de Randam disant que maman a une grave pneumonie. Je pars demain.

9 décembre 1914

Trouvé maman étonnante, assise dans son lit et parlant de tout.

25 décembre 1914

Arbre de Noël de maman, complètement remise, avec vingt-quatre soldats rassemblés dans une salle du bas. Je repars demain pour Paris puis Londres.

22 janvier 1915

Jours de crise à Lisbonne. Des officiers ont donné collectivement leur démission, puis le gouvernement est tombé. Le général Pimenta de Castro s'est imposé, et il a pris pour commencer tous les portefeuilles ministériels.

2 avril 1915

Ma vie insipide me coûte mais je n'arrive plus à réagir. Sans forces. Mon moral aussi est épuisé. J'ai dû renoncer à assister aux offices.

15 mai 1915

Les journaux parlent d'une révolution à Lisbonne. Espoir que la canaille sera balayée. Confirmation que les bateaux révoltés bombardent Lisbonne.

17 mai 1915

Triomphe des révolutionnaires démagogiques. Pimenta de Castro prisonnier. Qu'a fait l'armée, qui lui avait promis son appui inconditionnel il y a huit jours ? Nouvelle honte. Abjection. Nous souffrons tous pour notre malheureux pays.

18 juin 1915

Red Cross. Vu Lady Dudley. J'espère enfin faire quelque chose.

15 octobre 1915

Depuis juin, d'incessantes visites d'hôpitaux, en Angleterre puis en France (Boulogne, Saint-Omer, Le Touquet, Vichy).

17 octobre 1915

Paris. J'ai vu Jean de Guise qui arrive d'Alexandrie et qui m'a parlé de sa mission en Bulgarie.

10 février 1916

Lu dans la presse portugaise la nouvelle infamie officielle des bandits au pouvoir. Ces hyènes immondes sont reconnues par les pays civilisés, les monarchies, les empires... Abjection dans le crime et dans la boue.

13 mars 1916

L'entrée en guerre du Portugal signifie que tout doit être subordonné à la nouvelle situation. Manuel a rencontré Asquith[1].

15 mars 1916

Manuel fait savoir aux monarchistes que tous doivent s'unir pour le bien du pays et aider le gouvernement.

1er avril 1916

Raid de zeppelins la nuit dernière. Encore les infâmes baby-killers ! Ignobles. Assauts répétés des lignes de Verdun, légère et coûteuse avance des Boches !

20 juin 1916

En France depuis le 6 juin. Visite d'hôpitaux : Camiers, Étaples, Le Touquet, Paris (l'Hôtel-Dieu, qui accueille tant de soldats aveugles et qui est un magnifique hôpital malheureusement laïcisé).

---

1. Premier ministre anglais.

Je suis à Randam depuis ce matin. Maman est en bonne santé. Retour à Londres prévu pour la fin juillet.

22 novembre 1916

Les journaux du soir annoncent la mort de l'empereur d'Autriche. Il avait 86 ans, et 68 années de règne qui se terminent dans les terribles épreuves que subit son pays. L'empereur est mort avec le poids des affreuses responsabilités qu'il porte dans le déclenchement de la catastrophe mondiale. Que de souvenirs d'autrefois, tout à coup. Vienne, les bals, les fêtes. Comme j'étais jeune, et insouciante. Hélas, ce sont toujours les personnes déjà âgées et recrues d'épreuves qui écrivent cela...

19 décembre 1916

Georgie m'a remis avec de très affectueuses paroles la Royal Red Cross de 1re classe ; puis déjeuner avec Georgie, May et Mary.

1er février 1917

L'affreux jour ! Neuf ans. Hier, aujourd'hui, toujours ! Que Dieu aide. Été me confesser et communier. Prière du fond de l'âme.

16 mars 1917

Révolution en Russie depuis lundi, par la Douma et l'armée de Pétersbourg. L'abdication du tsar est en route. Le grand-duc Michel est régent ; le grand-duc Cyrille a appuyé le soulèvement. Tout cela est obscur et mystérieux car il y a aussi en Russie une révolte contre les influences allemandes occultes et dominantes dans les hautes sphères. Tout cela est très triste et angoissant.

18 mars 1917

Les nouvelles de Russie confirment l'abdication du tsar. C'est l'effroyable écroulement des principes monarchiques d'ordre, d'autorité, l'envahissement de la démocratie et la menace de l'anarchie. Mais tout cela est compliqué par la question primordiale de la guerre, qui domine tout.

13 juin 1917

Raid de bombardement sur Londres. 100 morts. 300 blessés.

20 juin 1917

Paris depuis hier. Je suis allée prier à la basilique de Montmartre. Cœur Sacré de Jésus, sauvez la France et le Monde ! Goûter chez Rumpelmayer. Dîné chez Monique, son mari[1], sa belle-fille, les Giovanni Borghèse, l'abbé Mugnier, Emmanuel d'Harcourt.

22 juin 1917

Visite à Mme Adam[2] en son abbaye de Gif, si à part, si grande dame. Dîner chez la comtesse Robert de Fitz-James avec la comtesse Anna de Noailles, la princesse Lucien Murat, Paul Bourget, Jules Cambon, Emmanuel d'Harcourt, la princesse Charles de Ligne. Mme de Noailles est un génie poétique dont la conversation est aussi délicate que le teint.

---

1. Louis d'Harcourt.
2. Juliette Adam.

25 juin 1917

Verdun ! Atmosphère de guerre ; prévenu, le commandant de la place m'a menée en ville. Presque pas une maison intacte, pas une âme sauf les troupes casernées. Déjeuner dans la citadelle. Journée des plus émouvantes : celle d'un pèlerinage sacré.

28 septembre 1917

Ma triste fête. Souvenirs, évocations. *Saudades...* Manuel et Mimi sont venus avant 10 heures et m'ont offert une belle « naveta » en argent. Pour le dîner, robes décolletées, habits, grands cordons. Tous réunis autour de moi : Pepita, Antonio, Manuel et Mimi, Isabel, Kcrausch, Soveral, Helena, Mariquita...

9 novembre 1917

Lénine a renversé Kerenski. Les infâmes, vendus, défaitistes ! Mc sens si nerveuse, si déprimée. Les heures sombres pèsent si lourdement – celles du passé comme celles du présent. J'invoque Dieu et Notre Dame pour qu'ils me donnent force et courage.

13 novembre 1917

Aux élections administratives en Portugal, défaite des bandits au pouvoir : énorme votation conservatrice monarchique des plus significatives. Consolation.

8 décembre 1917

Tentative de soulèvement monarchiste en Portugal. Hélas, encore un échec. 70 morts, beaucoup de blessés.

28 avril 1918

Élections en Portugal : 40 députés et 7 sénateurs monarchistes élus. Résultat significatif et consolant. Enfin l'espoir.

31 mai 1918

Isabel Ponte est morte. Ce matin, elle est allée à la messe et elle a communié. Puis elle s'est promenée au jardin avec Mimi, et elle a fait quelques courses. Devant une banque, elle s'est affaissée sans un mot ni un soupir sur l'épaule de Christina. Elle n'a pas souffert.

Je n'arrive pas à réaliser la disparition foudroyante de ma chère Isabel.

21 juillet 1918

Les bolcheviks ont assassiné le tsar. Affreux !

5 septembre 1918

Pepita fidèle jusqu'à la mort – la mort en exil. Affreuse sensation de déchirement. Toute sa vie, elle a prodigué tendresse et dévouement, et donné l'exemple de l'abnégation et de la fermeté d'âme face aux jalousies, aux intrigues et aux calomnies qu'elle n'a cessé de subir. Et pourtant, Pepita m'était d'un si grand réconfort lorsque nous étions en Portugal. La voici qui prend le chemin de l'éternité bienheureuse. Union dans la douleur.

Douleur. Douleur. J'ai le cœur brisé. Prié, prié de toute l'âme. Foi invincible.

11 novembre 1918

À 11 heures, les cloches de l'Armistice. Aussitôt, je suis allée m'agenouiller à l'église.

Défilé de la Victoire, à Paris. Je suis sur le balcon d'Armand Bapst[1] au 118, Champs-Élysées, en compagnie de tante Chartres, ma cousine Magenta et ses filles. J'ai sous les yeux le spectacle de la gloire. Joffre, Foch, Pétain, Castelnau sont les plus acclamés par la foule toute vibrante d'union patriotique. Émotion poignante à la vue des étendards en loques.

Clemenceau le Victorieux ! Mais les parlementaires ont un aspect piteux d'ailleurs la plupart se sont abstenus de paraître.

---

1. Héritier des célèbres joailliers du Second Empire.

11

La fuite du temps

À Versailles, 1944

Une guerre s'était terminée, dans l'immense espérance d'un monde meilleur, avec l'idée que le souvenir des millions d'hommes sacrifiés interdirait à jamais le retour à de tels massacres, le déchaînement d'une telle barbarie. Vingt ans plus tard, une nouvelle guerre a éclaté, prévisible dans son déclenchement, inouïe dans son extension et dans sa violence meurtrière. Vingt ans : juste assez d'années pour que les jeunes gens nés à la fin de la guerre soient à leur tour jetés dans la fournaise.

Et voici qu'une nouvelle guerre menace, cette fois entre le communisme et le monde libre, dont l'Europe sera le premier champ de bataille, cette fois avec de nouvelles armes, qui détruisent des métropoles en quelques secondes. Paris sera-t-il un jour une plaine de pierrailles, sur laquelle on rencontrera quelques errants atrocement brûlés ? Je ne serai plus là pour voir cela, vieille femme que je suis, éreintée par toutes les épreuves du siècle, et mettant plus que jamais ma confiance en Dieu.

C'est avec l'aide de Dieu que j'ai pu rallumer, à chaque malheur, les quelques brindilles d'espoir qui me permettaient de vivre et me donnaient assez de force que pour je fasse mon devoir : celui de la reine, celui de la mère jusqu'à la mort de mon pauvre Manuel, celui de la chrétienne qui tente de faire autour d'elle tout le bien dont elle est capable.

Je ne veux surtout pas commettre le péché d'orgueil, mais il me semble que je n'ai pas manqué de courage depuis le terrible jour de 1908 jusqu'à la fin de la Première Guerre mondiale, puis pendant cette période qu'on appelle maintenant l'entre-deux-guerres. Que d'attentes déçues, de rêves brisés et de deuils qui m'ont peu à peu privée de tous les êtres que j'aimais.

La solitude est l'autre nom de la vieillesse, et je ne règne plus que sur un peuple de souvenirs. Lasse de les égrener, je veux les rassembler pour une ultime revue.

Ma chère patrie portugaise n'a jamais cessé d'être au cœur de mon souci et de ma peine. Et Dieu sait si son peuple que j'aime tant m'a fait souffrir, sans cesser de me donner à espérer.

Après la fin de la Grande Guerre, la restauration monarchique nous parut très proche. Le pays ne s'était jamais vraiment installé dans la République, et le régime issu de l'horrible révolution ne survivait que par des solutions de force. J'ai évoqué le régime militaire de janvier-mai 1915, puis le coup d'État qui porta au pouvoir Sidonio Pais en décembre 1917. L'assassinat en décembre 1918 de celui qu'on dénonçait comme dictateur mais qui s'était fait élire au suffrage universel direct entraîna une situation d'instabilité qui favorisa les monarchistes. En janvier, une junte militaire se constitua dans le Nord, avec le soutien des monarchistes que Manuel, depuis l'Angleterre, encourageait vigoureusement. Les officiers de la junte proclamèrent la monarchie et commencèrent à organiser une administration, en attendant de rallier l'ensemble du pays. Malheureusement, les militaires et les monarchistes ne parvinrent pas à prendre Lisbonne pour y proclamer comme prévu la restauration de la monarchie. Cet échec entraîna par contrecoup celui des insurgés du Nord, qui furent définitivement battus par les troupes républicaines le 13 février 1919.

Entre 1920 et 1926, mon pauvre Portugal connut une période d'anarchie à proprement parler indescriptible : émeutes multiples, attentats à la bombe (plus de trois cents en cinq ans à Lisbonne !), assassinats politiques – notamment ceux, en 1921, du président du Conseil Antonio Granjo et de deux fondateurs de la République, Machado Santos et Carlos de Maia. L'émiettement des forces politiques provoquait une affolante ronde de ministères (sept pour la seule année 1920 !) qui étaient totalement incapables de gouverner le pays, d'assurer la bonne marche des affaires et de défendre la monnaie. Le parti démocratique, qui assuma le pouvoir (ou du moins ce qu'il en restait) à partir de 1923, était trop faible pour imposer son autorité : les monarchistes et les nationalistes qui s'inspiraient des exemples de Primo de Riveira en Espagne et de l'Italie de Mussolini continuèrent de manifester fortement leur opposition à la République, tandis que les anarchistes multipliaient les provocations et contribuaient à durcir la situation.

Chaque jour qui passait démontrait la faute criminelle qui avait été commise en 1910, à l'encontre du peuple portugais et de la monarchie : les républicains étaient manifestement incapables d'assurer la paix civile, et la justice sociale était le cadet de leurs soucis. D'ailleurs, quand le parti démocrate tenta après 1925 de lancer un plan de réformes sociales, il fut tout simplement lâché par la classe moyenne qui avait soutenu la cause républicaine mais qui ne voulait pas payer un supplément d'impôts pour financer les réformes. Alors que cette classe moyenne avait assuré la victoire du parti démocrate en novembre 1925, elle l'abandonna à son sort peu de mois plus tard. Si bien que, à la fin du mois de mai 1926, le général Gomes da Costa, qui avait glorieusement combattu en France à la tête du corps expéditionnaire portugais, décida de se prononcer et marcha sur Lisbonne comme Mussolini avait marché sur Rome. L'opération fut prestement menée : le 31 mai 1926, le président de la République démissionna et la junte militaire entreprit de mettre fin aux désordres mais sans parvenir à maîtriser la gabegie financière. Du moins jusqu'à ce que le docteur Salazar soit appelé à prendre le portefeuille des Finances en 1928, et sauve le pays de la banqueroute.

Ces événements firent renaître l'espoir d'un rapide retour du Portugal à la monarchie. Cette solution tant attendue était d'autant plus réaliste que, parmi ceux qui avaient pris le pouvoir à Lisbonne, beaucoup d'officiers étaient des monarchistes convaincus. Dans le peuple portugais, beaucoup avaient gardé intacte leur fidélité à la Couronne ou avaient retrouvé leur foi monarchiste lorsqu'ils s'étaient aperçus que le régime républicain n'était qu'une gigantesque anarchie, oppressive et violente.

Par ailleurs, la déplorable discorde dynastique, réapparue au lendemain de la révolution de 1910, avait été résolue. Les intrigues de ceux qui voulaient remplacer Manuel II, roi manifestement légitime, par dom Miguel, avaient été finalement déjouées. C'est ce qui fut solennellement signifié au peuple portugais par le Pacte dynastique signé à Paris en avril 1922. Cet accord, conclu entre Aires de Ornelas, représentant du roi Manuel II, et le comte de Almada, représentant de la branche miguéliste, stipulait que le successeur de Manuel serait le prince dom Miguel de Bragance. Si ce dernier renonçait, son fils dom Duarte Nuño serait reconnu comme héritier légitime de la Couronne portugaise. La branche miguéliste, quant à elle, reconnaissait la légitimité de mon fils – ce qui mettait définitivement terme à la querelle de succession ouverte en 1834.

Cet accord favorisa naturellement les efforts que faisaient depuis des années Manuel et ses conseillers pour rassembler tous les monarchistes – qui s'étaient divisés sur la question de la succession et agissaient en outre dans le cadre de deux organisations rivales : la Cause monarchique et l'Intégralisme lusitanien[1].

1. Mouvement d'extrême droite, qui s'inspirait du « nationalisme intégral » du Français Charles Maurras.

Toutes les conditions semblaient donc réunies, et pourtant la république fut maintenue sous une forme autoritaire jusqu'à ce que le docteur Salazar, après avoir pratiqué la démission avec un art consommé, finisse par prendre le pouvoir en instaurant sa dictature dans le cadre maintenu de la république. Mais la nouvelle Constitution républicaine, qui fondait l'Estado Novo salazariste, ne fut adoptée qu'en 1933, un an après la mort de Manuel. Je ne peux m'empêcher de penser que, si le roi Manuel avait vécu, la monarchie aurait été restaurée et le destin du Portugal s'en serait trouvé profondément changé.

Hélas, mon deuxième fils me fut enlevé tout jeune encore, et soudainement. Je m'étais toujours inquiétée de sa santé fragile, et de son indifférence pour une véritable hygiène de vie. Mais jamais je n'avais supposé qu'il disparaîtrait ainsi.

J'ai sous les yeux le dernier télégramme qu'il m'adressa, le 2 juillet 1932 : « Si heureux savoir bien arrivée après traversée calme tout cœur remerciements chère visite regrettant infiniment départ. Embrassons. Manuel. Mimi. »

De fait j'avais quitté mon fils en fort bonne santé, alors qu'il se préparait à assister à un tournoi de tennis à Wimbledon.

Puis cet autre télégramme, lui aussi du 2 juillet, 14 h 34, terrible de brièveté : « Manuel gravement malade. Prie venir de suite. Augusta-Victoria. » Le lendemain de mon départ, mon pauvre petit s'était plaint d'avoir mal à la gorge. Son médecin, qui l'examina à 11 heures du matin, ne décela pas le moindre signe d'infection du larynx. À une heure de l'après-midi, le pauvre enfant téléphona de nouveau à son médecin pour se plaindre d'une aggravation de la douleur. Quelques minutes plus tard, il mourait de suffocation. Par la suite, le docteur Récamier m'expliqua que le mal, qui n'était pas prévisible, provenait d'un œdème de la glotte, compliqué de spasme dû à une infection particulièrement virulente de la gorge. Terrassée par la douleur, je compris à peine ces explications qui sont cependant restées gravées dans ma mémoire. Indicible douleur, qui s'ajoutait à toutes les autres, à tous mes deuils, dans une interminable chaîne de malheurs.

Mon pauvre petit Manuel quitta la crypte de Saint Charles Borromeo à Weybridge, où il reposait, pour Portsmouth, afin d'être embarqué sur le HMS *Concord*. Son cercueil était recouvert de l'étendard royal, sur lequel étaient déposées des roses de son jardin de Twickenham que Mimi et moi avions cueillies. Le vicomte d'Asseca, le comte de Lavradio et dom Sébastien de Lancastre accompagnaient leur roi, ainsi que son secrétaire Sampayo et son valet Pereira, lequel le servait depuis trente ans et avait demandé le privilège de l'accompagner jusqu'à sa dernière demeure.

Des milliers de lettres et de télégrammes arrivèrent au Chesnay : Alexandre Millerrand, Juliette Adam, le maréchal Foch, le général Weygand... Reynaldo Hahn m'écrivit qu'il « perdait en lui un ami vénéré, un appui moral comme on en rencontre peu dans la vie » ; et je garde précieusement ces lignes du maréchal Pétain : « Tous les Français dont Votre Majesté a su conquérir l'affection, prendront part à son immense chagrin, et sauront lui manifester plus de dévouement encore que par le passé. Pour ma part je n'oublie pas les témoignages de sympathie reçus de

Votre Majesté et l'accueil charmant que m'avait fait le roi Manuel lorsque j'eus l'honneur de lui être présenté à Rome. » Ma sœur Isabelle, en ce funeste moment, aura bien résumé ma vie : « Le dernier sacrifice t'a été demandé. Tu n'avais plus qu'un fils et Dieu te l'a pris ! Aucune torture ne t'aura été épargnée. Tu es vraiment la *mater dolorosa*. »

Les funérailles officielles eurent lieu le 2 août à Lisbonne. Trois navires de guerre portugais escortèrent le *Concord* sur le Tage et, à terre, huit marins britanniques confièrent le cercueil à huit marins portugais. Porté sur un affût de canon tiré par six mules, escorté par les soldats de sa patrie, l'exilé qui espérait revenir en roi de justice et de paix fut conduit à Saint-Vincent-de-Fora où il repose désormais. La messe solennelle fut dite par le patriarche de Lisbonne entouré de six évêques, en présence du président de la République portugaise et des membres du gouvernement. Plusieurs heures d'affilée, une foule innombrable défila devant le catafalque. L'Église, les autorités civiles, l'armée et le peuple portugais rendaient au roi et à la dynastie portugaise le plus beau des hommages. Il eût été préférable que Manuel le reçoive de son vivant. Il ne restait plus à mon pauvre enfant qu'à alimenter la nostalgie des poètes, comme en témoignent ces vers d'Hélène Vacaresco :

Vers la terre où, jadis, fier d'illustres voyages,
Le duc Conquistador prolongeait leurs échos,
Dans des rumeurs d'adieux, de deuils et de
  sanglots
La nef inscrit en noir ses immortels sillages.

Royalement bercé, jeune et charmé d'entendre
Que l'amour et la gloire enveloppant sa cendre
Vont le joindre à jamais aux aïeux sous leur ciel

C'est un des plus doux fils de la Lusitanie
Qui – puisque des vieux rois l'épopée est finie –
Impose à leurs lauriers son visage irréel.

De dom Manuel, dernier roi de Portugal, l'histoire retiendra qu'il fut jusqu'à sa dernière heure un homme d'espérance, profondément meurtri par les désordres et les violences qui bouleversaient son pays, et un infatigable artisan de l'unité des monarchistes autour de la Couronne. Il fut aussi, selon la tradition familiale, un amoureux de la culture portugaise. Pas seulement un amateur et un esthète contemplatif, mais un serviteur dévoué des arts et tout particulièrement de la littérature portugaise, dont les travaux bibliophiles font autorité. C'est ainsi qu'il publia en 1929 le premier volume des *Livros Antigos Portuguezes*, œuvre magnifique et considérable qui fut élogieusement accueillie par les historiens et par les bibliophiles d'Europe et des deux Amériques. Un deuxième volume, tout aussi remarquable, fut publié en 1931. Passionné par sa tâche, voulant l'accomplir pleinement, mon pauvre enfant ne savait pas que ce serait là son dernier ouvrage. Il disait : « Les livres sont mes meilleurs amis. Et ils sont des amis silencieux, ce qui est un de leurs grands avantages. »

Mais ce n'est pas le seul souvenir qu'il a laissé en Portugal, où a été créée une fondation qui permet à son héritier dynastique de tenir son rang et d'affirmer la continuité de la tradition monarchique, telle qu'elle est incarnée par la Maison de Bragance. L'histoire de cette fondation montre que les ponts ne furent jamais complètement coupés entre le Portugal et la famille royale. Ainsi, sous la pression de l'Angleterre, les républicains avaient laissé à Manuel la disposition de sa fortune privée. Celle-ci comprenait en 1910 divers biens immobiliers et le majorat de la maison de Bragance, constitué dès le XVe siècle et composé d'un grand nombre de possessions diverses réparties dans tout le pays. Ce majorat avait été dissous par la république en 1910, mais Manuel souhaitait que le patrimoine n'en fût point dispersé et qu'il fût mis à la disposition de l'héritier de la couronne. Informé de ce vœu, le président Salazar, en accord avec Mimi et avec moi, permit que l'ancien majorat soit soustrait de la succession et que les éléments qui le constituaient entrent dans une nouvelle fondation de la maison de Bragance. Lorsque les questions de droit furent réglées, dom Duarte[1], fils de dom Miguel et actuel prétendant au trône de Portugal, put, en vertu de l'accord de 1922, bénéficier d'une pension tirée des revenus de la nouvelle fondation. Je ne sais ce que l'Histoire retiendra d'Oliveira Salazar mais je dois dire que, grâce à lui, la question de la succession du roi Manuel fut réglée dans les meilleures conditions possibles.

La mort soudaine de mon pauvre enfant ne fut pas la seule grande douleur que j'eus à

---

1. Dom Duarte épousa en 1942 sa cousine Marie-Françoise d'Orléans-Bragance, sœur de l'actuelle comtesse de Paris. Leur fils aîné, également prénommé dom Duarte, est l'actuel prétendant au trône du Portugal.

subir pendant l'entre-deux-guerres. Quelques mois après la victoire, maman rendit l'âme à Villamanrique[1]. J'étais alors en Angleterre, et je me revois lisant le télégramme sinistre. J'adorais maman. J'ai dit combien elle avait été dure avec moi, et avec Phil, mais ses manières brusques cachaient un cœur d'or qui se révéla lorsque je fus fiancée. La mort de papa nous avait encore rapprochées, puis celle de Carlos et du Petit. Nous partagions les douleurs de nos deuils et les modestes joies qui nous permettaient de vivre malgré la longue suite des malheurs. Quand Dieu rappela maman à Lui, je sus immédiatement qu'elle continuerait de veiller sur moi, avec une infinie tendresse.

Maman avait souhaité être enterrée à Weybridge. Le roi d'Espagne fit transporter son cercueil de Séville à Cadix sur une canonnière. Puis un bâtiment de la marine de guerre espagnole, sur lequel avaient pris place Ferdinand et le duc de Guise, mena la dépouille mortelle jusqu'à Southampton. Le duc d'Orléans et Manuel étaient sur le port, et c'est avec eux que je conduisis maman à sa dernière demeure.

Le ministre français de la Guerre remit à maman, à titre posthume, un diplôme et la médaille des épidémies « en récompense pour de belles actions » et s'inclina « devant le dévouement de Mme la Comtesse de Paris qui a contracté une très grande maladie au chevet de nos blessés[2] ». Je dus m'occuper d'ouvrir le bureau de maman,

---

1. La comtesse de Paris meurt le 23 avril 1919.
2. Qu'elle soignait comme infirmière bénévole de l'hôpital militaire 14, installé au château de Randam.

avec la sinistre impression de profaner, et brûler nombre de ses papiers personnels.

Puis il fallut s'occuper de sa succession. Heureusement, je pouvais compter sur l'efficace discrétion de mon cher ami Louis d'Harcourt – qui prenait tellement bien soin de moi, avec sa chère femme Marguerite, que tout Paris l'appelait gentiment « Occupe-toi d'Amélie » en écho à la délicieuse comédie de Feydau. Cette succession fut réglée par Me Lanquest et Camille Dupuy[1], et le comte d'Harcourt joua un rôle indispensable lorsqu'il fallut débattre avec mes sœurs[2] sur l'estimation des domaines de Randam et de Villamanrique. En des termes inacceptables, mes sœurs défendaient de procéder à aucune opération hors de la présence d'un agent d'affaires, ce que je ne pouvais évidemment accepter puisque maman avait laissé un testament précis (Randam pour Ferdinand, Villamanrique pour ma sœur l'infante Louise), ainsi que des comptes en ordre parfait. Il est triste de s'affronter ainsi pour de l'argent. Et je songe non sans amertume aux six perles que m'avaient offertes pour mon mariage mes cinq frères et sœurs avec ces mots : « Le souvenir de ta bonté sera notre plus douce pensée, et un exemple que nous tâcherons d'imiter. Notre plus grande gloire sera d'entendre dire que nous te ressemblons. »

La succession de maman nous obligea à vendre du mobilier et des bijoux. J'avais éprouvé la même peine lorsqu'on me vola, en mars 1919, la montre

---

1. Secrétaire de la comtesse de Paris et son exécuteur testamentaire.
2. Duchesse d'Aoste et duchesse de Guise.

en argent nickelé que Carlos portait le 1er février, son anneau de mariage, ma grosse bague de fiançailles, toutes mes décorations ainsi que beaucoup d'autres souvenirs précieux.

Quelques années après que Dieu eut rappelé maman à Lui, c'est mon cher Phil qui prit soudain le chemin du Ciel. Rien ne laissait présager une aussi brutale disparition : Phil aimait la vie, et sa magnifique vitalité était de celles qui éloignent nombre de maladies. Souvent en voyage, il dépensait dans des chasses exotiques la prodigieuse énergie que la loi d'exil lui interdisait de mettre au service de son pays. Hélas, c'est dans une de ses lointaines expéditions qu'il contracta la terrible maladie qui devait le tuer. J'étais à Capodimonte, en mars 1926, lorsque le docteur Récamier m'informa de la curieuse infection dont Phil était atteint, alors qu'il revenait d'un séjour en Afrique : transmise par la morsure d'un singe, l'infection si déroutante se révéla être la peste, dont le pauvre Phil ne pouvait réchapper. Hélas ! Phil était resté mon petit frère chéri, que je protégeais et qu'il m'arrivait de gronder. Mais je ne me contentais pas de l'aimer comme une grande sœur : il me charmait et m'éblouissait par ses manières de penser et de vivre, si éloignées des miennes. Je crois qu'il m'aimait aussi, par fidélité à notre enfance et à notre prime jeunesse, parce que je fus souvent sa confidente, et parce que je représentais pour lui des principes et une sagesse qu'il ne voulait pas perdre de vue. Et puis j'étais bonne chasseresse...

Phil laissa un testament d'une fidélité à sa patrie qui ne se nuançait d'aucun regret pour l'interminable exil auquel il avait été contraint, mais tout à fait explicite dans sa dureté à l'égard de la femme qu'il avait épousée : l'union tourna si mal qu'il tenta de faire annuler son mariage, grâce à mon intervention auprès du pape.

« Je veux que l'archiduchesse Marie-Dorothée ne recueille rien dans ma succession. Je la prive de tous droits quelconques même de mon usufruit légal. Je veux que ma succession soit réglée suivant les lois françaises et soit ouverte à Paris. Je veux que le drapeau du *Victoria* soit déposé sur mon cercueil et soit ensuite remis au duc de Montpensier ou au chef de famille. Je veux être enterré à Dreux et compte que le gouvernement français ne fera pas d'objection à ce désir en souvenir de ce que ma famille a fait pour la France. J'interdis formellement à mes amis toutes manifestations lors de mes obsèques, voulant qu'elles conservent leur caractère familial.

« J'institue pour ma légataire universelle ma sœur Amélie, reine de Portugal. Dans le cas où Amélie serait décédée avant moi et pour ce cas seulement, j'institue pour mon légataire universel mon cousin Jean de Guise... »

Comme à son habitude, May[1] se fit un devoir ô combien familial de racheter à ses cousins éplorés les restes des successions mobilières : ainsi, elle m'assura que les bibelots qui se trouvaient chez Phil à Palerme seraient entre de bonnes mains, même si j'avais la bonté de les lui céder à vil prix. « Je suppose, m'écrivit-elle, que si j'achetais la collection, tu préférerais que ce soit moi plutôt qu'un étranger qui possède ces souvenirs de famille. » Mes cousins Romanov m'ayant dit que

----
1. La reine Mary d'Angleterre.

May avait l'art de se faire offrir des antiquités pour son palais, je lui cédai quelques-uns des bibelots qu'elle convoitait ainsi que les perles de maman. Pour ma part, je respectais son vœu de confier au Museum d'histoire naturelle ses collections d'animaux empaillés lors d'une cérémonie le 22 décembre 1928.

Notre cousin Jean[1] partageait ses jours entre Larache[2] et Paris. Ferdy[3] étant mort en 1924 sans enfants, et Phil n'ayant pas d'héritier, la loi de succession prévoyait que Jean deviendrait chef de la Maison de France à la mort de mon frère. Mais l'échéance paraissait lointaine (Phil n'avait que cinquante-sept ans en 1926) et Jean pensait que la charge reviendrait à son fils Henri, qui avait été élevé au Maroc, loin des soucis politiques et des responsabilités dynastiques[4]. Pour qu'Henri soit en mesure d'accomplir sa tâche, le moment venu, Jean avait souhaité que son fils s'inscrive à l'université de Strasbourg, et il conçut pour lui un programme de voyages à travers la France.

La disparition soudaine de Phil bouleversa tous les plans. Dès lors qu'il devenait chef de la Maison de France, Jean tombait sous le coup de la loi d'exil ainsi que son fils aîné. Certes, le gouvernement français avait fait savoir au nouveau prétendant

---

1. Fils de Robert, duc de Chartres, et de Françoise d'Orléans, cousin et beau-frère de la reine.
2. Ville située sur l'Atlantique, dans la partie du Maroc qui était alors occupée par l'Espagne.
3. Ferdinand, duc de Montpensier, frère d'Amélie, né en 1884.
4. Henri, comte de Paris, né en 1908, était le seul héritier mâle d'une famille de quatre enfants ; sa mère était Isabelle de France, fille de Philippe VII comte de Paris, et sœur de la reine Amélie.

qu'il pourrait continuer de vivre tranquillement en France s'il renonçait à toute activité politique. Mais Jean, que la chose publique ne passionnait guère, avait le sens du devoir et il décida de prendre incontinent le chemin de l'exil en compagnie du jeune Henri. Tous deux s'installèrent en Belgique, au manoir d'Anjou, où Henri poursuivit ses études avant de s'y établir avec sa jeune épouse.

Le mariage d'Henri, en 1931, donna lieu à de magnifiques réjouissances. Le lieu de la cérémonie avait été fixé à Palerme, dans notre vieux palais d'Orléans qu'aimait tant oncle Aumale et dans lequel mon pauvre cher Phil avait rendu son âme à Dieu. Henri était tombé amoureux d'Isabelle[1] lors d'une partie de chasse. Immédiatement séduit par la beauté exceptionnelle de cette délicieuse jeune fille, il lui avait demandé sa main sur-le-champ.

Les noces furent célébrées au mois d'avril, et mon séjour dans la Sicile illuminée d'un soleil printanier fut pour moi un des moments les plus heureux de cet entre-deux-guerres. C'est toujours avec joie que je retrouve notre petit palais et ce parc qui évoque les jardins de Versailles et se prolonge par un immense verger dont les Siciliens disent qu'il préfigure le jardin d'Éden. J'avais eu le plaisir d'y venir en 1929 pour les noces de Françoise de France[2] et de Christophe de Grèce, mais le mariage d'Henri et d'Isabelle eut un écho d'une tout autre ampleur.

---

1. Isabelle d'Orléans-Bragance, fille du prince d'Orléans-Bragance, petite-fille du duc de Nemours par son père et de l'empereur dom Pedro du Brésil par sa mère.
2. Sœur du comte de Paris.

La veille de la cérémonie, un dîner officiel rassembla les princes d'Italie, d'Espagne, de Grèce et du Danemark, les ambassadeurs de Grande-Bretagne, d'Espagne et de Belgique autour des fiancés et de leurs parents. Isabelle était plus éblouissante que jamais dans une robe en lamé argent terminée par un dépassant de velours jadé, et Henri, si fin de visage et d'une souple minceur, formait avec elle le plus beau couple de toute l'Europe royale et princière. À l'issue du dîner, nous reçûmes les mille royalistes français invités par la Maison de France et une cinquantaine de monarchistes brésiliens, avant que s'ouvre un bal tout embaumé par l'odeur des fruits et des fleurs du parc.

Le lendemain, dès neuf heures, une énorme foule se pressait autour de la cathédrale de Palerme pour attendre l'arrivée, deux heures plus tard, du cardinal Lavitrano, archevêque de la ville, et de son clergé revêtu de la *cappa magna* violette avec ample camail d'hermine, les curés des trente paroisses de la ville complétant le solennel cortège. Après avoir rejoint le chœur pour revêtir une chape et coiffer une mitre scintillante, le cardinal-archevêque s'en revint vers le porche où il se tint pour accueillir et bénir notre cortège tandis que retentissaient les accents de la *Marche nuptiale* de Mendelssohn. La princesse Isabelle venait naturellement en tête au bras de son père, puis le comte de Paris au bras de sa mère ; je venais ensuite, au bras de Jean de Guise, puis le prince Charles de Bourbon et la princesse d'Orléans-Bragance ; l'ambassadeur d'Angleterre, sir Robert Graham, avait à son bras l'infante Louise de France ; l'ambassadeur de Belgique, le comte della Faille, était au côté de la princesse Christophe de Grèce. La messe fut superbement dite, et les fortes paroles du cardinal élevèrent l'âme d'une assemblée émue et recueillie.

À la sortie de la cathédrale, que d'assourdissants vivats de la foule française et italienne... Ils reprirent dans les jardins du palais, lorsque Henri et Isabelle, quittant le premier étage où le déjeuner familial était servi, allèrent saluer les invités qui étaient répartis dans divers pavillons. L'enthousiasme de ces braves royalistes faisait plaisir à voir, le bon Léon Daudet chantait et criait à tue-tête, et Charles Maurras avait sur son visage de vieux Grec tous les signes de la ferveur. Nul ne pouvait alors penser que Jean et Henri prononceraient la condamnation politique de l'Action française quelques années plus tard et que les chefs du mouvement royaliste, déjà condamné par Rome, mèneraient de vives campagnes contre l'entourage du comte de Paris, faute d'oser le viser lui-même...

Mais nous étions loin des violences et des misères de la vie politique : le jeune couple portait les espoirs de la famille de France et de l'ensemble de ceux qui lui restaient fidèles, et la vieille cause ainsi rajeunie semblait devoir croître aussi sûrement que le jeune chêne de Provence qu'Henri mit en terre devant la façade du palais, tout près du platane planté par Louis-Philippe en 1808, le jour de son mariage. Ce grand et bel hymen fut le dernier souvenir heureux qui me reste de cette époque.

Installée au Chesnay, dans cette maison toute simple mais où je me sens chez moi et dont nul ne me chassera, j'ai vécu l'avant-guerre dans la fidélité à mes chers disparus et dans le souci de respecter scrupuleusement mes devoirs de reine et de chrétienne. Plusieurs raisons m'ont incitée à quitter l'Angleterre, dont le climat nuisait à ma santé, et qui était en quelque sorte désertée par les Portugais, lesquels commençaient à rentrer au pays. S'ajoutaient des embarras domestiques avec le propriétaire de la maison d'Abercorn mais, surtout, le fait que l'Angleterre était pour moi, depuis l'enfance et à nouveau depuis la révolution, une terre d'exil. J'avais cependant la tristesse d'y laisser Manuel et Mimi[1], tante Alex, Georgie, May, Toria, Louise, Maud – tous chers à mon cœur. Quittant Londres, j'en faisais une terre sacrée de pèlerinage, dont les chemins me conduiraient de Weybridge, où reposent mes parents, à Richmond où se trouve la dernière demeure de ma fidèle Pepita. Hélas ! Il fallait me résigner à ne plus lui porter les fleurs du matin, comme j'avais coutume de le faire chaque jour depuis que nous étions amies. Pour ajouter à ma détresse, j'eus la douleur, avant de quitter le sol anglais, d'assister à Farnborough aux funérailles de l'impératrice Eugénie, morte à Madrid dans sa quatre-vingt-quinzième année. Elle vivait en exil ; elle avait perdu son fils unique. La similitude de nos deux destins avait effacé les dissensions politiques : je la respectais et je l'aimais.

Ayant choisi de revenir vivre en France, je décidai de m'installer dans la région parisienne. Grâce à la diligence de Louis d'Harcourt, j'arrêtai mon choix en octobre 1920 sur la maison dite de Bellevue, mise en vente par Mme Duval au Chesnay. La demeure coûtait 500 000 francs de l'époque et je demandai à M. Grinfield[2] de

---

1. Installés à Fulwell Park.
2. Agent de la reine chez Coutts.

vendre des valeurs anglaises et américaines. Je fis agrandir la maison de Bellevue, rebaptisée « château » en mon honneur, et j'y fis graver sur le pignon les armes de France et de Bragance avec ma devise, « Espérance », ce vieux cri des Bourbons qui a si souvent résonné dans mon cœur. J'y réside depuis 1922, habituellement en compagnie de ceux qui me servent avec une affectueuse fidélité – Louis Jouve, mon intendant, et sa femme Louise, Mme de Randal-Bourriat, ma dame d'honneur, Maurice Emery, mon chambellan. C'est à Bellevue que j'ai rassemblé mes plus chers souvenirs, c'est parmi eux que je vis sans me complaire dans la nostalgie. Sur mon piano, un Erard de concert qui appartenait à ma belle-mère, et sur lequel Manuel jouait les airs de son maître et ami Rey Colaço, il y a un portrait de Carlos dans la plénitude de ses quarante ans ; dans la salle à manger, un coffre rouge me rappelle Vila Viçosa, une horloge de laque vert et or le palais de Sintra ; dans le hall, un portrait de Louis XI dont la toile est déchirée par les éclats d'un obus tiré contre les Necessidades et qui avait explosé dans la chambre de Manuel, à deux pas de son lit. Je n'ai pas fait restaurer le tableau ; il me rappelle chaque jour la violence de la révolution et les heures tragiques de notre départ. Qu'on se souvienne que nous avons été sous le feu, avec sang-froid, et que nous n'avons pas fui vers Gibraltar puisque nous avons embarqué sur le yacht royal à destination de Porto.

Et puis, sur ma table de travail, dans un petit cadre d'argent, une photographie de Louis encore bébé ne me quitte pas.

Loin du Portugal, j'ai toujours eu la volonté de maintenir, par ma présence et mon exemple, les traditions de la maison de Bragance. Et je n'ai cessé de tenter de remédier aux souffrances et aux détresses humaines. Pleurer ne résout rien. Essuyer les larmes des autres, c'est oublier un peu ses propres larmes : deux fois par semaine, j'allais soigner des cancéreuses aux Dames du Calvaire. Je m'occupais du relèvement moral des prostituées internées à la prison de Saint-Lazare, je tenais mon parc ouvert aux kermesses pour les œuvres de charité, et je n'ai cessé d'encourager l'académie de Versailles et les Concerts historiques que j'ai fondés en 1930. Pour financer mes œuvres, je fis paraître deux volumes de *Meus desenhos* (Mes dessins), malgré l'absence de celui qui m'avait convaincu de les publier, le comte de Sabugosa, dans un désir de réunir quelques aspects de la beauté et des trésors du pays que j'ai tant aimé. Ces albums publiés en vue de la charité constituent une œuvre de *saudade* et d'amour pour le pays qui les a inspirés.

Ajoutés aux visites de mes amis et de nombreux Portugais, aux promenades avec Fram[1], il y avait les voyages que j'effectuais régulièrement à travers toute l'Europe, surtout à l'occasion des mariages familiaux. Je songe notamment à celui de Ferdinand avec la marquise de Valdeterrazo ; au mariage de mon neveu Amédée de Savoie, duc d'Aoste, avec ma nièce Anne de France[2] ; aux noces, qui se déroulèrent au Chesnay, de ma nièce Isabelle avec le comte Bruno d'Harcourt[3]. Toutes

1. Un chien offert par sa nièce la princesse Murat.
2. 5 novembre 1927.
3. 15 septembre 1923.

ces unions, qui se déroulaient sous mon égide, n'allaient pas sans avatars. Ainsi, mon beau-frère Afonso[1] m'informa en 1919 qu'il épousait une Américaine, Nevada Hayes, en m'assurant que cette femme n'était pas de ces intrigantes qui empoisonnent la royauté après une vie passée à faire la noce dans toutes sortes de mauvais lieux. Et je repense au drame que vécut ma cousine Vendôme[2], dont le fils Charles-Philippe[3] s'est amouraché d'une Américaine, Marguerite Watson, une roublarde dévoyée qui a voulu forcer son chemin en se faisant épouser.

Toutes ces activités et ces soucis remplissaient ma vie et m'évitaient de trop penser à la montée de la violence et à la menace croissante de guerre. Cette menace, que je souhaitais de toutes mes forces voir disparaître, était au centre de mes prières. Je me rendais souvent à Lisieux, prier avec une ferveur toute particulière ma chère sainte Thérèse afin qu'elle intercède auprès de Dieu pour qu'Il épargne la patrie de mon enfance. En 1923, j'avais demandé à Mgr Lemonnier[4] l'autorisation de me rendre incognito auprès des reliques de la sainte et de m'agenouiller au pied de son tombeau ; mais j'ai aussi revendiqué le privilège appartenant à la famille royale, descendante de Saint Louis, de visiter le Carmel de Lisieux. J'eus même l'immense joie d'assister à Saint-Pierre de Rome à la messe de canonisation de la sainte par le pape Pie XI, le 17 mai 1925.

---

1. Duc d'Oporto.
2. Henriette de Belgique, mariée à Emmanuel duc de Vendôme.
3. Duc de Nemours.
4. Évêque de Bayeux et Lisieux.

Je priais de toutes mes forces, mais la pression meurtrière se faisait chaque année plus redoutable : l'arrivée d'Hitler au pouvoir, la guerre civile en Espagne, où j'eus la douleur de perdre mon neveu qui combattait dans l'armée du général Franco[1], le climat de guerre civile en France tellement sensible en février 1934 et au moment du Front populaire, étaient autant de signes annonciateurs de la grande catastrophe mondiale. Habituée au malheur, qui me tient depuis si longtemps compagnie, je la pressentais, comme tant d'autres qui entendaient avec un effroi grandissant les discours du Führer à la radio. Je n'avais pas besoin de cela, et il n'y avait même pas de poste de T.S.F. dans ma maison : c'est le jardinier qui me donnait les nouvelles du jour, et c'est par lui que j'appris la déclaration de guerre.

Jours d'épreuves, de plus en plus terribles. Ne voulant pas côtoyer l'ennemi – je pressentais que Bellevue serait réquisitionnée par les Allemands –, je résolus de partir dès le 10 juin pour Bordeaux. Mon fidèle Clément conduisait la Hotchkiss et, après une dernière oraison à saint Antoine, commença notre odyssée parmi une population jetée elle aussi sur les routes. Nous arrivâmes à Pont-Chevron chez mon bon ami le comte d'Harcourt, mais le château était déjà occupé par les officiers français. Nous partîmes alors en direction de Saint-Ésoge, sur la Loire, où la marquise d'Harcourt, confinée dans une seule pièce, ne put tous nous héberger. Il fallut trouver

---

1. Carlos, fils de l'infante Louise, sœur d'Amélie, et de don Carlos de Bourbon.

refuge à Sully, chez mon neveu Magenta[1], où nous pûmes finalement nous reposer une dizaine de jours. Il fallait pourtant rejoindre Bordeaux au plus vite. Notre caravane traversa Roanne et s'arrêta à Égletons où un notaire nous offrit le gîte. Bordeaux enfin où le gouvernement portugais, inquiet de mon exode, fut rassuré de me savoir momentanément à l'abri. Le Portugal m'invita alors à me réfugier au pays et je fus touchée jusqu'au fond du cœur par cette marque d'attention. Je balançai quelques instants, mais je tenais à rester en France. « Les Français, répondis-je, m'ont accueillie dans l'exil, je souffrirai avec eux dans leur infortune. » C'est avec la population de Versailles que j'ai vécu les bombardements de 1940 et je crois que mon calme de vieille employée de la Croix-Rouge a fait du bien autour de moi. J'attendis que les Allemands libèrent Bellevue, puis je revins m'installer chez moi le 4 juillet. Nous avons eu froid, car ma petite maison était bien grande pour un seul poêle Godin, et j'ai souffert, moi qui ai toujours un solide coup de fourchette, des restrictions alimentaires. Bien entendu, je n'avais pas recours au marché noir, malgré les offres alléchantes qui m'étaient faites, car je trouvais ce procédé indigne et immoral. J'ai ainsi compati aux humiliations et aux peurs des Français pendant l'Occupation. Pour ma part, me retranchant derrière une muette neutralité et surmontant de poignantes *saudades*, je n'hésitai

1. Petit-fils du maréchal Mac-Mahon, président de la République, et fils de Patrice de Mac-Mahon, 2e duc de Magenta, qui avait épousé en 1896 la princesse Marguerite d'Orléans, sœur du duc de Guise, c'est-à-dire cousine germaine de la reine Amélie.

pas à hisser le drapeau tricolore de la République portugaise devant le château de Bellevue où il flotta tout au long de la guerre. Comme beaucoup de Français à l'époque, j'ai cru au vainqueur de Verdun, et le maréchal Pétain me reçut en 1941 au château de Rambouillet avec tous les honneurs dus à une reine.

Puis ce fut l'immense joie de la Libération. Dieu aide ! répétai-je à tous ceux qui désespéraient aux heures les plus sombres. Dieu nous a aidés...

12

Retour en Portugal

Après l'immense joie de la libération de la France, vint celle, non moins immense, de la paix retrouvée. Et de ces deux bonheurs voici qu'en naît un troisième, encore plus personnel : le retour en Portugal, à l'invitation du gouvernement. Après les années noires, l'éclat du soleil, et malgré les images terribles de la fin de la guerre, malgré les rigueurs qui n'ont pas encore cessé, c'est comme s'il n'y avait plus qu'une succession de printemps[1] !

Ô Seigneur ! Je n'oublie rien. Simplement, j'éprouve la même joie que tous les survivants et je Vous en rends grâce. Et puis je sais qu'il n'y a pas de joie qui ne soit mêlée de douleur. Ce voyage en Portugal, qui me transporte de bonheur, ne me place pas au-dessus de la condition humaine qui fait que les sourires sont mouillés de larmes, les plaisirs mêlés d'indicibles angoisses, dans l'attente d'une mort qui signifie pour nous résurrection.

---

1. Le voyage de la reine se déroula du 19 mai au 30 juin 1945 et la conduisit de Lisbonne à Fatima, de Buçaco jusqu'aux monastères d'Alcobaça et Batalha, en s'arrêtant à Ericeira, le port de l'exil, et visitant les dispensaires qu'elle avait elle-même créés.

Dans ce train qui file vers ma patrie d'adoption, je laisse la joyeuse impatience m'envahir, sans que la gravité me quitte tout à fait. Je vais à la rencontre de la jeunesse enfuie, je vais retrouver mes morts et leur rendre secrètement compte de ce que fut ma vie.

Ma vie est restée en Portugal. Depuis mon départ en exil, je ne vivais que pour les souvenirs que j'avais laissés sur cette terre chérie. Non pas des souvenirs. Se souvenir, c'est avoir déjà oublié une fois. Et je n'ai jamais rien oublié.

Dès mon arrivée à Lisbonne, j'ai su que mon séjour serait à la fois émouvant et magnifique. C'est bien la reine que l'on reçoit, non une exilée revenue furtivement, ni une quelconque personnalité. Tout me dit que c'est bien l'État portugais et le peuple portugais qui accueillent la reine – aussi bien les mille marques de respect qui me sont prodiguées par les officiels que l'enthousiasme des simples gens. *Viva a Rainha !* Tel est le cri fervent qui n'a cessé de m'accompagner, dès le premier jour. Pourquoi, Seigneur, aura-t-il été nécessaire de tant souffrir pour que les Portugais me manifestent leur affection au seuil de ma mort ?

Hommage de l'État. C'est le président Salazar qui m'accueille lui-même, discret et souriant comme je l'imaginais, et attentif au-delà de tout ce que le protocole (et je m'y connais) peut exiger. Je ne sais ce que l'Histoire retiendra de l'actuel président du Conseil[1]. Mais je veux souligner qu'il a restauré l'ordre dans mon pays qui avait sombré

---

1. Telle est la fonction du dictateur, le président de la République étant Antonio Carmona.

dans une folle et sanglante anarchie, et que le sage professeur de Coimbra a permis que la tradition de la dynastie portugaise se maintienne dans la fidélité au passé et dans l'attente de la renaissance à venir.

Hommage du peuple. C'est comme autrefois. Les gens me sourient, des femmes m'offrent des fleurs et tendent vers moi leur enfant. Les hommes m'acclament, les yeux brillants. La foule est sans doute moins nombreuse que l'année de mes vingt ans. Mais il suffit que je ferme les yeux quelques secondes pour me retrouver dans les rues de Lisbonne le jour de mon arrivée.

Me voici devant les miens. J'ai voulu entrer seule au panthéon et descendre seule dans la crypte de São Vicente où reposent mon époux le roi et mon fils aîné. Le silence est absolu, et j'ai l'impression de comparaître devant eux. Comme devant un tribunal muet, qui ressemble à celui de la conscience, il me faut répondre de mes actes et de mes pensées de reine, d'épouse et de mère. Aurais-je pu éviter la tragédie de 1908 ? J'éprouvais de réelles craintes et j'ai multiplié les avertissements. Mais je n'étais pas aux commandes de l'État ni à la direction de la police.

Ai-je été fidèle à mes morts ? Assurément. Ils ne m'ont pas quittée – pas un jour, pas une nuit je n'ai cessé de prier Dieu pour leur repos éternel. J'ai essayé d'être digne d'eux, et de la Couronne, d'être forte, sans devenir dure comme certaines veuves de guerre murées dans l'enfer de leur souffrance. *Saudade, saudade.* Certes, « je me souviens et je pleure » mais je crois que l'âme des morts éclaire la résolution des vivants. Mon inflexible résolution, je l'ai mise au service de Manuel, jusqu'à ce que Dieu rappelle à Lui le pauvre enfant, et au service des pauvres – enfants et soldats, hommes et femmes, Portugais, Anglais, Français... J'ai tenu mon rang.

Je suis allée, aussi, sur le Terreiro do Paço pour me recueillir à l'endroit funeste où les coups de feu furent tirés. Pourquoi tant de haine, et pourquoi tout ce sang ? Jamais je ne comprendrai pourquoi ils ont fait cela. Moi qui ne pensais qu'au bien de mon peuple. Moi qui, sans calcul ni arrière-pensées, essayais jour après jour que le peuple portugais soit mieux soigné, mieux protégé contre les injustices de la vie, et qu'il reçoive les fruits du progrès.

Je revois tout, je revis tout. J'étais en train de raconter à Manuel comment s'était passé le déraillement à Casa Branca quand le premier coup de feu a éclaté. Comme l'écrit mon pauvre enfant dans les notes qu'il a rédigées après l'attentat, nous nous sommes tous les quatre trouvés au milieu d'une « battue de bêtes sauvages », avec la terrifiante impression d'être l'unique cible de dizaines de chasseurs.

La mort, toujours la mort. Elle me poursuit et me rattrape, partout où je me trouve ou me retrouve. Encore une fois, pendant ce séjour. Lors de la réception donnée en mon honneur à l'hôtel Avis, l'ambassadeur Texeira de Sampaio s'effondra soudain, victime d'une crise cardiaque, et il mourut en murmurant qu'il avait accompli son rêve de revoir la reine en Portugal. La couronne sut toujours garder autour d'elle de ces fidélités discrètes et totales, qui laissent à penser que la monarchie, comme le roi de France, ne meurt jamais puisque les révolutions les plus radicales n'effacent pas son idée ni sa mémoire et n'exténuent pas les dévouements.

Hélas, le dévouement ne va pas sans sacrifice. Nous acceptions celui de nos fidèles, car nous n'avons jamais hésité à affronter la mort. Mais quelle douleur de savoir que tant d'hommes braves tombaient – par centaines de milliers en Espagne pour la défense de Dieu et du roi, par dizaines de mille en Portugal pour la Maison de Bragance.

Agenouillée dans la petite chapelle des Apparitions, au sanctuaire de Fatima où j'arrivais le 8 juin, je priais de toute mon âme Nossa Senhora pour le bonheur du Portugal et remerciai du fond de mon cœur la Santissima Virgem d'avoir permis que je rentre un jour dans mon pays, alors que toutes ces années je m'étais résignée à ce que d'exil, on ne revient jamais !

Aujourd'hui, c'est avec des larmes aux yeux que je vois mon cher pays se redresser, parce que je suis portugaise. Lorsque le président de la République Carmona est allé visiter notre Afrique, je me suis souvenue du voyage du prince royal Luis Filipe en 1907. Mon Dieu, n'ai-je pas été attaquée pour avoir suggéré cette idée ? On aurait cru que c'était la fin du monde et que j'envoyais le pauvre petit en exil, alors que tous les princes d'Europe donnaient de leur côté de tels exemples de souveraineté nationale. Quel triomphe ce fut ! Avant que la mort ne vienne nous l'arracher... Mais il fallait à tout prix me critiquer, par simple réflexe. Jusque dans l'éducation de mes fils. Je reconnais que je fus stricte, mais suivant l'exemple de maman, j'estimais qu'il était nécessaire qu'un roi soit éduqué pour être roi. C'est une profession pour laquelle on ne sait jamais suffisamment. Je n'ai fait que préparer mes fils pour le destin que Dieu leur avait donné. Les princes ont beaucoup travaillé, énormément, peut-être trop. En définitive, pour quoi ? Tout est passé, tout est terminé, pour eux comme pour moi.

J'ai tout donné au Portugal, mon mari, mes fils, mon bonheur, ma joie, une vie tout entière.

Ah ! Mon fils, *queridissimo filho*.

J'ai troqué les hermines royales pour un manteau de crêpe !

Pourtant, mon retour en Portugal a empli mon cœur de gratitude.

L'unique apaisement de tant de profondes douleurs qui ont torturé mon cœur de femme, de mère et de reine, me vient du sentiment éprouvé à Lisbonne de vivre encore dans le cœur des Portugais.

Jamais, durant ces longues années, je n'ai parlé.

Il est vrai que vivait encore le roi Manuel, mon fils, tout dévoué à la cause portugaise, et que j'ai l'orgueil d'avoir élevé dans le culte de sa patrie. Et si je vis maintenant en France, après vingt-cinq années passées en Portugal – autant que mon destin –, mes affections et même ma tragédie m'ont rendue portugaise jusqu'à l'âme.

Pourtant, une seule fois seulement, j'ai demandé que soit démenti un des plus cruels ragots au sujet de notre départ de Portugal. Nous n'avons pas fui à Gibraltar. Lorsque nous nous sommes embarqués à Ericeira, à bord du yacht *D. Amelia*, nous devions faire route vers le nord et rejoindre Porto qui réclamait son roi. Avant de mourir, je veux ici solennellement récuser ceux qui osent encore prétendre que nous avons pris la mer vers le sud, parce que, à bord, deux reines étaient en pleurs. C'est faux. Honneur à la mémoire de la reine Maria Pia. Et justice, seulement justice, pour moi.

Nous n'avons pas pleuré, nous ne nous sommes pas plaintes, ni n'avons eu peur. J'ai pleuré, oui, plus tard, et de peine, de désespoir. Jamais les Bragance n'ont été lâches ! Sans faille, et jusqu'à la mort – même dans la mort –, nous avons aimé la patrie distante, cette terre certes petite au regard de l'Europe, mais si grande dans notre monde intérieur.

J'attends la mort. Ma vie est devenue bien inutile. Appuyée sur ma fidèle servante Catherine, la canne que m'a offerte ma chère marquise de Val Flor, mes journées se passent à Bellevue entre les visites des derniers survivants, ma correspondance, mon tricot et les comptes domestiques avec Julio da Costa Pinto.

Avec l'âge, je suis devenue un monument familial qui regarde naître les jeunes pousses, disparaître ceux que j'ai connus et aimés, et qui résiste par la volonté de Dieu au mouvement de l'Histoire. Solide, certes, mais souvent meurtrie et blessée. Après la perte douloureuse de mon cher Ferdinand[1], je connus néanmoins un ultime bonheur, si longtemps espéré au fond de mon cœur. Mes neveux Henri et Isabelle, les comtes de Paris, sont arrivés de Portugal l'année dernière, mettant fin à l'exil inique qui frappait la Maison de France depuis soixante-quatre ans. Mon mariage avec

---

1. Ferdinand Ier de Bulgarie, décédé à Cobourg en 1948.

Carlos avait été le prétexte pour chasser papa et maman : la boucle était bouclée.

Je veux partir en paix.

Mon agonie ressemble à une descente aux enfers.

Rien ne me sera donc épargné ? Hélène, ma chère sœur, vient de monter au Ciel. Pourquoi, Tylène, m'as-tu précédée dans la paix du Christ en laissant ta grande sœur porter une croix toujours plus lourde ? Quand donc mon calvaire prendra-t-il fin ?

Je dois pourtant apaiser ma conscience.

Il y a des douleurs intimes, celles qu'une reine ne confie jamais lorsqu'elle fait son devoir d'État, mais qu'une femme peut avouer quand elle parvient au soir de sa vie. Parmi tant de deuils, il en est un que j'ai porté secrètement jusqu'à aujourd'hui.

Voici près d'un demi-siècle que Joaquim Augusto Mouzinho d'Albuquerque a mis fin à ses jours, le 8 janvier 1902, très exactement. Comme tous les Portugais, j'admirais ce magnifique officier de cavalerie qui avait été gouverneur royal du Mozambique et avait vaincu les rebelles de Gungunhana lors de la bataille décisive de Coolela[1]. Lorsque ce héros était revenu en Portugal, en 1897, nous l'avions attendu à l'Arsenal, Carlos, les enfants et moi. Il avait débarqué de la goélette royale comme un personnage de légende, tout auréolé de sa gloire, exactement comme ces chevaliers que je voyais, enfant, dans les livres d'images. Un cortège de cavaliers l'avait

1. 7 novembre 1895.

accompagné jusqu'à sa résidence, sous les acclamations frénétiques d'une foule immense : l'infant dom Afonso chevauchait à sa droite, le général Queiros à sa gauche.

Je revis notre héros national lorsque le roi lui remit la médaille de Valor Militar à la Société de géographie, après avoir rappelé ses titres de gloire. Puis il partit. D'abord pour sillonner le pays, car tous les Portugais voulaient le voir, puis à l'étranger pour des missions diplomatiques en France et en Allemagne qui lui donnèrent, m'a-t-on dit, de très vives satisfactions personnelles. Peu après avoir repris ses fonctions de gouverneur royal au Mozambique, il démissionna et revint parmi nous. Le roi en fit son aide de camp et le désigna comme précepteur de mon petit Louis. C'est dire si nous nous rencontrions souvent. Une amitié confiante naquit entre nous, et elle fut d'autant plus profonde que nous étions tous deux en butte aux intrigues de la cour et aux chausse-trapes politiques. Certains l'accusaient de vouloir devenir dictateur, d'autres tentaient de l'entraîner dans une combinaison politique avec João Franco.

Joaquim Augusto était trop intelligent pour ne pas souffrir des campagnes politiques menées contre lui, et trop militaire pour supporter les fadaises et les petites jalousies de la cour. Il me contait ses tourments. Je tentais de le rassurer tout en lui disant pourquoi je pouvais si bien le comprendre. Nous parlions de l'éducation du Petit, qu'il aimait tendrement. Nous faisions aussi de longues promenades à cheval, sans prononcer la moindre parole, mais dans la communion de nos âmes. Son respect de gentilhomme laissait parfois transparaître une pointe de tendresse. Mon estime se nuançait d'affection.

Je crois bien que, dans la solitude de la *tapada*, nous avons eu l'un pour l'autre des tentations.

Le jour où l'on vint me dire qu'il s'était tiré une balle dans la tête, ce fut un effondrement intime d'autant plus atroce que je n'en pouvais rien laisser paraître. J'attendis le creux de la nuit pour pleurer.

Mon chagrin n'a jamais cessé, et s'y ajoute le tourment de ne pas comprendre. Pourquoi Joachim s'est-il suicidé, au faîte de la gloire, protégé par le roi, aimé de la reine ? Je ne crois pas à l'acte d'un romantique, malgré les liens qu'il entretenait avec les écrivains portugais qui se désignaient comme des « vaincus de la vie ». Peut-être éprouvait-il du dégoût pour le milieu des politiciens, et je sais qu'il ne supportait pas les campagnes de médisances qui faisaient de lui mon amant. Longtemps j'ai tenté de masquer la cruelle vérité. Je crois comprendre en cet instant que Joachim s'est tué pour nous éviter ce que la rumeur tenait pour avéré, et qui eût été contraire à mon honneur. Il m'a sauvée de moi-même, car je ne peux jurer que j'aurais eu la force de résister. Dans son infinie miséricorde, Dieu lui pardonnera son sacrifice.

Pour moi, le terme est enfin venu. J'ai porté la mort tout au long de ma vie. Bientôt, la mort me délivrera de ce poids. *Se Deus quiser*[1], je m'endormirai en France, mais c'est en Portugal que je reposerai pour toujours. J'irai alors rejoindre mes chers aimés à São Vicente, revêtue pour seul

---

1. Si Dieu veut.

linceul du manteau que je portais le jour funeste, maculé du sang de Carlos et de mon petit Louis. Il m'a accompagnée toutes ces années, enfermé dans ce coffre qui ne me quitte jamais.

Tout ce sang, Seigneur ! Que de sang versé, *ô meu Deus !*

Épilogue

Sa Majesté la reine Amélie de Portugal est décédée le jeudi 25 octobre 1951 à 9 h 35 dans son château de Bellevue au Chesnay, entourée de ses médecins, les docteurs Legrain et Cordier, qui l'ont soutenue dans son agonie. Ont assisté à ses derniers instants doña Maria Francisca de Bragance[1], ses neveux le comte et la comtesse de Paris, la princesse Françoise de Grèce, les vicomtes d'Asseca et tous les membres de sa Maison. Le curé Toillon de la paroisse de Saint-Antoine-de-Padoue du Chesnay – à qui la reine avait fait de multiples dons, particulièrement son manteau de cour pour orner l'autel – lui avait administré l'extrême-onction dès le début de l'agonie, le 6 octobre.

Décédée d'une attaque fatale d'urémie, la reine s'est éteinte en prononçant ces dernières paroles : « *Sofro tanto ! Deus esta comigo. Adeus. Levem-me para Portugal !* » (Je souffre tant ! Dieu est avec moi. Adieu. Ramenez-moi en Portugal.) Toute la

---

1. Sœur de la comtesse de Paris et mariée depuis 1942 à dom Duarte Nuño, héritier de la branche miguéliste, devenu chef de la Maison royale à la mort de Manuel II.

maisonnée a pris le deuil et le drapeau portugais est voilé de crêpe sur le mât. L'affliction se lit sur les visages de ses fidèles serviteurs : le capitaine Julio da Costa Pinto, son secrétaire particulier dom Antonio Corrêa de Sa, vicomte d'Asseca, son chambellan Louis Jouve, son intendant et sa femme Henriette, Lucie Rossier, sa femme de chambre depuis 1935, Alphonse Stolp, son valet de chambre, sans oublier Clément Marteau, le chauffeur de la reine depuis près de trente ans.

« Elle vécut une agonie terrible pendant laquelle elle me disait constamment : "Dieu est avec moi ! J'ai beaucoup souffert et jamais je n'ai jamais fait de mal à personne. Pourquoi faut-il que je souffre tant ? J'ai fait le bien que je pouvais et tout ce qui était en mes moyens pour le bien des autres" », a raconté Henriette Jouve. « Parfois la nuit, elle interrogeait : "Pourquoi m'ont-ils expulsée à coups de canon ? Pourquoi m'ont-ils tué mon mari et mon Louis ? Oh, mon Petit Louis..." Et sa voix s'éteignait en un sanglot. Avant de fermer les yeux, une vision l'obsédait. "Du sang, que de sang !" répétait-elle, revoyant la tragédie qui avait brisé son bonheur à tout jamais, il y a bien long-temps. »

À l'annonce du décès de la reine, le gouvernement portugais a immédiatement décrété trois jours de deuil national pendant lesquels les édifices publics maintiennent leur drapeau en berne.

Le corps embaumé de la reine est transféré le mercredi 31 octobre à la cathédrale Saint-Louis de Versailles où est dressée une chapelle ardente sous la garde des sœurs portugaises de San José de Cluny et des dames auxiliaires de Versailles. La messe est célébrée par l'évêque de Versailles, Mgr Roland Gosselin, tandis que par la volonté expresse de la reine retentit l'*Ego sum resurrectio et vita* de Charles Gounod, qu'elle avait connu.

Recouvert des drapeaux français et portugais, le cercueil rejoint ensuite la chapelle royale Saint-Louis de Dreux, nécropole de la famille d'Orléans, avant d'être acheminé à Brest pour y être embarqué sur le navire de guerre portugais *Bartolomeu-Dias* le 26 novembre 1951 en direction de Lisbonne, où elle est accueillie par vingt et un coups de canon. Après l'hommage silencieux des Portugais, venus en masse l'accueillir pour son dernier voyage et s'incliner devant la dépouille mortelle, le Portugal lui réserve des funérailles nationales le jeudi 30 novembre 1951 à São Vicente da Fora, en présence du président de la République Antonio Carmona, du président du Conseil, le docteur Antonio de Oliveira Salazar, de l'infante Filipa de Bragance[1], du comte et de la comtesse de Paris, du comte et de la comtesse de Barcelone, du roi Carol II de Roumanie et de Magda Lupescu, des archiducs Joseph et Anne d'Autriche[2]...

Après deux heures et demie d'une cérémonie grandiose, la reine Amélie est inhumée dans le panthéon des Bragance où reposent déjà le roi dom Carlos Ier, son mari, Luis Felipe et dom Manuel II, ses fils, près du petit tombeau de Marie-Anne, mort-née en 1887.

---

1. Sœur cadette du prétendant portugais exilé : il ne rentrera au Portugal qu'en mai 1953.
2. Branche palatine de Hongrie.

La reine Amélie de Portugal vécut quatre-vingt-six ans. Frappée dans son bonheur de femme, de mère et de reine à quarante-trois ans, elle aura porté sa croix douloureuse encore quarante-trois ans...

Remerciements

En premier lieu, je remercie pour son aide et ses encouragements S.A.R. dom Duarte, duc de Bragance, filleul de la reine Amélie et chef de la Maison royale du Portugal. J'exprime ici ma gratitude à Mgr le Comte de Paris qui a bien voulu mettre à ma disposition les cartons contenant le journal intime et la correspondance de sa tante, la reine Amélie, mis en dépôt aux Archives nationales dans le fonds des Archives de la Maison de France.

Mes remerciements s'adressent également aux neveux et nièces de la reine qui m'ont apporté leur témoignage, Mme la Comtesse de Paris, dom Pedro Gastão et doña Esperanza d'Orléans et Bragance, S.A.R. le prince Michel de Grèce.

Je ne veux pas oublier ici tous ceux dont l'aide m'a été précieuse : le marquis de Breteuil, qui a mis à ma disposition ses archives familiales, le président de la fondation Casa de Bragança, le docteur João do Amaral Cabral, pour m'avoir ouvert les portes du palais ducal de Vila Viçosa, que m'a longuement fait visiter João Ruas, Mme Isabel da Silveira Godinho, conservatrice du palais royal de Ajuda, la fondation Calouste Gulbenkian de Paris, M. Jean Waquet, petit-fils d'un des médecins de

379

la reine au Chesnay, M. Jean Brunet, « voisin » du château de Bellevue, transformé en siège de la chambre d'agriculture des Yvelines, et M. Louis Pauchet, arrière-petit-fils de la comtesse de Butler.

J'exprime également toute ma reconnaissance à S.E. l'ambassadeur de Portugal en France, José Paulouro das Neves, pour ses encouragements bienveillants. Je désire associer à la naissance de ce livre tous mes amis portugais qui m'ont fait aimer leur « royaume » : António de Sampayo e Mello, Fernando de Gouveia-Aranjo, Vasco Telles da Gama... sans oublier mon regretté ami Maxime Schu, grâce à qui j'ai découvert ce pays.

Je tiens à remercier aussi Mme Jacqueline Carpine-Lancre, auteur d'un ouvrage sur le roi océanographe, pour son aide confraternelle, et surtout M. Rémy Fénérol, passionné défenseur de la reine, qui a bien voulu m'ouvrir les portes de sa maison, où il conserve pieusement d'innombrables souvenirs de la reine.

Que Gilles Brochard, mon éditeur, trouve ici l'expression de ma gratitude pour sa patience et sa disponibilité.

Un grand merci à Victoria Vaz, mon professeur de portugais, qui s'efforce depuis trois ans de m'initier à la langue de Camões.

À l'heure où j'achève ses lignes, S.A.R. la duchesse de Bragance vient de donner naissance à la princesse Maria Francisca, près d'un an après la venue au monde de dom Afonso, prince de Beira. Je leur dédie ce livre, pour que jamais ne s'éteigne la flamme.

Table

Crédits photographiques

11366

Composition
NORD COMPO

Achevé d'imprimer en Slovaquie
par NOVOPRINT
le 6 mars 2016

Dépôt légal mars 2016
EAN 9782290127667
OTP L21EPLN001941N001

ÉDITIONS J'AI LU
87, quai Panhard-et-Levassor, 75013 Paris

Diffusion France et étranger : Flammarion